Читайте романы
примадонны иронического детектива
Дарьи Донцовой

Дарья Донцова

роман

Фэн-шуй без тормозов

советы

Советы от безумной оптимистки Дарьи Донцовой

Москва
Эксмо
2008

ИРОНИЧЕСКИЙ ДЕТЕКТИВ

Дарья Донцова

Кулинарная книга ЛЕНТЯЙКИ

Есть в заначке у каждой хозяйки
"Кулинарная книга лентяйки"!
Нет, готовить им вовсе не лень –
Но зачем "убивать" целый день!

МОЙ ЛЮБИМЫЙ ЧИТАТЕЛЬ!

В 2008 году я снова приготовила для вас сюрприз. Какой? Сейчас расскажу.

На корешке каждой моей книги, начиная с книги «Стриптиз Жар-птицы» и заканчивая твердой новинкой октября, вы найдете букву. Если к концу года вы соберете все восемь книг, то из букв на корешках сможете составить:

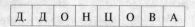

Каждый, кто станет обладателем Великолепной восьмерки книг, получит приз — сборник моих рассказов в эксклюзивном издании (такого не будет ни у кого, кроме вас). А самых удачливых определит Фортуна. Восьмерых счастливчиков ждут ценные призы.

Участвуйте и побеждайте! Всего Вам ВЕЛИКОЛЕПНОГО!

С любовью — Дарья Донцова

«ВЕЛИКОЛЕПНАЯ ВОСЬМЕРКА ОТ ДАРЬИ ДОНЦОВОЙ» ДЛЯ УЧАСТИЯ В АКЦИИ НЕОБХОДИМО:

1. Купить все 8 новых романов Дарьи Донцовой в твердом переплете. Первая книга выйдет в марте 2008 года, восьмая книга выйдет в октябре 2008 года.

2. Собрать все книги таким образом, чтобы на корешках составленных вместе книг читалось «Д. ДОНЦОВА».

3. Сфотографироваться на фоне книг, корешки которых, составленные вместе, образуют надпись «Д. ДОНЦОВА».

4. Вырезать из каждой из 8 книг уголок с буквой, расположенный в конце книги.

5. Взять чистый лист бумаги и печатными буквами разборчиво написать: ФИО, контактный телефон, возраст, точный адрес с индексом.

6. Вашу фотографию с книгами и 8 вырезанных уголков, а также лист с вашими данными (из п. 5) вложить в конверт и отправить на 109456, а/я «Дарья Донцова» с пометкой «Великолепная восьмерка от Дарьи Донцовой».

НЕОБХОДИМЫЕ АДРЕСА, ПАРОЛИ, ЯВКИ:

1. В акции участвуют 8 новых романов Дарьи Донцовой в твердом переплете, вышедшие в 2008 году в серии «Иронический детектив» в следующие месяцы: март, апрель, май, июнь, июль, август, сентябрь и октябрь.

2. Сроки акции: 15.03.08 — 14.03.09.

3. Ваше письмо должно быть отправлено по почте до 15.01.09.

4. Адрес для отправки писем: 109456, а/я «Дарья Донцова».

5. Телефон горячей линии, по которой можно задать ваши вопросы: (495) 642-32-88. Линия будет функционировать с 1 апреля по 1 мая 2008 года и с 20 октября 2008 года по 14 марта 2009 года.

6. Условия акции, обновления, свежие данные и т.п. ищите на сайтах: www.dontsova.ru, www.eksmo.ru.

7. Восьмерых победителей мы назовем 20.02.09 на сайтах www.dontsova.ru и www.eksmo.ru. Имена счастливчиков также будут опубликованы в книге Дарьи Донцовой и в газете «Жизнь». Помимо этого, мы известим выигравших восемь ценных призов по указанным контактным телефонам.

8. Призы будут отправлены до 14.03.09.

А ТЕПЕРЬ О САМОМ ГЛАВНОМ — О ПРИЗАХ[1]:

1. Гарантированный приз — сборник рассказов Дарьи Донцовой в эксклюзивном издании — получает каждый участник, выполнивший все (!) условия, указанные выше в разделе «**Для участия в акции необходимо**».

2. 8 призов — 8 сертификатов магазинов бытовой техники и электроники на сумму 15 000 рублей каждый — получают 8 (восемь) человек, которые выполнили все (!) условия, указанные выше в разделе «**Для участия в акции необходимо**», и чьи письма вытащит из барабана Дарья Донцова.

НЕОБХОДИМЫЙ P.S.:

Восьмерых счастливчиков, которые окажутся победителями, узнает вся страна!

Ваши фото с любимыми книгами будут напечатаны на форзаце одной из книг Дарьи Донцовой в 2009 году.

Вам есть за что побороться! Участвуйте в акции «Великолепная восьмерка», собирайте библиотеку любимых книг, получайте призы, и пусть у вас всегда будет много поводов для хорошего настроения!

С уважением,
Издательство «Эксмо»

---

[1] Призы не подлежат обмену на денежный эквивалент. Издательство берет на себя выплату налогов с приза.

Фэн-шуй без тормозов

роман

Глава 1

Если дети отказываются есть овсянку, попробуйте сварить ее на пиве.

— Ни за какие пряники не стану жрать размазню, — зашумел Кирюшка, глядя в тарелку. — Это ваще что?

— Каша, — весело ответила я. — Поверь, очень полезная вещь — придает энергии, понижает уровень холестерина в крови, улучшает цвет лица. Ну, давай без кривляний!

— Он хочет икру на завтрак, — ехидно заметила Лизавета. — Только не баклажанную, а черную!

— С икрой возникли трудности, — парировала я, — наш личный поставщик деликатесов заболел, придется обойтись геркулесом. Короче, выбирай: либо каша, либо...

Мопсиха Феня шумно вздохнула, встала с пола и умоляющим взором посмотрела на меня. Всем своим видом собака будто говорила: «Что, Лампа, капризные дети не желают лопать вкуснятину? Брось кашу в мою миску, я готова прийти тебе на помощь. Не пропадать же добру!»

— Э нет, дорогая, — заявила я, — при таком весе следует воздерживаться от гастрономических оргазмов. Тебе, дочь оленя, куплены дорогие банки специального корма для тучных псов. Думаю, ты обязана сказать мне «спасибо»: несмотря на финансовые трудности, связанные с нашим переездом в новый дом, я тем не менее не поскупилась на твое лечебное питание. Кстати, почему еда, в которой, по заверениям производителей, нет ни жиров, ни белков, ни углеводов, стоит нереальных денег, а?

Фенюша, повесив голову, залезла под стол. Я ощутила укол совести — мопсы умеют так сгорбить спину, что хозяин, не давший им лакомства, чувствует себя откровенной сволочью, жадным мерзавцем, и никакие разумные доводы о том, что ожирение опасно для псов, не могут исправить ему настроение.

— Так какой у меня выбор? — спросил Кирик, ковыряя овсянку. — Ты начала говорить: «Либо каша, либо...»

— Либо вообще ничего не получишь, — подытожила я.

— Не нравится мне такая альтернатива, — вздохнул Кирюша.

Я встала с табуретки.

— Сделай одолжение, посмотри вокруг и скажи: где мы находимся?

— В Мопсине, — ответил Кирюша. — В замечательном доме, который один умный мальчик выменял на сайте «Шило-мыло»[1].

Мой взор устремился в окно.

Большинство из нас имеет мечту. Некоторые люди всю жизнь твердят: «Эх, сложись моя судьба по-иному, стал бы космонавтом».

Другие, мечтая полететь на ракете, не ноют, не ждут подарков небес, а упрямо идут по выбранной дороге: поступают в авиационный институт или летное училище, стремятся попасть на работу в Звездный городок и, рано или поздно, добиваются цели. Нашей семье очень хотелось иметь загородный дом,

---

[1] Об истории приобретения семьей Романовых загородного дома читайте в книге Дарьи Донцовой «Фанера Милосская», издательство «Эксмо».

и мы его обрели почти волшебным образом. Но, как обычно и бывает, реализованная мечта не всегда вас устраивает.

Моя подруга Леся Куркина, страстно хотевшая стать матерью, рисовала в уме картинку: умилительный малыш, облаченный в голубой костюмчик, мило лепечет, сидя в кроватке. В конце концов Господь сжалился над Леськой. Правда, у нее родилась девочка, с голубым цветом не сложилось, но Куркина накупила розовых платьиц и в первые дни материнства рыдала от счастья. Затем Леська стала делать не совсем приятные открытия: ее Наташа не спала ночами, выплевывала еду, постоянно орала, ломала игрушки... Единственное, чего никогда не делала Натуська, — она не лепетала в кроватке. На мой взгляд, Ната была очень здоровой малышкой, ведь если ребенок не проказничает, он болен. Страстно мечтая о потомстве, Леся как-то не учла, что период младенчества короток — ребеночек вырастет, превратится в самостоятельного человека, который будет взрослеть и взрослеть.

Вчера Леська позвонила мне и заплакала:

— Я в ужасе!

— И что на этот раз? — поинтересовалась я.

— Я получила в садике выговор от воспитательницы, — рыдала подруга. — Знаешь, что сделала Натка? Играла в дочки-матери на деньги.

— Круто, — засмеялась я. — Каким образом это происходило?

— Не знаю, — призналась Леся. — Натке всего четыре года! Зачем ей деньги?

Бесполезно объяснять Леське, что детям положено шалить. Не живи в ее мечтах суперобразцовый мальчик, воспитание Наты не казалось бы подруге катастрофой — мальчишки безобразничают еще больше. Лесе повезло родить девочку, но она не способна оценить свое счастье. Такова уж человеческая натура.

И я, Лампа Романова, не исключение. Заимев дом в Мопсине, я переживаю из-за отсутствия в нем мебели. Нет бы порадоваться: на дворе июнь, стоит хорошая погода, и мы находимся не в душной Москве, а в лесу, среди зелени и птичьего щебета — так ведь нет, все мысли о том, что нам не на чем спать. Из обстановки пока есть лишь колченогий стол и табуретки. Но диваны-то, кресла и прочее — дело наживное! Но я отвлеклась...

— На свете нет ничего отвратительнее геркулеса, — занудил Кирюша.

— Значит, так... — сурово сказала я. — Ты же знаешь: Катя уехала в Оренбург, чтобы заработать денег; Сережка и Юлечка мотаются по провинции — проводят пиар-кампанию престарелой эстрадной дивы и терпят капризы бабули, мечтающей вернуть былую популярность; я через двадцать минут уеду на службу. Напоминаю: я отказалась в этом году от отпуска. Одним словом, все стараются побыстрее обустроить дом и готовы идти на жертвы, а ты...

— Ну ладно, ладно, — забормотал Кирик, — не заводись.

— Сегодня привезут кухню, — я решила сменить тему, — вам надо принять шкафчики, пересчитать их, проверить наличие необходимой фурнитуры, винтов, гвоздей, других креплений...

— Мы не маленькие! — задрала нос Лизавета. — Но почему вы начали с кухни? На надувном матрасе не так уж и прикольно спать.

— Постепенно решим все проблемы, с чего-то же надо начинать, — оптимистично пообещала я. — Ну, пока! Пойду одеваться.

Дети обиженно засопели. Я, не обращая внимания на их кислые мордочки, быстро ушла к себе, натянула джинсы, футболку и спустилась во двор. Дух перехватило от восторга. Вот оно, счастье!

Ласковое солнышко греет своими лучами лужайку. На траве, среди желтых одуванчиков и неизвестных мне мелких беленьких цветочков, стоит раскладушка, прикрытая пледом, на ней кверху пузом, растопырив все четыре кривые лапы, спят Муля и Ада. Капа, радостно повизгивая, носится вокруг лежанки, Феня, которой так и не удалось выклянчить у меня кашу, сидит на крылечке с мечтательным видом. Рейчел ходит вдоль забора, изображая суровую охранную собаку.

Когда мы перебрались в Мопсино, два гастарбайтера, делающие ремонт у соседей, пришли в ужас при виде стаффихи. Я попыталась успокоить строителей, сказала им абсолютную правду:

— У Рейчел вид зверя, но характер Белоснежки.

Да только бедные таджики не поверили, им Рейчуха показалась персонажем другой сказки.

— Зачем врешь, а? — сказал один. — Уши большие, глаза горят...

— Зубы большие, — добавил второй.

Тут Рейчел не к месту гавкнула, и парней как ветром сдуло. Стаффихе их бегство показалось забавным, она мигом оценила новую замечательную игру и теперь бродит вдоль забора, поджидая, когда два «храбреца» выйдут из соседнего дома. Едва строители показываются во дворе, Рейчуха издает оглушительное «гав-гав!» и с улыбкой наблюдает, как те наперегонки несутся внутрь здания.

Стаффиха просто шутит! Рейчел не умеет и не желает кусаться, да только парни просто трусы, боятся даже нашего двортерьера Рамика, который не обращает никакого внимания на людей и спит себе на ступеньках. Очевидно, у пса кислородное отравление — воздух в Мопсине совершенно не похож на московский коктейль из выхлопных газов и ядовитых выбросов.

Испытывая умиротворение, я села за руль и поехала на работу.

Родители мои постарались дать дочурке хорошее образование — за спиной у меня консерватория, я имею диплом арфистки[1]. Здорово, да? В особенности если учесть, что я терпеть не могу струнные инструменты. Всю жизнь мечтала стать следователем, но только мама, оперная певица, и папа — академик, могли упасть в обморок, наберись их дочь храбрости высказать свое желание вслух. Иногда мне кажется, что в небесной канцелярии произошла путаница. Мне следовало появиться на свет в семье сотрудников правоохранительных органов. И, наверное, где-то около мамы-прокурора и папы-оперативника живет женщина, тоскующая по арфе. Вот ей в лом ловить уголовников, но приходится продолжать династию. Повторю: нас перепутали, и я упорно пытаюсь изменить свою судьбу. Несколько раз я оказывалась на работе в детективных агентствах, но они, как правило, закрывались, не выдержав конкуренции. Сейчас у меня новое место: Нина Косарь, опытная сотрудница МВД, основала свой бизнес. В отличие от многих частных сыщиков Нина — крепкий профессионал со связями, и она пошла ва-банк. Косарь продала свою дачу, сдала квартиру иностранцам и на вырученные деньги открыла агентство. Сама же вместе с детьми перебралась к маме, терпит, стиснув зубы, ежедневную пилежку родительницы и очень хочет выбраться из финансовой ямы. Нине не на кого рассчитывать, она одна тянет сыновей (бывший муж ин-

---

[1] Подробнее о биографии Евлампии Романовой читайте в книге Дарьи Донцовой «Маникюр для покойника», издательство «Эксмо».

тереса к наследникам не проявляет, он алкоголик со всеми вытекающими последствиями).

Припарковавшись во дворе, я поднялась по роскошным мраморным ступенькам и с трудом открыла тяжеленную резную дверь из натурального дуба. Войдя в фойе, кивнула охраннику в черной форме:

— Привет, Костя.

— Здравия желаю, Евлампия Андреевна, — вытянулся парень.

Я невольно улыбнулась.

— Костя...

— Я! — заученно рявкнул он.

— Нина приехала?

— Так точно!

Я пошла по белоснежному ковру к небольшому коридорчику, ведущему к кабинету Косарь.

Только не подумайте, что шикарный офис вкупе с вышколенной охраной принадлежит нам. Кстати, я забыла сообщить, агентство находится в самом центре Москвы, неподалеку от станции метро «Тверская». Представляете размер арендной платы? Нам с Ниной и один квадратный сантиметр площади здесь не по карману, максимум, на что мы могли рассчитывать — это полуподвал в доме у рынка за МКАД. А ведь первое, на что обращает внимание клиент, — это расположение и оборудование офиса. Если он находится в Центральном округе, в уютном особнячке с наборными паркетными полами и хрустальными люстрами, значит, контора процветает. Оценив данные показатели; потенциальный заказчик осмотрит сотрудниц, поэтому мы с Ниной носим умопомрачительно дорогие часы от всемирно известных фирм — наши «будильники» тянут на пятьдесят тысяч евро каждый.

Откуда такая роскошь? Ох, придется признаться в невинном обмане. Шикарный особняк принадлежит крупному бизнесмену Феликсу Лапину. В свое время его обвинили в убийстве, и все улики указывали именно на него. В общем, сидеть бы Лапину лет пятнадцать в колонии строгого режима без права условно-досрочного освобождения, но у Нины возникли сомнения в его вине. Она выдержала нелегкую битву со своим начальством, мечтавшим поскорее спихнуть с плеч якобы прозрачно-ясное дело, и сумела-таки найти настоящего преступника. Феликс, узнав правду, разрыдался у Косарь в кабинете и заявил:

— Только скажи, что надо. Мигом сделаю!

Поскольку Лапин успешно занимается риелторским бизнесом, Нина позвонила ему, когда мы начали искать офис. Лапин привез нас в этот особняк и поинтересовался:

— Двух комнат вам хватит?

— Круто, — вздохнула я.

— Супер, — подхватила Нина. — Но — нет.

— Не понравилось? — расстроился Феликс. — Девочки, осмотритесь повнимательней, поверьте: лучше ничего не нароете!

— Ага, — кивнула я, — небось аренда запредельная.

— Больших денег у нас нет, — подхватила Нина, — все средства вложены в аппаратуру и персонал. Извини, нам пафос не по карману.

— Для вас — этот офис бесплатно, — заявил Лапин. — Живите тут даром, на правах вип-съемщиков.

— С ума сошел! — подскочила Нина.

— Ты мне жизнь спасла, — напомнил он.

— Не за офис, — уперлась Косарь.

Феликс умоляюще посмотрел на меня:

— Лампа, объясни ей! Я же от чистого сердца!

Через два дня мы с Ниной сломались, въехали в комнаты и договорились с Феликсом: занимаем помещение даром, но Лапин присылает к нам своих клиентов, которых мы, в свою очередь, обслуживаем бесплатно. Бартер, так сказать.

Бизнесмен согласился, наша с Ниной совесть успокоилась. Но... С того момента прошло уже достаточно времени, и Феликс держит слово — счетов нам не приносят. Однако и клиентов от Лапина тоже нет. Пока бартер работает в одну сторону.

А часы за пятьдесят тысяч евро — красивая подделка, привезенная из Азии. Стоят они всего полсотни, но выглядят волшебно и производят нужное впечатление. Кстати, дела у нас идут неплохо. Уж не знаю, что тому причиной: вычурный офис, пресловутые «будильники» или наши с Ниной ум и сообразительность. Мне, как вы понимаете, больше по душе последнее предположение.

Нина сидела за столом, держа в руках бланк договора, а напротив нее в кресле расположилась молодая женщина с каштановыми волосами, карими глазами и красивым полногубым ртом. Если бы не несчастный вид, незнакомка могла показаться красавицей. Несмотря на теплую погоду, она была укутана во что-то иссиня-черное, на ноги дамочка натянула плотные колготки. Я обратила внимание на дорогие лаковые балетки и узнала сумку, которую посетительница держала на коленях. Лизавета пару дней назад показывала мне такую в глянцевом журнале.

— Скажи, классная? — с придыханием спросила тогда девочка.

— Ничего, — равнодушно ответила я.

Лично мне нравятся только те сумки, что продаются на собачьих выставках. Как только вижу в газете объявление про открытие конкурса песьей красоты, моментально лечу туда, нахожу ларек, в котором торгуют торбами с изображениями мопсов, дворняг, такс и прочих четвероногих, и со счастливым визгом отовариваюсь на полную катушку. В шкафу у меня штук десять подобных сумок, и других мне не надо.

— Очень, прямо до жути, хочется такую, — стонала Лизавета.

Я взяла журнал.

— И где их продают?

— Там есть адрес бутика, — безнадежно грустно ответила Лиза.

— Ну, думаю, на день рождения или Новый год...

— Нет, Лампа, я никогда не получу «Марго»[1], — перебила меня Лизавета.

— Ты о чем? — удивилась я.

— «Марго» — так называется сумка. Она стоит тридцать тысяч евро! — выпалила девочка.

— Врешь! — ахнула я.

— Почитай статью, — тяжело вздохнула Лизавета. — «Марго» названа в честь Маргариты Лансэ, которая была художницей и имела кучу любовников. Пользовалась бешеным успехом у мужчин! Курила, пила и погибла от наркотиков. В честь Лансэ дом Джона Варвиано создал сумку. О такой теперь все мечтают. Иметь «Марго» — это круто!

Я молча рассматривала фото. С виду ничего особенного, я бы за подобную поделку пожалела и сто долларов: прямоугольник из кожи с простыми ручками, хорош лишь оригинальный замок в виде слона. И потом, стоило ли увековечивать память дамы, скакавшей из одной постели в другую и уехавшей на тот свет с косяком в зубах или со шприцем в вене? Вот уж достойный пример для подражания. Интересно,

---

[1] Название сумки придумано автором. Совпадения случайны. Но на свете существуют именные кожгалантерейные изделия, выпускаемые рядом фирм. Как правило, они стоят очень больших денег. Например, «Келли» и «Биркин» — названы в честь актрис Грейс Келли и Джейн Биркин.

сколько девушек мечтает стать похожими на отвязную наркоманку?

— «Марго» — это вложение денег, — поясняла тем временем Лизавета. — Около тридцатки стоит современный простенький вариант, а винтаж зашкаливает, верхнего предела нет. Пару месяцев назад на аукционе была продана одна из личных сумок Маргариты, у нее их было более десятка. «Марго» семьдесят второго года из крокодила ушла к частному коллекционеру, чье имя не раскрывается. Стартовая цена лота семьдесят тысяч евро, а в процессе торгов она увеличилась втрое.

— Офигеть... — протянула я.

— А еще «Марго» делают на заказ, — закатила глаза Лиза, — любых цветов и материалов. Шьют полгода, вручную. Говорят, мастерицы каждый стежок еще зубами проходят — для крепости!

— Надеюсь, девушек-сумочниц тщательно проверяют на вирусы, грибки и прочую инфекцию, — брезгливо поморщилась я. — Неприятно отстегнуть Монблан денег и получить гепатит, СПИД, сифилис, герпес или туберкулез.

— Кубинские сигары скручивают на бедре голые мулатки, — парировала Лиза, — и ничего, народ курит спокойно. Заразу легче подхватить в метро. Боже, как я хочу «Марго»! Но фигушки она мне обломится...

Я не стала спорить. Рано или поздно любой человек понимает: кой-чего у него никогда не будет. Алмазные копи, нефтяные месторождения, урановые рудники и иже с ними — вещи эксклюзивные. Если в твоей семье их нет, учись зарабатывать деньги сам, развивай талант, проявляй чудеса работоспособности, стань уникальным специалистом... а потом уж покупай пресловутую «Марго».

Но у клиентки, сидящей сейчас перед Косарь, похоже, материальный достаток достиг пика, раз она приобрела баснословно дорогую сумку.

Глава 2

— А вот и Евлампия Андреевна, — обрадовалась Нина.

— Можно просто Лампа, — быстро сказала я, усаживаясь у стола.

— Катя, — тихо представилась клиентка и подняла голову.

Я в уме быстро произвела переоценку ее возраста. Лет посетительнице чуть больше, чем мне показалось вначале, возраст колеблется между тридцатью пятью и сорока годами. Да, у нее в руках сумка «Марго», только замок не в виде слона, как у той, что показывала мне в журнале Лиза, а в виде змеи.

— Вот и познакомились, — кивнула Нина. — Катюша, я введу Лампу в курс дела? Тем более что расследованием будет руководить она.

Я стиснула зубы, чтобы не рассмеяться. Нина умеет пускать пыль в глаза. Употребленный ею глагол «руководить» подразумевает, что у госпожи Романовой имеются подчиненные, которым она станет раздавать приказы. Мол, сама Евлампия Андреевна сидит в кабинете, изучая доклады вверенных ей сыщиков, а носиться по городу в поисках сведений будут быстроногие парни. Ан нет! Действительность намного проще: никаких помощников у меня нет и в помине, я сама стопчу несколько пар обуви, о чем клиентке вовсе незачем знать. Это не обман заказчика, а тактическая хитрость. Я умна, сообразительна, мобильна, способна к нетривиальным решениям, четким логическим умозаключениям и одна легко заменю десяток мужчин. Интересно, что нужно этой Кате с сумкой «Марго»?

Нина сложила руки на столе и завела рассказ, я попыталась въехать в ситуацию. Она показалась мне весьма обыденной.

Катя фотограф, ее снимки охотно публикуют

модные журналы. Прошу не путать ее с папарацци. Она не вваливается на тусовку, щелкая направо и налево фотоаппаратом в надежде запечатлеть нечто жареное, не лезет на закрытые вечеринки, не пробирается без приглашения на презентации, пряча под одеждой шпионскую аппаратуру. Госпожа Ветрова работает в студии, куда приглашает звезд не первой величины. Вип-персоны второго плана охотно позируют Кате, потому что та не предлагает своим моделям отвратительные позы и сцены и не наносит на их лица уродующий грим. Никаких рыжих париков, красных носов, мешковатых костюмов и интерьеров в стиле «спальня бомжа на теплотрассе». Катя обожает гламур: атлас, кружева, золото, брильянты, стразы, меха... Она всегда корректирует изображение на компьютере, и сердце звезды, открывающей журнал со своим портретом, радуется. Ах, как замечательно она выглядит! Ни тебе морщинок, ни мешков под глазами, овал лица безупречен, с талии и бедер волшебным образом исчезло несколько сантиметров объема.

У Кати репутация светской дамы, и масса друзей-приятелей, но, как сами понимаете, гонорары даже модного фотографа не позволяют жить в шикарной двухэтажной квартире с видом на Кремль, ездить на новеньком джипе и иметь пресловутую «Марго». Финансовое благополучие семьи обеспечивал муж госпожи Ветровой — Олег.

Супруг занимался бизнесом — владел заводом по производству детского питания. Дело Ветров начал давно и весьма удачно занял пустую нишу в то время, когда смеси, пюре, соки и тефтельки с рисом Россия закупала за рубежом. Стоили они дорого, многим молодым семьям были не по карману, не все же имеют любящих бабушек и дедушек, способных поддержать внуков финансово. А Олег наладил производство российских консервов и тут же стал лидером на рынке. Во-первых, его продукты оказались дешевле иностранных аналогов, а во-вторых, Ветров грамотно построил рекламную кампанию.

Несколько статей в газетах на тему «Как иностранцы травят наших детей ядовитыми консервами» напугали немалое количество родителей. Ветров ухитрился даже пару раз дать интервью телевизионщикам.

— Посмотрите на заокеанские яблоки, — вещал он с экрана, — они как восковые. Да, большие, красивые, глянцевые. Но разве натуральные плоды такие? Воск, которым для сохранности покрывают фрукты, крайне вреден для детского организма, кожуру перед переработкой необходимо счистить, а ведь в ней самая польза. Мы же используем только российскую антоновку. Ну откуда у наших крестьян деньги на пестициды и гербициды, а? Они по старинке живут...

Несколько лет Олегу удавалось оставаться монополистом на рынке, но потом крупные корпорации очнулись и начали осваивать упущенный сегмент. Ветрова стали теснить в сторону, он занервничал и придумал питание «Успокойка». Конкурентам оставалось лишь скрипеть зубами от зависти, когда Олежек выпустил в продажу замечательную новинку.

Не секрет, что сейчас в крупных городах полно гиперактивных деток. Такой малыш, ни минуты не сидящий на месте, настоящее наказание для мамы. Безобразником надо постоянно заниматься, к вечеру, когда со службы является усталый отец, его встречает полный разгром: комната усеяна игрушками, жена в истерике, отпрыск, носившийся весь день по квартире, орет от перевозбуждения, в холодильнике хранится одна загибающаяся сосиска. И вместо того, чтобы мирно провести вечер, супруги принимаются выяснять отношения, вспыхивает скандал...

Ветров же предлагал простое решение: баночку «Успокойки». Употреблять еду надо за полчаса до сна. Стеклянная тара закрывается оригинально сделанной крышечкой с наклейкой, которая изменяется, когда малыш вертит ее в ручонках: наклонит направо — бумажка красная, повернет влево, а она уже синяя. Непритязательная штука, но ребенок мог ею забавляться, пока мама запихивала ему в рот ложку с едой.

Если вы покупали сразу ящик, сорок восемь банок «Успокойки», то, помимо скидки, получали еще и купон. Раз в месяц обладатели купонов участвовали в розыгрыше, и победитель отправлялся на съемку к профессиональному фотографу. Пустячок, а приятно. Олег сумел договориться с журналом для молодых родителей, и он стал устраивать конкурсы среди малышей. Номинации звучали: «Самый толстощекий», «Самый кудрявый», «Самый румяный».

Конечно, влезть на вершину пирамиды продаж Олегу не удалось, но он уверенно держался в середине, чем безумно бесил конкурентов. В прессе стали появляться хвалебные отклики от мамочек. Ладно, их можно было посчитать пиар-акциями, но восторг выражали и пользователи Интернета. Конечно, хитрые бизнесмены вовсю используют Всемирную паутину. Не так давно часть блоггеров слишком навязчиво хвалила одну сеть супермаркетов, правда выяснилась довольно быстро: торговцы подкупили народ, они выдали «группе поддержки» специальные скидочные карточки. Но похвалы «Успокойке» выглядели наивно честными.

«Думала, убью сына на фиг! — признавалась в своем дневнике юная мамаша. — Визжал Никитос безостановочно! Ваще без передыху! Ну прям конец! Муж домой придет и хуже сына заводится, на меня несет: «У хорошей матери порядок, а у тебя...» Спасибо, свекровь «Успокойку» купила. Я ей за это все гадости простила. «Успокойка»! Вот где счастье! Берите сразу целый ящик!»

Почему дети мирно засыпали, вкусив содержимое банки, никто не понимал. Вроде это самая обычная манная каша с добавками! Может, успех в наклейке? Олег лишь улыбался и на вопросы отвечал просто:

— Я люблю детей, вот и весь секрет.

Недавно Ветрова позвали поучаствовать в шоу «Интервью» на один из кабельных каналов. Ведущая программы, красивая дама по имени Ульяна, начала пытать бизнесмена и в конце концов сказала:

— Вот у нас в студии банка «Успокойки». Она абсолютно безопасна для здоровья?

— Конечно, — кивнул Олег.

— Никакого снотворного?

— Нас проверяли неоднократно, — усмехнулся Ветров, — и родители, и другие производители. Покупали питание в магазине и носили в лабораторию.

— И все чисто?

— Это качественный продукт, — пожал плечами Олег. — Выпускаем три вида: с сахаром, без оного и с фруктами.

— Чем вы кормите своих детей? — не успокаивалась Ульяна. — Готовы здесь на глазах у зрителей дать собственному малышу продукцию вашей фирмы? Мой помощник приобрел баночку в соседнем со студией магазине...

— У меня нет детей, — спокойно ответил гость. — Хотите, сам съем содержимое банки?

— Давайте, — обрадовалась телезвезда. — Прошу, начинайте!

Ветров решил использовать этот шанс для рекламы своей продукции. Взял баночку, повертел ее в руках и сказал:

— Это самый покупаемый вариант, без сахара.

Обратите внимание на дату и осторожно поворачивайте крышку. Непременно должен быть хлопок, если его нет, выбросьте банку. Вот, чпок! Значит, герметичная упаковка. Где ложка? Ага, спасибо. М-мм... Вкусно! Скажу по секрету, «Успокойку» частенько покупают пожилые люди в качестве альтернативы снотворному. Я и сам ее люблю.

— Неужели внутри безобидная каша? — разочарованно спросила Ульяна.

— Я похож на идиота, который станет гробить свое здоровье? — усмехнулся Олег. И вдруг схватился за грудь. — Ох!

— Что такое?

— Сердце, — выдавил бизнесмен, — колотится... снова...

Ведущая уставилась на Олега, студия замерла. Ветров закатил глаза и упал на диван. Тысячи телезрителей стали свидетелями доселе невиданного шоу под названием «Смерть в прямом эфире».

— Ну и ну, — пробормотала я. — Он и впрямь скончался?

— Да, — прошептала Катя, — умер.

— Худшей рекламы детскому питанию и не придумать, — констатировала Косарь. — Думаю, с того дня ни одной банки не было продано. А газета «Желтуха» наверняка уже разнесла весть о казусе по всей стране.

Я укоризненно посмотрела на Нину. Ну когда она избавится от ментовской прямолинейности? Сейчас Катя оскорбится... Хотя мне пока непонятно, зачем она к нам явилась.

Но вдова повела себя неожиданно.

— Верно подмечено, — кивнула она. — Продажи обвалились в ноль, в Интернете появился ролик программы, и он побил все рекорды по просмотру. Если так дальше пойдет, бизнес рухнет. Найдите убийцу! Я готова на любые ваши условия!

— Секундочку... — остановила я Катю. — Кто убит?

— Олег, — мрачно ответила она. — Странно, что вы не поняли.

— Но кто лишил жизни вашего мужа? — хором спросили мы с Ниной.

— Имей я ответ на этот вопрос, не пришла бы сюда! — печально усмехнулась Катя.

Мы с Ниной переглянулись.

— А что сказала милиция? — поинтересовалась Косарь.

— Инфаркт, резкое нарушение работы сердца. Я не слишком разбираюсь в медицинской терминологии, — нервно пояснила Катя.

Я попыталась внести ясность:

— Олег умер в студии, он там был с ведущей Ульяной. Вы заподозрили убийство, но давайте рассуждать логически. Как Ульяна могла лишить жизни вашего мужа?

Катя нахмурилась:

— В кадре их действительно было двое, но на съемочной площадке находилась прорва народа — администраторы, операторы, звуковики, режиссер, гримеры, костюмеры, уборщицы...

— Олег приехал в телецентр здоровым? — поинтересовалась Нина. — Он не чувствовал недомогания?

— Нет, — покачала головой Катерина.

— А вообще он жаловался на боль в сердце? — вступила я.

— Никогда.

— Принимал какие-нибудь лекарства?

— Даже не прикасался к таблеткам! — воскликнула Катя. — Да поймите вы! Муж не пил, бокал шампанского на Новый год не в счет. Не курил. Мне не изменял. Занимался спортом. Два раза в неделю посещал фитнес-зал. Раз в год проходил обследование в клинике. Ложился спать в одиннадцать, вставал в восемь. У нас в доме не бывает копченой колбасы, жирной еды и крепкого кофе. Овощи, фрукты, рыба, оливковое масло — вот наше обычное меню. Ну, иногда еще яйца и творог. У него была только аллергия на животных, но это пустяк.

— Прямо не верится, — вздохнула Нина.

— Что, и сосиски не едите? — заинтересовалась я.

Катя сложила руки на груди.

— Я покупаю еду исключительно в магазине экологически чистых продуктов. За месяц до трагедии Олег делал кардиограмму и ему сказали: здоровье у него потрясающее, на троих.

— Сглазили, — подытожила Нина.

— Его убили! — возразила Катя. — В милиции, кстати, так же на мои слова отреагировали. Только что вон не выгнали. Выслушали, но дело открывать не стали.

В Косарь мгновенно проснулась цеховая солидарность.

— Так повода нет! Инфаркт не преступление.

— Нет, Олега отравили, — прошептала Катя. — Некто надумал убрать конкурента... Хотя почему «некто»? С какой стати мне миндальничать? Дима Тыков, это его работа!

— Даже если предположить, что некое лицо имело преступные намерения, то как оно их осуществило? — поразилась Нина.

— Отраву положили в банку, — выдала свою версию событий Катя, — муж съел кашу и умер...

— Крышка издала хлопок, — напомнила я, — герметичность была не нарушена.

— Я читала, что в Америке поймали человека, который прокалывал в супермаркетах упаковки с соком, — оживилась Катя, — и с помощью шприца вводил в них яд. Куча людей заболела! Таким варварским способом одна фирма решила утопить другую.

— «Успокойка» продается в стекле, а его не проткнуть, — вздохнула я. — Крышка металлическая, ее тоже не проколешь.

— Откуда ты знаешь? — поразилась Нина.

— Да так, видела в супермаркете, — туманно ответила я.

Ну не признаваться же, что сама люблю слопать перед сном баночку манной каши для младенцев! Между прочим, детское питание очень вкусное, вот только на мой сон оно не влияет. Как спала сном праведника до увлечения «Успокойкой», так и сейчас дрыхну без задних ног.

— Тыков предложил Олегу слиться в один концерн, — продолжала Катя, — муж отказался, вот Дмитрий и отомстил ему. Думает, что я напугана, и он легко получит бизнес. Фигу ему под нос! Теперь сама начну заводом руководить. Научусь всем премудростям.

— Очень глупо травить в прямом эфире владельца бренда, который предполагаешь захапать, — с сомнением покачала головой Косарь. — Народу без разницы, какая фамилия у хозяина, Ветров или Тыков-Быков-Мыков... Игры бизнесменов не колышут простого человека, ему нужно, чтобы консервы хорошие были. А вот о том, как человек склеил ласты, поев в студии «Успокойку», покупатель запомнит крепко, и прости-прощай доброе имя продукта. Зачем, спрашивается, гробить репутацию продукта, который решил заполучить? Вся операция теряет смысл.

— Тыков ненавидел Олега! — звонко выкрикнула Катя. — Это ни для кого не секрет!

— Тем более неразумно убивать его в студии, —

гнула свое Нина. — Тыков чего хотел? Бизнес Олега заграбастать или его смерти?

— И то, и другое! — занервничала Катя.

— А чего больше? — танком катила на нее Нина.

— Ну... думаю... бизнес больше, — пришлось признать Катерине.

— О, добрались! — подняла палец Нина. — Получается, что в убийстве не было необходимости. Случился, увы, инфаркт. Без всякого криминала.

Глава 3

Катя резко выпрямилась, открыла сумку, вытащила оттуда конверт и положила его на стол.

— Вот это должно поколебать вашу уверенность! — воскликнула она. — Письмо пришло за пару дней до смерти Олега.

Я взяла конверт, достала листок бумаги и прочитала:

— «Раз, два, три, четыре, пять, вышел зайчик погулять».

— Понимаете? — склонила голову набок Катя. — Вам ясен подтекст?

— Детская считалочка, — резюмировала я, — про длинноухого. Что вас насторожило?

— Ни обращения, ни подписи, — нервно стала перечислять Катерина, — нет адреса, марки, почтового штемпеля, не имелось и доставочной квитанции. Впрочем, я и курьера не видела.

— Дай глянуть! — велела Нина и, выхватив у меня бумажку, принялась ее рассматривать. — Это чья-то глупая шутка. Или вы взяли письмо, которое не вам предназначалось.

— Нам, — возразила Ветрова, — его явно Олегу подбросили. Помните весь стишок? «Вдруг охотник выбегает, прямо в зайчика стреляет, пиф-паф, ой-ой-ой, умирает зайка мой!»

В офисе на пару секунд стало тихо, потом я улыбнулась.

— Интересно, сколько лет считалочке? Я ее с детства помню.

— Это единственное, что вызвало ваш интерес? — съязвила Катя.

— Лет в пять я очень переживала, — сказала я, не обращая внимания на ее заявление, — плакала и жалела зайчика. И папа рассказал мне продолжение истории о бедном пушистике: «Я кладу зайку в корзинку и несу его домой. Ой-ой, оказался он живой!»

— Ваш отец специально придумал эту строфу, чтобы дочь не ревела, — резко перебила меня Катя. — Всем известно: охотник прикончил зайца.

— Он выжил! — не дрогнула я. — Испугался только, небось его контузило. А потом ускакал в лес с пирожками для бабушки.

— При чем тут «Красная шапочка»? — возмутилась Катя. — Пироги здесь не в тему!

— Прекратите нести бред, — поморщилась Нина и посмотрела на Ветрову: — Вы живете в собственном особняке?

— Нет, в доме, где несколько квартир, — пояснила вдова.

— Тогда отчего вы решили, что дурацкий стишок является угрозой именно вам? — резонно поинтересовалась Нина. — Скорей всего, чьи-то дети баловались.

Катя нахмурилась.

— Конверт лежал на коврике у моей двери.

— И что? — улыбнулась я. — Вам его подложили по ошибке. Или, повторю Нинино предположение, баловались школьники.

Катерина прижала пальцы к вискам.

— Наш дом особый — это клубный кооператив.

— Извините, что? — не поняла Нина.

— В здании шесть этажей и столько же квартир — на шесть семей, — пустилась в объяснения Катя. — Имеется три лифта, в которых нет кнопок, а только прорезь для специальной карточки — всовываете ее в отверстие, и подъемник доставляет вас к апартаментам, не останавливаясь на других этажах. Более того, сесть в лифт, когда в нем кто-то едет, невозможно. Мы живем в пентхаусе. Так вот, когда я спускаюсь вниз, кабина не тормозит ни на пятом, ни на четвертом, свистит до первого этажа без задержки. Понимаете? Столкнуться с соседями можно лишь в общем холле, возле охраны.

— Да... — задумчиво протянула я. — Наверное, такая квартира бешеных денег стоила.

— За два года, что мы обитаем в этом доме, я всего пару раз встречала незнакомцев в подъезде, — продолжала, вздохнув, Катя. — Не знаю, с какого они этажа, как их зовут, живут ли у нас или к кому-то в гости пришли. Дом принадлежит некоему Баларову, у него в здании есть квартира, но, опять же, я понятия не имею, на каком этаже она находится. Хозяин лично отбирал жильцов. Олег говорил, что многие хотели попасть в «Парадиз», как называется клубный комплекс, но жесткий кастинг Баларова выдержало лишь несколько человек.

— Дети способны просочиться куда угодно, — со вздохом заметила Нина, — им никакие хитрые лифты не помеха. И потом, думаю, хозяин позаботился о пожарной безопасности, в доме должна быть лестница. Ведь когда в здании вспыхивает пожар, пользоваться лифтом строго-настрого запрещается.

— Да, лестница есть, — кивнула Катя, — но...

— Вот видите! — уверенно перебила ее Косарь. — Ребятишки на всякие штуки талантливы! Так что наверняка с письмом кто-то из местных шалунов постарался.

— Но в нашем здании нет ни одного человека моложе пятнадцати лет, — завершила фразу Ветрова.

— Да ну? — удивилась я.

— Именно так, — закивала Катя. — Одним из условий получения апартаментов было отсутствие малышей. Баларов не терпит шума, поэтому отказал поп-звезде Софии, мечтавшей поселиться в доме, и еще парочке вполне платежеспособных клиентов, которые не прошли «тест на тишину». Нам сначала тоже сказали «нет», из-за возраста. Надир, управляющий «Парадизом», заявил: «Сейчас наследников не имеете, но вдруг они у вас появятся. Выселить вас будет невозможно, и клубный дом превратится в детский сад». Мужу пришлось принести справку от врача, подтверждающую мое бесплодие.

— Однако! — восхитилась Нина. — Впервые слышу о подобном. Это же ущемление прав человека!

Катя неожиданно улыбнулась:

— Зато у нас тихо.

Я решила до конца стоять на своем:

— Но ведь есть уборщицы, электрики, сантехники, кто-то из них мог...

Ветрова уставилась на меня:

— Более идиотского предположения в жизни не слышала. С какой такой радости они решили бы шутить с жильцами? Вылетят с работы под фанфары и лишатся заработка. Причем это в лучшем случае.

— Тогда каким же образом письмо попало на коврик? — спросила Косарь.

— Вот-вот! — закивала Катя. — Давайте-ка для начала и выясните этот казус.

У меня затрезвонил мобильный, пришлось извиниться и выйти в коридор.

— Лампуша, — зарыдала из трубки моя подруга Настя Ваксина, — такой кошмар!

— Что случилось? — без особого энтузиазма спросила я.

Настя, на первый взгляд, вполне счастливая женщина — имеет мужа, двоих детей, любящую маму и интеллигентную свекровь. Работает подруга пиар-директором в крупной фирме, каждый месяц получает не только хорошую зарплату, но и конвертик с солидной суммой. Официальный оклад Ваксина вносит в семейную кассу, а «теневую часть» оставляет себе на безумства вроде шоколадных обертываний в дорогом салоне красоты. Мне-то кажется, что массу из какао-бобов лучше слопать с чаем, но у Настены иное мнение — ей нравится, когда чужие руки занимаются ее телом, и, увы, дело не ограничивается только спа-процедурами. Да, да, я вынуждена признаться: Ваксина изменяет своему мужу Славику. А тот, по-моему, является образцом супруга: не пьет, не курит, не ходит налево, регулярно покупает Насте подарки (просто так, без повода), а уж цветы дарит жене почти каждый вечер. Слава всегда в хорошем настроении, искренне рад видеть подружек Настюхи, не возражает против девичников, не проводит выходные в гараже и прилично зарабатывает, сидя у своего компьютера. Он не пристает к супруге, если у той из-за служебных неприятностей отвратительное настроение, а еще Славик отлично жарит мясо. Впрочем, к плите он подходит редко, у Ваксиных есть помощница по хозяйству, а детей «пасет» гувернантка. К теще Слава относится с пиететом. Свекровь Насти поэтесса, ей совершенно по фигу, какими хозяйственными талантами обладает невестка, — Марина Ивановна строчит поэмы, она графовумен, занята только своим творчеством. У меня до сих пор нет уверенности, что дружащая с музой дама помнит имя жены сына, если вообще она отдает себе отчет в том, что Славик вот уже восемь лет как счастливый муж и отец. За вышеупомянутый срок мамуля навестила сыночка два или три раза. Она не настаивает на проведении семейных ужинов, а на Новый год улетает на Бали — поэтесса ненавидит снег и московскую слякоть.

Ну а теперь, задушив черную зависть, честно ответьте: неужели вам не захотелось хоть на недельку оказаться на месте Настены?

Но вот парадокс: имея в личном распоряжении ожившую женскую мечту (Славик высок ростом, строен, накачан и вообще — он блондин с голубыми глазами), Ваксина постоянно ищет на свою голову приключений. И, как правило, ее любовники в подметки не годятся Славику. Все какие-то обмылки, недомерки и моральные уроды с комплексами и материальными проблемами. Но чем гаже экземпляр, тем выше вероятность, что он окажется в постели у Настьки. Во время краткосрочного романа моя подруга заваливает убогое создание подарками и окружает вниманием, а через месяц-другой она звонит мне и кричит в трубку:

— Идиот! Кретин! Импотент!

Я для Ваксиной служу личным психотерапевтом, сейфом, где хранятся ее тайны, чем-то вроде мусорного ведра для слива негатива. Один раз, правда, я не удержалась и спросила:

— Отчего ты пускаешься в дурацкие авантюры? Не дай бог, Славик узнает про твои шашни, и семья развалится.

Вам никогда не угадать, что ответила Настя! А она сказала буквально следующее:

— Я должна быть постоянно уверена в том, что Славик лучший из мужчин, а для этого необходимо периодически сравнивать его с другими.

Ну согласитесь, такой аргумент услышишь не

часто. Однако, похоже, сегодня у подруги заверши-
лась очередная эскапада.

— Излагай, — приказала я, — но коротко, мне
пришлось убежать с совещания.

— Лампа! Катастрофа!

— Поконкретней.

— Ужас!

— Пока ничего не ясно.

— Жуть! — не останавливалась Настюха.

— Смени эмоции на факты.

— Славик взял мой телефон.

— Так.

— Мобильный, — уточнила Ваксина.

— Ясно.

— И случайно нажал на «сообщения».

Я прикусила губу, похоже, Слава не так уж наи-
вен, хотя раньше он ничего такого не проделывал! Но
ведь все в жизни когда-то случается впервые.

— Он прочитал эсэмэску от Ромы, — простонала
Настя.

— Твое новое увлечение зовут Романом?

— Да! Ой, беда!

— Не реви, — оборвала я Ваксину. — Конечно,
глупо оставлять в аппарате сообщения от любовника,
но из любой ситуации можно выкрутиться. Если Слава спросит, от кого письмо, спокойно отвечай: «Коллега прислал, а что?»

— Ты дура, да? — плаксиво протянула Ваксина.

— Из нас двоих с умом плохо у тебя, раз ты не по-
заботилась удалить эсэмэску.

— Как я могу сказать про парня с работы?

— Но ведь так будет лучше, чем заявить про непонятно откуда взявшегося знакомого, — пояснила я. —
Коллега вполне может общаться с тобой посредством
sms-сообщений. Ну ладно, есть еще парикмахеры,
фитнес-тренеры... Скажи, мол, из тренажерного зала

отправили, отменили тренировку. Кстати, почему ты так перепугалась? Каково содержание послания?

— «Хочу тебя снова и снова, много раз, как вчера в отеле. Роман», — голосом диктора программы «Время», сообщающего о смене правительства, ответила Настя.

Я икнула и пробормотала:

— Мда... Идея со стилистом, коллегой по службе и тренером мимо кассы. И как Славик отреагировал на текстуху?

— Молча, — засопела Ваксина. — Положил мой сотовый и ушел в ванную. До сих пор там сидит! Уже второй час. Дома тишина! У меня сердце в пятках!

— Из каждого безвыходного положения есть выход, — неуверенно начала я. — Скажи, что подруга пошутила.

— Не поверит!

— Ну... тогда не знаю...

— Лампуша, солнышко, позвони Славику.

— С какой целью?

— Помоги мне!

— С удовольствием. Но как?

— Это ты отправила эсэмэс.

— Я?

— Ага! — зашептала Настя. — Ну пожалуйста! Что тебе стоит?

— Меня зовут не Роман, и я не лесбиянка!

Настя захихикала.

— Слушай, я придумала отличную отмазу. Только повтори текст дословно...

Ваксина гениальная переговорщица, она способна убедить кого угодно сделать что угодно. Я сдалась сразу. Ради экономии времени.

— Хорошо.

— Обожаю тебя! — зашипела Настя. — Ну, давай...

Я нажала на красную кнопку, набрала знакомую комбинацию цифр и услышала глуховатое:

— Алло.

— Славик?

— Слушаю.

— Лампа беспокоит.

— Добрый день, — мирно отреагировал супруг Насти.

Я почувствовала уважение к Славе. Надо же, мужик нашел стопроцентное доказательство измены жены и не спускает собак на ее закадычную подругу. Согласитесь, такое поведение характеризует его с лучшей стороны, подавляющее большинство парней сейчас бы уже крыло меня на чем свет стоит.

— А где Настя? — сделала я следующий шаг.

— Извини, точно не скажу. Она собиралась на службу, а я сижу в ванной. Звякни Настьке на мобилу, — как ни в чем не бывало предложил Славик.

На секунду я растерялась. Может, Ваксина забила ложную тревогу? Уж больно спокоен рогатый супруг. Но несыгранная до конца роль не позволяла мне расслабиться.

— Она не берет сотовый, — заторопилась я. — Слушай, Слав, тут такое дело... извини, что мешаю принимать душ... но моя начальница летает по офису на реактивной метле...

— В принципе, я никуда не тороплюсь, — ответил воспитанный Слава. — Чем могу помочь?

— Наше агентство заказало в Настиной фирме рекламный билборд. Ну зачем идти к незнакомым людям, когда у меня подруга в этом бизнесе работает?

— Логично.

— Будет прикольный снимок! — воодушевленно врала я. — Большая кровать, на ней госпожа Романова — голая, с парнем!

— Креативно, — кашлянул Славик.

— Да, да! Модели очень дорогие, мы решили обойтись собственными силами, — несла я чушь. — Слушай дальше: из приоткрытой двери спальни высовывается фотоаппарат. Вверху должен быть текст... Вот из-за него-то и весь пожар! Понял?

— Нет, — коротко ответил Слава.

— Настя предложила: «Наш глаз — ваш глаз». И как тебе?

— Не очень оригинально.

— Верно. Нина выдвинула вариант: «Хочешь меня всегда?»

— Двусмысленно, — втянулся в обсуждение Слава.

— Точно! А сегодня утром Косарь вдохновило. Она наваяла новую, на мой взгляд вообще никуда не годную надпись: «Хочу тебя снова и снова, много раз, как вчера в отеле. Роман».

Из телефона послышалось шуршание, звяканье, потом Славик поинтересовался:

— А кто такой Роман?

— Вот! — торжествующе воскликнула я. — Действительно! Откуда взялся Роман? Я задала Нине этот вопрос, но она делается безумной, когда с ней спорят. Короче, я отправила Насте эсэмэску с текстом. Ответа до сих пор нет, а Нинка тут уже зажигает. Глянь, вдруг твоя жена элементарно спит?

— Сейчас, — пообещал Слава. И заорал: — Настюня!

— Да, милый, — мгновенно отозвалась Ваксина, в нетерпении топтавшаяся под дверью в ванную. — Хочешь, спинку потру?

— Ответь Лампе, держи трубку.

— О! Лампуша! Привет! Что? Где? Еще не видела! — тараторила Настя.

Я молчала, пусть говорит сама.

— Озвучь текстуху, — Ваксина изображала участие в диалоге. — С ума сошла! Какой Роман? Голый парень? Вау, она дура! Реклама должна быть понятной. Зачем нам такая хрень? Нет, нет! Как? Уже лучше... Думайте еще, но не тяните, время поджимает... Покедова! Чмоки!

Из трубки понеслись гудки, я сунула сотовый в карман и с чувством выполненного долга вернулась в офис.

Глава 4

В тот момент, когда я вошла в кабинет, Катя уже встала из кресла.

— Значит, договорились? — спросила она.

— Не волнуйтесь, — заверила Нина, — спите спокойно.

Катерина скорчила гримаску и ушла.

— Достигли консенсуса? — деловито поинтересовалась я.

Косарь вытащила сигареты.

— Полная ерунда. Бабе трудно смириться с фактом, что она стала вдовой, хотя ее положение вовсе не трагично: детей нет, жилплощадь есть, в руках раскрученный бизнес мужа, плюс собственное ремесло. Ни от кого она не зависит и в деньгах не нуждается.

— Наверное, она любила супруга, — вздохнула я.

— Романтика... — поморщилась Нина. — Обычно розовые пузыри перестают пускать через пару месяцев после свадьбы, дальше начинается жизнь с большой буквы. Кстати, тебя не смущает, что эта буква «ж»? Очень символично!

— Давай лучше попьем чайку, — мирно предложила я.

Если Косарь завелась на тему семьи и брака, остановить ее практически невозможно. К сожалению, Нинуше не повезло: ее бывший супруг, как я уже упоминала, не самый лучший вариант (безнадежный алкоголик, после развода не собирается оказывать материальную помощь детям).

— Могу сходить в супермаркет за печеньем, — предложила я. Потом, чтобы окончательно увести мысли коллеги подальше от личных дел, резко поменяла тему: — А что с Катериной? Мы на нее работаем?

— Ветрова уверена в убийстве мужа, но я, кажется, сумела убедить ее, что смерть Олега — обычная житейская трагедия, — деловито сообщила Косарь. — Катерина почти согласилась с моими доводами, но потом снова уперлась в ту записку со стишком про зайца. Повторяю ей: «Это глупая шутка». И тогда она сказала: «Выясните чья. Хочу узнать имя и фамилию юмориста». Тогда я выдвинула версию, что письмо подложил один из жильцов дома. «Замечательно! — обозлилась Катя и заявила: — Найдете идиота, и я отправлюсь к Баларову. Объясню ему, что вместо идеальных жильцов-соседей он поселил в доме уродов. Работайте! Но начните с Тыкова. Думаю, он тут замешан по уши». В общем, Ветрова в секунду подписала договор, выложила немалую сумму предоплаты и ушла.

— Ну ладно, — сказала я, — клиент всегда прав.

— Дело твое, — распорядилась Косарь, — действуй.

— Хорошо, — кивнула я, — нет проблем. Для начала придется использовать лабораторию. Сейчас соединюсь с Салтыковой...

В ту же секунду в дверь тихонечко постучали, затем она приоткрылась, на пороге показалась худенькая заплаканная девушка в пронзительно-желтом платье.

— Здрассти, — плаксиво протянула она. — Вы ловите гадов, которые изменяют женам?

Мне стало смешно. Захотелось ответить глупышке: «Ну да! И сетью, и на крючок. А потом сажаем в садок и отдаем законной жене».

Наверное, улыбка помимо воли появилась на моем лице, потому что Нина с легкой укоризной кашлянула, а потом приветливо сообщила обманутой жене:

— Можем представить доказательства измены — фотографии, аудиозаписи.

— Не хочу видеть и слышать, как он ее трахает! — взвизгнула девчушка. — Хватит того, что скажете: «Сашка гад».

— Садитесь, пожалуйста, — пропела Нина.

Я поспешила уйти из ее кабинета. Моя комната по коридору следующая, мы с Ниной равноправные партнеры, у нас отдельные помещения, на визитке у Косарь написано «Генеральный директор», а у меня: «Председатель правления».

Усевшись в кресло, я позвонила Салтыковой. Галя работает в лаборатории, много лет дружит с Ниной и с удовольствием выполняет наши заказы. Естественно, за деньги. У Салтыковой маленькая дочь и нет мужа — он благополучно начал новую жизнь с другой, вот только ребенка и собственную маму-инвалида оставил прежней супруге. Не спрашивайте меня, каким образом Салтыкова выкручивается, где она берет всякие реактивы для выполнения заказов частных сыщиков и какие служебные дела откладывает, дабы побыстрей сообщить им ответ. Галка педантична и аккуратна (впрочем, в криминалистической лаборатории другие и не работают) и патологически честна. Я не любопытна и ни разу не удосужилась спросить, какова специализация Салтыковой, хотя отлично понимаю: один человек не может заниматься всем, эксперты работают в узких областях. Ну, допустим, один занимается исключительно оружием, другой — аудио- и видеозаписями, третий следами от шин и прочими проблемами, связанными с автомобилями. Я просто набираю номер Галки, а потом мы оплачиваем ее услуги, не разбираясь, с кем договаривается наша помощница.

— Салтыкова слушает, — отрапортовали из трубки.

Да уж, если имеешь на плечах погоны, то даже по личному мобильному ответишь так, как предписывает служебная инструкция.

— Романова, — в тон Галке представилась я.

— Что нужно? — без предварительных вопросов о жизни и настроении осведомилась она.

— Есть конверт и листок бумаги с текстом. Надо выжать всю инфу.

— Присылай!

— Через час привезут.

— О'кей.

Я положила телефон на стол. Обожаю Салтыкову! Больше минуты Галка на аппарате не висит. Так, теперь звякнем Коляну, бывшему коллеге Нины...

Нина при всей своей внешней суровости и строгости — добрый и отзывчивый человек. Работу свою она всегда любила. Более того, за долгие годы службы Косарь не растеряла своих идеалов и иногда, как герой культовой киноленты, повторяет: «Преступник должен сидеть в тюрьме».

Нина ненавидит мерзавцев и негодяев, но в ней осталось сострадание к несчастным, она не разучилась ощущать чужую боль. А еще моя напарница отличный сыщик с тонким профессиональным нюхом и чистыми руками — она никогда не брала взяток. Думается, такого сотрудника на работе должны ценить, холить и лелеять, но, увы, служба в милиции, в особенности «на земле», в районном отделении, очень напоминает труд раба на галере. Сунут тебе в руки весло, и шуруй им под чужую команду, раз-два, да побыстрее, вечером получишь ложку каши без мяса и масла. Похвалы бедолаге не дождаться, зато удары кнутом сыплются без счета. Нине за всю ее ментовскую карьеру объявили кучу выговоров, в отпуск она ходила обычно в марте, а в остальные месяцы частенько оставалась без выходных.

И еще. Слышали когда-нибудь словечко «усиление»? Нет? Вот и радуйтесь! А в милиции Новый год, Восьмое марта, майские праздники, выборы, теракт за тридевять земель от столицы, приезд в Москву глав иностранных государств и прочие общественно-политические события влекут за собой это самое «усиление». Все сотрудники, включая тех, кому положен законный выходной, парятся на работе. Логично предположить, что потом случится «послабление» и народ отпустят на сутки домой, поспать и отдохнуть. Так вот — нет, фигушки!

Бедная Нина исписывала в кабинете тонны бумаги и частенько занималась ерундовыми проблемами, по службе она продвигалась с трудом, потому что не умела красиво докладывать начальству о своих успехах. К тому же в отделении не было ни столовой, ни буфета. Чтобы попить чаю, приходилось вытаскивать из шкафа затыренный от пожарной инспекции электрочайник и, включив его, нервно смотреть на дверь, не ровен час войдет начальство и заорет: «Штраф кто платить будет?» Ну как можно требовать от человека полной отдачи на службе, не обеспечив его горячим обедом? И о новой квартире милиционеры даже не мечтают...

А машины? Ну неужели нельзя продавать ментам тачки отечественного автопрома со скидкой и выдавать некоторое количество талонов на бензин? Ведь оперативник безостановочно мотается по Москве из конца в конец! Интересно получается: зарплата копеечная, а он должен тратить ее на проезд, когда носится по служебным делам. Понятно, почему люди убегают из госучреждений в частные структуры, а многие из тех, кто охотно сидит в отделении, используют служебное положение на всю катушку. Есть, правда, категория неисправимых трудоголиков, потерявших из-за работы семью, не имеющих никакой личной жизни и бегающих по лужам в драных ботинках. К ним в некотором роде принадлежит наш Костин, но он поднялся «с земли», сделал карьеру, а Коля, которому я собираюсь звонить, как сидел в отделении, так там и кукует.

— Марков, — мрачно сказал в трубку Николай.

— Здорово, Лампа на проводе.

— Ух ты! — Коляша откровенно обрадовался возможности заработать. — Весь внимание!

— Нужна информация на бизнесмена Дмитрия Тыкова. И еще все о жильцах дома-клуба «Парадиз». Владелец заведения некий Баларов.

— О йес! — загудел Николаша. — Когда надо?

— Вчера.

— Бу сде! — с готовностью заявил Марков.

Я зевнула, потянулась и решила сходить в маленькую кофейню, расположенную по соседству с офисом. Но встать из-за стола не удалось — заработал сотовый.

— Лампуша, — закричал Кирик, — кухня приехала!

— Отлично! — обрадовалась я. — Вы ее проверили?

— Четыре длинных ящика, шесть коротких.

— А крепления?

— В отдельной коробке. Грузчики сказали: если чего не так, сразу довезут. Шкафы наши, их делают в Москве, завод рядом, — радовался Кирюша.

— Погоди! Как же так? В магазине продавцы хором пели про итальянское качество! — возмутилась я.

— Дверцы, полки, ручки едут из Милана, а собирают их у нас, что значительно упрощает процесс обмена не подошедших деталей, — пояснил Кирик. — Так мы можем с Лизкой уходить?

— Если мебель на месте, получаете свободу. Но только тщательно заприте...

— ...оба входа, окна, проверить котел, краны, — зачастил Кирюшка и бросил трубку.

Я вынула из сумки листочек и набрала нужный номер телефона.

— Фирма «Ми и Ко», — ответила женщина.

— Мы заказывали у вас кухню.

— Шикарно.

— Она прибыла вовремя.

— Суперски.

— Надо собрать шкафы.

— Офигительно.

— Повесить их.

— Обалдеть.

— Девушка, — не выдержала я, — вы кто?

— Аня.

— Понимаете, о чем идет речь?

— А то!

— Мы заказали у вас кухню!

— Обалдеть.

— Теперь нужны мастера.

— Я фигею.

— Просто безобразие! — вырвалось у меня. — Вы издеваетесь?

— Ваще прям! — зачастила Аня. — Кухню приволокли, не опоздали. Че за наезды? Не надо бычиться! Мастеров хочете?

— Да!

— Ну и че? Заказывайте, припрут в любое время!

— Сегодня в полночь, — решила я подковырнуть наглую, не умеющую беседовать с клиентами девушку.

— Прикольно.

— Значит, невозможно? — ринулась я в пучину скандала.

— Па-ачему? — протянула Аня. — Пришкандыбают.

— В двенадцать ночи?

— Сами же хотите. Или уже передумкали?

Мне отчего-то стало неудобно.

— Нет, нет. Нормальное время, я как раз успею добраться домой.

— Адрес говорите...

— Мопсино.

— Этта не в Москве?

— Мастера обслуживают только столицу?

— Примотаются хоть на Луну. Дорогу объясните.

— Небось берете двойной тариф за поздний час, — я в полной мере осознала свою глупость.

— Не, обычный, — успокоила меня Аня.

— А выезд за МКАД сколько стоит?

— Бесплатно припрутся. Вы договорчик почитайте!

Я насторожилась:

— Секундочку! Мне полчаса назад привезли шкафы...

— Повезло.

— Их надо собрать...

— Ржу нимагу! — перешла на сленг Интернета Аня.

— Повесить на стену...

— Круто.

— Прикрепить столешницу.

— Вау!

— И вы обещаете мастеров сегодня?

— А че?

— То есть прямо так? Мне ничего больше не надо делать?

— Ну могете за воротами попрыгать и платочком помахать.

— Кухня доставлена сегодня!

— Ну! Ацкий сотона![1]

---

[1] Язык Интернета. Ацкий сотона — адский сатана, ужасный человек; ржу нимагу — ржу не могу, смеюсь до упаду.

— И мастера придут ночью?

— Ваще не врубаюсь. Чего вы дергаетесь?

— Шкафы приехали вовремя! Повесят их тогда, когда мне хочется! Выезд бригады бесплатный! Где засада? — заорала я.

— Бабушка, — нежно пропела Аня, — ща не доисторические времена, не восьмидесятый год, а двадцать первый век. Ляжьте спать. Дома нормальные люди, типа ваши внуки, будут?

— Непременно, — процедила я, — восемь штук.

— Шоколадно! Пусть они с мастерами и курлыкают. А вы, бабуля, телик позырьте. Всю жизнь работали, теперь отдыхайте! — заявила Аня.

Я растерянно уставилась на пищащую трубку. В летние месяцы, в сезон отпусков, многие фирмы охотно берут на работу школьников, желающих получить деньги на карманные расходы. Как правило, это дети сотрудников или хороших знакомых. Аня явно не штатная служащая, и она наверняка милая девочка — вон как заботливо предложила «бабушке» не путаться под ногами у мастеров. Похоже, мы связались с приличной конторой, нас не подвели со сроками, привезли ящики точь-в-точь к объявленной дате. И мастера уже вострят лыжи в Мопсино. Но я опытная полковая лошадь и понимаю: что-то тут не так. Уж слишком гладко идет процесс. Такого просто не бывает!

Глава 5

Слегка обескураженная беседой с Аней, я встала и направилась к двери. Внезапно она распахнулась, чуть не ударив меня по лицу.

— Евлампия Андреевна! Тама у рецепшен тетка помирает! — задыхаясь, проговорил охранник.

— Кто? — отшатнулась я.

— Не знаю, — пропыхтел парень. — Ее в служебку отволокли, чтобы людей не пугать. Петр Ильич велел вас позвать. У нее в сумке документов нет, одни ключи!

Забыв захлопнуть дверь, я побежала по коридору к наблюдательному пункту охранников. Лапин развесил по всему зданию камеры, за посетителями неусыпно приглядывает «недремлющее око». Люди и не подозревают о слежке, спокойно проходят мимо рецепшен и идут в нужный кабинет. Да только охранник у парадного входа скорее психологический фактор — если в офисе его нет, контора вроде как ненадежное, терпящее финансовый крах заведение. Парень с пистолетом внушает доверие, но он лишь декорация, настоящая охрана бдит у мониторов, видит все, что творится на этажах и даже в туалетах.

— Что случилось? — воскликнула я, вбегая в служебное помещение.

И остановилась как вкопанная, увидев лежащую на диване Катерину Ветрову. Отчего-то мне сразу стало понятно: ей очень плохо.

— Ваша клиентка? — мрачно осведомился начальник охраны.

— Да, — прошептала я.

— Фамилию знаете?

— Ветрова, — еще тише ответила я, — Катерина.

— Умерла? — закричала Нина, врываясь в служебку. — Что случилось, Петр Ильич?

— Жива пока, «Скорую» вызвали. Похоже, сердце подвело, — хмуро пояснил главный секьюрити.

— Молодая совсем, — с ужасом произнес парень, сидевший у мониторов. — Ни с того ни с сего завалилась!

— Кто вызывал «Скорую»? — послышалось из коридора.

— Сюда, сюда, — ответил мужской голос.

Косарь повернулась к юноше:

— Сережа, ты видел происшествие?

— Ага, — не по уставу ответил охранник, — могу показать пленку.

— Врача вызывали? — прогремело с порога.

— Слава богу, — обрадовался Петр Ильич, — приехали!

— Покажи пленку, — тихо попросила Нина у Сергея.

Парень нажал на одну из многочисленных кнопок пульта. Темный экран большого монитора вспыхнул ярким светом, появилось изображение холла, снятого сверху. Я внимательно наблюдала за «кинофильмом».

Вот распахивается входная дверь, появляется темноволосая кудрявая женщина с ребенком. Мамаша что-то спрашивает у парня, стоящего возле рецепшен. Охранник отрицательно качает головой, тетка показывает на малыша. Дверь вновь открывается, и странной походкой, плечом вперед, в холл входит девочка лет четырнадцати. Она стряхивает с себя капли — наверное, на улице идет дождь. Женщина подхватывает ребенка и скрывается в левом проходе, девочка плюхается на диван около пальмы, вынимает вязание и начинает перебирать спицами. Из правого коридора выходит Ветрова, делает несколько шагов по холлу. Ни охранник, ни девочка вначале не обращают на нее внимания. Парень в форме стоит, широко расставив ноги и заложив руки за спину, подросток мирно вяжет. Катерина спотыкается, пошатывается, начинает оседать, пытается схватиться руками за стойку и падает на мраморный пол. Секьюрити выныривает из нирваны и кидается к Ветровой. Очевидно, все это происходило без особого шума, потому что девочка еще секунд двадцать-тридцать занимается спицами, потом поднимает глаза и цепенеет, глядя на попытки охранника посадить Катю. Девочка явно в шоке, она машинально продолжает шевелить руками, спицы мелькают с молниеносной скоростью. Из коридора выплывает мамаша с малышом. Она мигом оценивает ситуацию — не отпуская крошку, подбегает к рукодельнице, дергает ее за руку, и троица живо покидает холл. Спустя пару мгновений появляются парни в форме и уносят Катю, охранник вытирает лицо носовым платком...

Монитор погас.

— Там дальше ничего интересного, — сообщил Сергей. — Женька наш, который у двери стоял, так перепугался! Петр Ильич его в столовку отправил, дал внеочередной перерыв.

— Евгений Козин находился на посту у входа, — пояснил местный начальник, который ухитрялся не только наблюдать за врачом «Скорой», но и слушать беседу Нины с охранником, — чуть в обморок не рухнул. Молодежь теперь слабая пошла.

— Давно ей плохо? — спросил доктор.

— Она ушла от нас здоровой, — в растерянности уточнила Нина.

— Да, Ветрова не выглядела больной, — подтвердила я. — И вообще не походила на сердечницу. Они, как правило, полные, с синими губами и ногтями, под глазами черные круги.

Петр Ильич бросил взгляд на диван.

— Помада на ней, и лак на ногтях. А веки тушью измазюканы.

— Тенями, — не к месту уточнила Нина.

— Не разбираюсь я в ваших бабьих штучках, — скривился начальник, — но под краской настоящий цвет не разобрать.

— Она не задыхалась, не кашляла, никакой одышки, — принялась перечислять я, — лекарств из сумочки не вынимала, хотя речь шла об ее умершем муже. Где ваш охранник Женя?

— В столовке, в подвале, — пояснил Петр Ильич.

— Схожу, поговорю с ним, — сказала я Нине.

Та кивнула и повернулась к Сергею:

— Ну-ка покажите еще разочек кино.

— Ребята, носилки! — приказал врач. — Увозим, давайте капельницу...

Медики начали суетиться вокруг неподвижно лежащей Кати.

Сергей включил монитор, но я не стала второй раз просматривать пленку, а пошла в столовую.

Парень в черной форме сидел за пластиковым столом, сжимая руками чашку с кофе.

— Привет, — сказала я. — Узнаешь меня?

Женя кивнул.

— Испугался? — поинтересовалась я.

— Ага, — честно признался парень. — Она прямо сразу... того... ну в один момент... Разве так бывает? Шла здоровая и вдруг упала.

— Мог случиться обширный инфаркт, — пояснила я. — Врач установит причину.

— Жуть! — поежился Женя.

— Можешь вспомнить подробности?

Евгений затрясся над чашкой.

— Ну... стою... она идет... и падает... Все. Думал, она умерла!

— Ты решил, что женщина скончалась?

— Ага!

— Много трупов видел?

— Один раз только. Бабушка у нас померла. От старости.

— Тогда почему подумал про смерть? Женщина могла просто потерять сознание!

— Не знаю, — растерянно признался Женя. — Ну... так мне показалось. Вдруг понял: конец ей. У меня сразу голова затрещала, будто раскололась.

— Ты вышел на работу больным?

— Нормальным. Ваще никогда раньше башка не болела!

— Может, давление подскочило?

— Понятия не имею.

— Или плохо спал?

— Нет, мы с Ленкой вечером рано легли.

— Лена твоя жена?

— Любимая девушка, — уточнил Женя и улыбнулся.

— Красивая? — Я решила временно перевести беседу на более приятную для него тему.

— Не. Зато готовит хорошо, квартиру имеет, машину, служит в банке, — методично перечислял достоинства избранницы Женя. — Мать говорит: хороший вариант. У нас-то с мамкой полуторка, куда жену приводить...

Ох, похоже, Ромео и Джульетта погибли зря! В наши времена романтика отодвинута в сторону железной рукой практицизма. Множество парней мыслят, как Женя. Ну зачем им горячая страсть, если жить придется в стесненных условиях? Хотя вроде это и правильно, две хозяйки на одной кухне — беда.

В голову неожиданно пришло воспоминание о недавнем разговоре с Ларой Кругловой. Она позвонила мне почти в истерике и сообщила:

— Представляешь, Макс явился с заявлением: «Мама, я женюсь на Алине, играем свадьбу».

Моя подруга ахнула и воскликнула:

— Что за спешка? Алина же иногородняя студентка, где вы жить будете?

— У нас, — «обрадовал» ее сын.

Ларка постаралась не впасть в агрессию и решила выдвинуть, как ей показалось, доходчивый аргумент:

— Милый, вы еще слишком молоды! И потом, две хозяйки у плиты вечно ссорятся.

— Не волнуйся, ма, — засмеялся сыночек, — Алинка на кухню не сунется, готовить, стирать, гладить не умеет и не претендует на роль кухарки, прачки и уборщицы. Хозяйство твоим останется, никто его у тебя не отнимет. Ты как была главная по всем вопросам, так и останешься.

Правда, красиво?..

— Хорошо, Петр Ильич меня не отругал, — вздохнул Женя, возвращаясь к эпизоду в холле.

— Ты же не виноват в происшествии.

— Не о нем речь! Я ж тетку пустил. Ну ту, с ребенком.

— Нельзя было?

— Конечно, — кивнул Женя. — Мы должны останавливать посторонних. Велено только клиентов привечать, тех, кто к риэлторам или к вам топает, остальных разворачивать.

— И часто в офис проникают посторонние?

— Люди иногда дверью ошибаются, — пояснил Евгений. — Рядом контора есть, где мобильными торгуют, к ним идут, а попадают к нам. Я вежливо говорю: «Ступайте налево по тротуару». Никогда не хамлю, как Алешка.

— А женщина с малышом куда направлялась? И попробуй подробно описать ее внешность.

Женя тяжело вздохнул.

— Волосы черные, длинные, как у цыганки, накрашена ярко, помада красная, глаза карие, кожа желтая, на лбу между бровями родинка. Вошла в холл и попросила: «Молодой человек, пустите в туалет! У малыша живот прихватило!»

— И ты проявил христианское милосердие?

— Сначала действовал по инструкции, — оправдывался Женя, — сказал: «Не положено! Идите к метро, там есть будки». А тетка давай просить: «Не дотерпит он, маленький совсем, одежду испачкает, что мне потом делать? Я аккуратно его над унитазом подержу». Ребятенок хнычет: «Хочу писать, хочу, хочу...» Еще она на дочку наорала!

— На девочку с вязанием?

— Точно!

— Чем же она вызвала гнев мамаши?

Евгений залпом допил кофе.

— Девчонка вбежала и с порога говорит: «Мам! Там дождь пошел, я тут постою!». Капли с волос стряхивает, вязание из сумочки тянет. И здесь баба вразнос пошла, как зашипит на нее: «Ах ты, горе луковое! Другие в твои годы с подругами носятся, а ты все шарфы какие-то вяжешь, деревяшками своими стучишь тук-тук, тук-тук... Голова болит!» Только она так сказала, у меня башку и схватило, даже закружилась слегка. Дочка, правда, не ответила, села на диван...

Женя замолчал.

— Можешь не продолжать, — сказала я. — Значит, ты пустил постороннюю в туалет...

— Маленькому же до метро не дотерпеть! — попытался оправдаться Женя.

— Охранник не имеет права нарушать должностные инструкции!

— Что плохого от бабы с ребенком? — возмутился парень. — Не шахидка какая-нибудь с поясом, хоть и смуглая, но наша, москвичка, акала сильно. И ребенок светленький совсем.

— Сильно сомневаюсь, что террорист войдет в здание, размахивая бомбой, — едко заметила я. — Чаще всего людей и ловят на жалость. Беременная женщина на дороге, старушка, сломавшая ногу, младенец, плачущий в коляске... Но только потом выясняется, что вместо живота подушка, под старушку загримирована молодая, а младенец — мастерски сделанная кукла.

— У ней живой малыш хныкал! И я тетку в слу-

жебный сортир отправил, не в клиентский! Они с
этой, которая там грохнулась, не сталкивались — одна пошла в один коридор, а больная из другого вырулила, никто к ней не приближался! — Секьюрити за-
стонал. — Ну ваще! Я у рецепшен, девчонка на диване спицами стучит...! Потом эта — хлоп, упала. Не
приставайте ко мне больше!

— Голова болит?

— Нет, перестала. Я устал, домой отпрошусь...

— Думаю, Петр Ильич тебя не отпустит.

— Он не зверь! Евлампия Андреевна, хоть режьте,
больше я ничего не знаю! — взмолился Женя. — Баба
с малышом в сортир утопала, девчонка далеко от
больной сидела, деревяшками щелкала, я с больной
головой. Вот и весь натюрморт. Ну ни с какого боку я
к этой истории! Первый раз больную тетку видел!

— Во второй.

— Не, в первый! — стоял на своем Евгений.

— Ошибаешься.

— Почему это?

— В показаниях свидетелей важна точность. Ты
утверждаешь, что не видел нашу клиентку раньше?

— Ну ёлы-палы! Никогда ее не встречал до сего-
дняшнего дня!

— А видел дважды. Первый раз, когда Катя входила в здание, второй — когда она шла на выход и упала.

Женя подпрыгнул на стуле.

— Ну вы даете! Какое же это знакомство? Вас, к
примеру, я каждую смену впускаю. И че, получается,
мы с вами любовники?

— Речь идет о точности, — перебила я. И вновь
сменила тему: — Девчонка со спицами свое имя не
называла?

— Молча сидела.

— Тетка представилась?

— Нет.

— Малыша окликала?

— Нет.

— Ни разу?

— Нет.

— К девочке она по имени не обращалась?

— Нет!

— Точно?

— Чтоб мне с места не сойти! — перекрестился Женя.

— Может быть, — пробормотала я.

По мнению Жени, Катя просто потеряла сознание. Сердечный приступ не такая уж редкая вещь, и помощь в этом случае надо оказывать быстро. Однако редко кто лишается чувств около столика, за которым обедает бригада реаниматологов с чемоданом необходимых лекарств, а поблизости находится микроавтобус, набитый нужной аппаратурой. Но сегодня «Скорая» оправдала свое название.

Наверное, Катерина очень переживала смерть мужа, вот сердце у нее и не выдержало. Но посмотрим на ситуацию с другой стороны. Муж Кати — абсолютно, по ее словам, здоровый, не старый человек — неожиданно скончался от инфаркта. Вскоре дурно делается и самой Ветровой. Тоже внезапно, без видимой причины. А если к этому присовокупить дурацкую записку с детской считалочкой про зайчика, то... то в голове у детектива начинают зарождаться нехорошие подозрения.

Глава 6

Забыв попрощаться с Женей, я пошла в офис. Если супруга Ветровой все же убили, то преступник явно тяготеет к театральным эффектам! Олег скончался в прямом эфире на телепередаче, а Катерине стало плохо в офисе, на глазах свидетелей. Хм, очень странно, обычно убийце не нужен шум. Бизнесмен, умерший дома или в рабочем кабинете, не вызовет интереса СМИ, а про кончину под прицелом камер не написал только ленивый журналист.

В кармане завибрировал мобильный. Марков!

— Докладываю про жильцов, — оттарабанил Коляша. — «Парадиз», считай, стоит пустым!

— Это как? — удивилась я. — Квартиры не проданы?

— У каждой есть собственник. Второй этаж — Иван и Ольга Серебряковы. Постоянно проживают в Америке, муж отошел от дел, теперь стрижет купоны. Московская квартира используется ими редко, во время коротких визитов на родину. В последний раз Серебряковы ночевали в «Парадизе» два года назад. Апартаменты находятся под охраной. На третьем хозяева Георгий и Фаина Брюковы. Они имеют еще загородный дом в поселке Бубново, где проживают постоянно. Зачем им «Парадиз» — непонятно, ни разу там не бывали. Квартира, естественно, подключена на пульт. Наверное, вложили деньги, недвижимость всегда в цене. Четвертый этаж занимает сам Баларов. Но, опять же, ни он, ни его жена туда носа не показывают. Бизнесмен больше любит другую квартиру, пентхаус на Ленинском проспекте. Сыну Баларова в «Парадизе» принадлежит пятый этаж, но сейчас он с супругой в Испании. Уехали еще в апреле, вернутся в октябре. У них такое расписание: шесть месяцев в пригороде Барселоны, остальная часть года в Москве. Младший Баларов художник, ему без разницы, где писать картины.

— С таким-то папой мог вообще ничего не делать, — пробормотала я.

— Говорят, младший Баларов талантлив, — возразил Николай, — его полотна идут нарасхват, он много зарабатывает. Выходит, что постоянно в «Парадизе» проживали лишь Ветровы. В доме тьма охраны — вдесятеро больше, чем жильцов. Повсюду камеры. Имеются горничные, открыты прачечная, фитнес-центр, СПА-салон. Плюс гараж. Количество служащих зашкаливает! Все на местах, отсутствие клиентов ничего не значит, обслуга всегда на низком старте. Думаю, она там ошизела от безделья.

— Странно, — заметила я.

— У Баларова денег лом, может себе позволить содержать свору бездельников, — вздохнул Коляша. — Устраиваются же люди... Вот мне ни разу не предложили пойти на службу в сладкое место.

— Ты без работы скончаешься от тоски!

— Верно, — согласился Коля.

— Но мне кажется странным не количество персонала. Удивительно другое.

— И что?

— Баларов озабочен безопасностью, но завел огромный штат прислуги. А ведь чем меньше коллектив, тем легче за ним следить. Орда служащих, шляющихся по «Парадизу»...

— Там никто никуда не ходит, — перебил меня Марков. — Фитнес, спа и прочие услуги находятся в подвале. Люди из гаража не имеют права заглядывать к тем, кто работает в бассейне. У них просто тюремная, блин, система! Утром, строго к восьми, строем идут через ворота, причем не через парадные, а «черные». Вошли, пробили пропуска у охраны, разошлись по точкам, двери заперли — и не высовываются. Камеры фиксируют даже полет мухи. Если кто-то нарушит правила — выгонят с волчьим билетом. В квартиры им без шансов попасть.

— Но ведь хозяева не сами убирают помещения!

— Конечно, нет! — заржал Коляша. — На то есть горничные. За каждой квартирой закреплены свои.

— Кто у Ветровых?

— Кинг. Да, да, фамилия такая: Кинг!

— Можешь найти ее телефон и адрес?

— Легко, — пообещал Коля. — Думаю, их служба безопасности ее при приеме на работу сквозь сито продавила, помыла и воду на анализ сдала.

— Поэтично! — вздохнула я. — А что насчет Ветровых?

Николаша зашуршал бумажками. Процесс затянулся, и я в конце концов не выдержала.

— Столько материалов собрал, что запутался в них?

— Шоколадку ем, — пояснил Коля, — жрать охота. С Ветровым никакого напряга нет. Олег родился, женился, пил, развелся, через короткое время — ну не дурак ли? — снова хомут на шею повесил. Детей ни в первом, ни во втором браке не было. Бизнес был достаточно стабилен, хоть и колебался туда-сюда, но без резких падений. Вежлив, вполне приятен в общении, но дистанцирован, близких друзей не было. Кстати, первый его брак распался из-за пьянки: Олег бухал по-черному, даже в психушку попал. Но вот уже пятнадцать лет ни-ни. Наука всем бабам! Первая жена не пожелала жить с пьяницей и упустила богатого перца. Так, чего там еще? А все. Ни в чем предосудительном Ветров замечен не был, отношения со второй женой Катериной почти идеальные. Охрана «Парадиза» неоднократно видела супругов целующимися в лифте — то ли те не знали про камеры, то ли дотерпеть до дома не могли, страсть в процессе многолетней совместной жизни не растеряли. Жена из приличной семьи. Ее мать — учительница, больших денег не имела, но дорогой доченьке ни в чем не отказывала. Та оправдывала хорошее отношение: школа — институт — работа. В длительные интимные связи до брака не вступала, хотя пользовалась успехом у мужчин. Всегда корректна с прислугой. Обожает собак, покупает корм бродячим шавкам, но завести животное не позволяла аллергия Олега. Обычные, нормальные люди. Ну, может, более активные и работоспособные, чем некоторые, поэтому и достигли устойчивого финансового благополучия.

— Олег был богат, — возразила я. — Далеко не каждый способен удачно раскрутить бизнес.

— Ну да, по сравнению со мной и с тобой, Ветров — денежный самосвал, — Коляша чихнул и снова зашуршал бумагами. — Но в сотне крупнейших предпринимателей России не числился, в список журнала «Форбс» не попадал. Средний фирмач, каких тысячи. Они владеют парикмахерскими, кафе, хлебопекарнями, магазинами.

— Ну ничего себе! Квартира в «Парадизе» не один миллион баксов стоит!

— Ветровы ни детей, ни родителей не имели, все на себя тратили. Ну ладно, будь по-твоему, — сдался Коляша, — он был богат. Но, так сказать, олигарх-лайт, безо всяких политических амбиций. В интервью журналистам говорил только о своей «Успокойке». Кстати, она вкусная!

— Ты тоже любишь на ночь баночку схомякать? — засмеялась я.

— Нет, — слишком поспешно ответил Николаша, — жена Ваньку кормит, а сын не всегда доедает до конца, остатки мои.

— Понятненько, — ухмыльнулась я. — А что у нас с Дмитрием Тыковым? Конкурент Ветрова хотел заполучить его дело?

— Думаю, оно ему не пригодится.

Я сделала стойку.

— Значит, у Ветрова в бизнесе были сложности?

— Не, проблема с Тыковым, — ответил Коляша и замолчал.

— Прекрати лопать конфеты! — возмутилась я.

— Уже съел, теперь воду пью, — пояснил Николай.

— Так что там с Тыковым?

— Пару месяцев назад его разбил инсульт, лежит овощем в частной клинике, — наконец-то сообщил Марков.

— Он заболел?

— Уже почти умер. В лучшем случае его ждут инвалидное кресло и слюни изо рта, — оптимистично предположил Коля.

— Вот чертовщина!

— Почему? — вопросил Коля. — Нарушение мозгового кровообращения, его медики еще называют «удар директора». Стресс, спазм и — хренак! Жрут богатеи много, пьют, спортом не занимаются, давление зашкаливает, холестерин запредельный.

— Катерина Ветрова очень уверенно говорила про козни Тыкова.

— И что? Вероятно, он имел хитрые планы, но в конце марта им пришел конец.

— Олег умер после того, как Тыкова хватил удар?

— Не вижу ничего странного.

— Неужели Катя не знала о несчастье с Дмитрием? Почему муж не рассказал ей о болезни конкурента?

— Ах это! Вера Тыкова увезла супруга за рубеж, распространив слух, что Дмитрий ложится на операцию, вшивает искусственный сустав. Дескать, в России напортачат, а в Америке в прямом смысле слова человека с артритом на ноги поставят. Тыков якобы руководил производством издалека. Вера у него всю жизнь в помощницах, дело знает лучше Дмитрия, злые языки поговаривают: баба фабрику из грязи подняла, но в лидеры не лезет, отдала мужику главенство. Ушлая!

— Но к чему маскировать правду?

— Небось бабенка все же надеется, что Тыков выздоровеет и вернется в бизнес, — протянул Марков. — А вообще-то деловые люди считают, что инсульт хуже СПИДа. Ну, типа, ты потом идиот. Вера спрятала Дмитрия, секрет пока не вылез наружу. Но ни ей, ни ему сейчас нет дела до Олега. Расширение бизнеса для Тыковых не главное. Ферштеен?

— Угу, — согласилась я. — Значит, ни врагов, ни недоброжелателей у бизнесмена Ветрова не было?

— На первый взгляд — да, — подтвердил мой помощник. — Но ты же знаешь, у каждого человека в шкафу найдется грязное белье. У одного семейные драные трусы, у другого стринги со стразами от Сваровски, но только речь идет не о цене белишка, а о пятнах на нем. Усе. Засим прощаюсь, ваш Николай.

Я сунула телефон в карман. Но он тут же затрещал. На сей раз меня разыскивала Салтыкова, начавшая беседу с упрека:

— Сколько можно трепаться!

— Дела, — ответила я.

— Ладно, слушай отчет по письму. Бумага обычная, формат А-4. Текст воспроизведен на лазерном принтере. Есть отпечатки пальцев нескольких людей, но идентифицировать не могу — в базе их нет, сравнить не с чем. Следовательно, фигуранты не криминальные, к нам не попадали, — отчеканила Галка. — Конверт стандартный, на оборотной стороне клапана имеются следы слюны. Адрес отсутствует, более никаких следов нет. Фамилия «Ветров» напечатана при помощи того же принтера.

— Слюна! — обрадовалась я. — Можно выделить ДНК!

— Уже.

— Установила, чья она?

— Да.

— Господи, говори быстро и подробно!

— Лучше конкретно, — отрезала Галя.

— Назови фамилию.

— Кого? — прикинулась дурой Салтыкова.

— Хозяина слюны.

— Ну... думаю, Полкан, — со странной интонацией ответила она.

— Вот повезло! — возликовала я. — Значит, фигурант имеется в базе? По какой причине он попал в поле зрения милиции? Эй, не спи!

— Лампа, идентифицировать ДНК не удается, — объявила Галя. — Да и сделать анализ быстро нельзя.

— Но ты назвала фамилию «Полкан»!

— Глупая шутка. Может, он Бобик, Рекс или Дружок.

— Это собака?

— Верно.

— Пес не мог отправить послание!

— И долбить лапами по «клаве» ему трудно, — подхватила Салтыкова.

— Ты ничего не перепутала? — поинтересовалась я. — Вдруг схватила не ту пробирку?

Галка обиженно засопела:

— Если считаешь меня способной на «косяк», то...

— Прости, прости, прости! — извинилась я. — Это у меня от жары в голове помутилось...

— Принято, — незлобиво ответила Салтыкова.

— Что еще можно выжать из послания?

— Неси принтер, и я скажу, его ли использовали. Приводи болонку — выясню, она ли лизала конверт.

— Спасибо, — с тяжким вздохом ответила я.

— Оплата в обычном размере, — завершила разговор Салтыкова.

Держа телефон в руке, я пошла в кабинет к Нине. Компаньонка восседала за письменным столом.

— Рагозина Наталья, — не отрывая взгляда от бумаг, заявила Косарь, — подозревает мужа в измене. Похоже, дельце ерундовое, будем работать. А еще мы не выполнили заказ Андреевой. Ну той, что ищет сбежавшую невестку.

— Не могу тащить на горбу несколько расследований, — призналась я. — Может, Рагозина немного подождет? Или привлечем к работе Нику Соколову. Она педантичная и недорого берет.

— Мне деньги нужны, — перебила Нина. — Детям нужно новые шмотки покупать? Еще у меня машина разваливается, а где нарыть лавэ на новую?.. И ты сидишь без мебели в новом доме!

— Берем Рагозину, — остановила я ее.

Нина рассмеялась.

— Вот за что тебя люблю! Легко поддаешься убеждению.

— Мне нужны деньги.

— Мне тоже, — подхватила Косарь. — Вот когда раскрутимся до высот Пинкертона, тогда можно будет брать дела просто для интереса. Но пока у меня два спиногрыза, а у тебя одни табуретки, шансов нет. Чего нос повесила?

— Тоскливо бегать с камерой за неверным мужиком, — призналась я.

Нина развела руками:

— Сама понимаешь, основная клиентура частника — бабье, желающее уличить вторую половину. Ей-богу, не пойму, зачем они это делают?

— Смена впечатлений. Супруга надоела, захотелось ощутить себя мачо.

— Я о бабах, клиентках наших, — засмеялась Косарь. — Ну получит тетка доказательство измены благоверного, и что дальше? Продолжать жить с кобелем — себя не уважать, а разойтись обидно. На фиг нужна такая правда? Кстати, о кобелях. Помнишь Валеру Родионова?

Я расплылась в улыбке.

— Да. Его нельзя забыть — поймал жену и любовницу в одной постели! Что у него приключилось?

Нина выдвинула ящик стола.

— Вчера он приходил с подарками. Вот, держи, это твой.

Я с подозрением посмотрела на небольшую коробочку.

— Что там?

— Валерий теперь поставляет в магазины навигаторы, принес нам парочку. Думается, он пытается ухаживать за нами, — фыркнула Нинуша, — забрасывает сеть и ждет, какая из сыщиц в нее попадет.

— Что такое навигатор? — удивилась я, вынимая из упаковки аппарат, похожий на сотовый.

— Полезная штука, — щелкнула языком Нина. — Сейчас покажу, как им пользоваться. Допустим, тебе надо попасть на улицу... ну... Вронского. Знаешь, где она?

— Нет. Придется лезть в атлас.

— Ха! Прогресс ушел далеко вперед, теперь карты можно выкинуть к чертям! — воскликнула Косарь. — К тому же я в них плохо разбираюсь. Нажимаем сюда, туда, здесь. Йес! Слушай...

— Улица Вронского. Маршрут проложен, — сообщил приятный женский голос. — Начинайте движение, пристегнитесь ремнем.

— Круто? — прищурилась Нина.

— Она подсказывает дорогу?

— Точно. Предложит оптимальный вариант.

Я пришла в восторг:

— Здорово! Почему мне никогда не приходило в голову купить такую примочку! Даже не слышала о навигаторе.

— А я знала, — похвасталась Косарь. — Но цена пугала. Очень дорогая фенька.

— Тогда лучше вернуть подарок Валерию, — засомневалась я. — Вдруг он решит, что нам нравится?

— Вот еще, вернуть... Пусть думает что хочет, а я давно мечтала о навигаторе, — с детской обидой отозвалась Нина. — Мужику приятно делать подарки, он себя Дедом Морозом ощущает. Не лишать же Родионова удовольствия.

— Действительно, — пробормотала я. — А станет лапы распускать — вернем презент!

— По пальцам стукнем! — возразила Нина. — Пусть не надеется, нас за навигатор не купить. Вот кабы новая квартира и машина обломилась, я бы еще подумала... Ладно, вот тебе Рагозина.

Я посмотрела на тоненькую папку и затосковала. Косарь права на сто процентов: мы зависим от клиентов. Подозрительная жена богатого человека заплатит хорошие деньги, которые нам с Ниной крайне необходимы. Но какой интерес ходить за мужиком и щелкать фотоаппаратом?

Я великолепно знаю сценарий такой «пьесы». Сначала наделаю снимков, потом покажу их мадам. Рагозина зарыдает, выпьет весь запас коньяка и валерьянки в нашем офисе, а потом гаркнет: «Не верю! Вы ошиблись! Повторите «фотосессию»!»

И я опять потащусь за сластолюбивым мужиком, пытаясь запечатлеть наиболее пикантные моменты: поцелуи, объятия, вход-выход из отеля, совместное с любовницей посещение магазина дамского белья. От скуки уже заранее начинается зевота.

Вот в случае с Ветровыми у меня пять метров вопросов! Кто убил бизнесмена? По какой причине Олега лишили жизни в прямом эфире? В баночке «Успокойки» была отрава? Руки чешутся от нетерпения. Будь моя воля... Но я не одна в конторе, есть Нина, в одиночку воспитывающая двух протирающих брюки и рвущих ботинки сынишек.

Я протянула было руку к папке, но тут же отдернула.

— Нинуль, можно начну работу с Рагозиной завтра? Сегодня мебель привезли, надо мчаться домой, мастера приедут кухню собирать.

Глава 7

— Нет проблем, — мигом согласилась Нина. — Я завтра чуток задержусь, веду Мишку к стоматологу. Значит, смотри: дело Рагозиной лежит в верхнем ящике. Вот, кладу ее папку на документы Мартынова. Ты их не перепутаешь. Мартыновское дело в ярко-красной обложке с человеком-пауком.

— Прикольно! — засмеялась я. — Где взяла папочку?

— У Мишки, — пояснила Нина. — Принесла мартыновские бумаги домой, села чай пить, а кошка, зараза, на колени прыгнула, вот я на папку и плеснула. Не тащить же листы россыпью! Сын человека-паука от сердца оторвал.

— Андрею Мартынову понравится, — продолжала веселиться я, глядя, как Нина укладывает поверх ярко-красной папки серую, обыденную, с буквами «НР», написанными темно-синим фломастером.

— Ага, в особенности он придет в восторг от известия, что его жена никогда не училась в Питере на актрису. Оказывается, бабенка на дороге подрабатывала, — пропыхтела Косарь, пытаясь втиснуть скоросшиватель в ящик.

— Положи Рагозину в другое место, — посоветовала я.

— Господи, ну почему я всегда ищу сложный путь? — закатила глаза Нина. — Упрусь и не соображаю.

Продолжая ругать себя, она выдвинула второй ящик.

— Ладно, пусть тут лежит, — согласилась Косарь. — Кстати, возьми с собой бумаги Ветровой. Катерина фото оставила, они там вместе с мужем сняты. Пригодится при работе.

Я, прихватив листы, снимок и навигатор, вышла на улицу.

Едва горячий московский воздух проник в легкие, как заорал мобильный — меня снова искал Коля.

— Эсфирь Кинг, — зашептал он. — Адрес и телефон пришлю эсэмэской. Сейчас скину, я на учебе сижу. Покедова!

Навигатор имел удобное крепление, но я все равно провозилась некоторое время, прилаживая коробочку к торпеде, а потом потратила полчаса на изучение инструкции. Увы, я не принадлежу к техническим гениям и с огромным трудом расшифровываю всякие руководства. Если в нашем доме появляется новый прибор, мне легче освоить его «методом тыка», чем понять инструкцию. Как, например, вам понравится такое: «Для включения режима вращения барабана нажмите клавишу номер два на панели управления режимом вращения барабана посредством кривошатунного механизма, приводящего барабан при помощи натяжного ремня режима вращения барабана в нормальные условия эксплуатации вашего барабана»? После прочтения такого перла мой личный барабан в голове, как правило, дает сбой и я элементарно превращаюсь в идиотку. Поэтому предпочитаю просто нажимать пальцами на кнопки, и рано или поздно мне становится понятно, что к чему.

Пока я осваивала навигатор, мой мобильный засыпало эсэмэсками. Коля прислал адрес и телефон горничной, Кирюша спрашивал разрешения купить диск с игрой, Лизавета сообщала о походе в кино,

Юля жаловалась на плохую погоду и простуду. Самое короткое послание поступило от Кати, уехавшей в командировку в Оренбург: «Ок». Это был ответ на мой вопрос, отправленный ей утром: «Как дела?»

К сожалению, текстовые сообщения иногда задерживаются в пути. Однажды Костин полетел отдыхать в Болгарию и, приземлившись в Варне, позвонил домой, отрапортовав:

— Приземлился, еду в отель.

Представьте мое изумление, когда в четыре утра я получила эсэмэску от Вовки: «Сижу в самолете. Взлетаем». Сначала меня охватила паника: куда еще он решил отправиться? Но потом я сообразила посмотреть на дату и время отправки послания и обнаружила, что Костин набрал его днем перед вылетом...

— Ну, — сказала я, глядя на навигатор, — давай испытаем тебя в деле. Большой Мисловский переулок. Это тут рядом, за углом. Там припаркуемся и поговорим по телефону. Йес! Поехали.

— Большой Мисловский переулок, — повторил женский голос. — Маршрут проложен, пристегнитесь ремнем. Первый поворот направо.

Я пришла в восторг — работает! Вот здорово, теперь не нужно возиться с атласом!

— Вы приехали.

— Спасибо, — поблагодарила я, — вижу.

— Отстегните ремень.

— Ты заботливый, — умилилась я, глядя на аппаратик.

— Возьмите документы и не забудьте запереть машину.

— Мерси, но я хочу посидеть в салоне.

— Возьмите документы и не забудьте запереть машину, — не успокаивался навигатор.

Я ткнула пальцем в красную кнопку.

— Теперь вы пешеход, что не избавляет вас от необходимости соблюдать правила, — неожиданно заявила коробка, потом моргнула зеленым огоньком и заткнулась.

Я покосилась на навигатор и вынула мобильный. Насколько бы лучше нам жилось, придумай Господь и для человека кнопку «выкл.»! Надоела тебе жена — взял и отключил ее от сети. А дети... Кое-кого из отпрысков родители не включали бы годами!

— Алло, — прохрипело из трубки.

— Позовите, пожалуйста, Эсфирь, — попросила я.

— Не могу, — ответил человек и закашлял.

— Когда она вернется?

— Кха-кха... — неслось из мобильного. — Ой, боже, нет сил! Фирочка ушла.

— Это я поняла. Во сколько ей лучше перезвонить?

— Боже... Фира ушла! Навсегда!

— Куда? — растерялась я. — Можете дать адрес?

— Отстаньте! — заорал то ли мужской, то ли женский голос. — Ушла! Совсем! Навсегда!

Я тяжело вздохнула и набрала другой номер. Похоже, Кинг поругалась с родственниками и сменила место жительства.

— Слушаю вас, — ответило контральто.

— Добрый день. Меня зовут Евлампия Романова, — бойко представилась я. — Вы Эсфирь Кинг?

— Нет.

— Сделайте любезность, позовите Фиру.

— Она умерла, — грустно прозвучало в ответ.

На мгновение я опешила, а потом от неожиданности тупо заявила:

— Но ее телефон у вас.

— Верно, — согласилась незнакомка. — Просто я не могу решиться отключить его. Глупо, да? Мне кажется, пока трубка звонит, Фира жива. А вы кто?

— Лампа Романова, — повторила я, — хотела поговорить с Эсфирь о работе.

— Если вам нужна помощница по хозяйству, то я тоже ищу службу.

— Кем вы приходитесь Фире?

— Близкой подругой, меня зовут Суля, вернее, Святослава, но так длинно и нудно.

— Вы хорошо знали Фиру?

— Мы не имели друг от друга тайн! А что?

— От чего она скончалась?

— От инфаркта.

— Сколько же ей было лет?

— Двадцать один год. Но врачи сказали, иногда случается подобное, — прошептала девушка. — Хотя, знаете, Фирка никогда на здоровье не жаловалась. У нее ничего не болело!

— Где вы сейчас находитесь?

— Дома, у меня каникулы.

— Давайте адрес, я приеду и поговорим о работе.

— Лучше встретиться на нейтральной территории, — испуганно ответила Суля. — У меня... э... ремонт. Вы станцию метро «Молодежная» знаете?

— В принципе да, хотя я не пользуюсь подземкой.

— Там есть большой супермаркет, — зачастила собеседница, — а в нем кафетерий. Я буду там через тридцать минут, идет?

Я решила подстраховаться.

— Боюсь, мне потребуется больше времени, чтобы туда добраться. Вдруг я в пробку попаду?

— Ладно, тогда через час, — предложила Суля. — Да я подожду, не волнуйтесь. В случае чего звоните на мобилу Фиры, он у меня с собой.

— Хорошо, — быстро ответила я, — уже еду.

Настроить навигатор заново я ухитрилась за пару секунд и тут же услышала:

— Пристегните ремень. «Молодежная». Маршрут проложен. Направо.

— Эй, тут можно ехать только прямо! — возразила я.

— Вы пропустили поворот, вернитесь назад.

— Щаз! — гаркнула я. — Здесь одностороннее движение.

— Намечаю новый путь, — неожиданно перестал спорить навигатор. — Вперед до перекрестка!

— Отлично.

— До поворота пятьдесят метров.

— Ясно.

— До поворота тридцать метров.

— Супер.

— Налево.

— Мне надо направо, — растерялась я.

— Налево.

— Но там дом!

— Налево, — упорно талдычил «штурман».

Я стиснула зубы и крутанула руль, моя «букашка» уперлась в здание.

— Доволен? — осведомилась я. — Дальше что? Командуй.

— Левее, — приказал навигатор, — через три метра.

Мои глаза оценили узкую тропинку за домом.

— Там не проехать!

— Прямо! — гаркнул прибор, — налево, вправо.

Меня воспитывала строгая мама, желавшая дочери только добра. Когда маленькая Фрося[1] начинала спорить с матерью, та пыталась объяснить ребенку его ошибку, но если неразумная дочь упиралась и не слушала ее советов, во всю мощь легких оперной певицы мама заявляла: «Молча-а-ать!» И я мигом повиновалась.

_____

[1] Историю жизни Лампы Романовой читайте в книге Дарьи Донцовой «Маникюр для покойника», издательство «Эксмо».

Только не подумайте, что меня держали на цепи в железной клетке, не кормили, не поили, а играть разрешали порожними водочными бутылками и старыми газетами. Нет, мое детство было счастливым, изобильным, я росла балованной девочкой, была поздним, долгожданным ребенком у немолодых родителей и получила полный набор хорошего воспитания: музыкальная школа, дополнительные занятия по общеобразовательной программе, игрушки, книжки, конфеты... Ремень папа-генерал схватил в руки только один раз — когда увидел, как дочь перебегает дорогу на красный свет.

По идее, мне предстояло стать нахалкой, капризницей и эгоисткой. Но вот парадокс! Я выросла робкой, зажатой, молчаливой девушкой. Собственное мнение у меня было по всем вопросам, но я старалась его не высказывать. И если кто-то повышал голос, тут же подчинялась командному окрику.

После смерти любимых родителей прошло немало лет, Фрося превратилась в Лампу[1], научилась вести домашнее хозяйство и в полной мере оценила выдержку своей мамы. Мне пару раз в неделю хочется убить Кирюшку и Лизавету, а мама очень редко кричала на меня. Но вот что странно: стоит мне услышать приказ на повышенных тонах, как меня сковывает страх, и я покорно отвечаю: «Есть! Будет исполнено!»

Вот и сейчас я побоялась спорить с навигатором.

— Движение по кругу, — объявила коробка и оказалась права.

«Букашка» скатилась на пыльную площадь, посередине которой, облокотясь о капот патрульной ма-

---

[1] См. книгу Дарьи Донцовой «Маникюр для покойника», издательство «Эксмо».

шины, тосковал гаишник. Очевидно, он отлавливал водителей, не знающих правил движения.

— Едем! — приказал навигатор.

Я совершила полный оборот и удивилась. И куда будем поворачивать?

Коробка молчала. Пришлось повторить маневр — и снова тишина.

— Эй, ты умер? — крикнула я.

Гаишник лениво выпрямился и уставился на меня.

— Движение по кругу, — отмёр мой «гид».

— В третий раз катаюсь! — надулась я.

Гаишник двинулся к моей машине.

— Мог бы и подсказать, вовремя помочь человеку, — вскипела я. — Зря, что ли, тебя поставили? Хочешь по башке кулаком получить?

— Это уже оскорбление при исполнении! — пробасил приблизившийся гаишник. — Я не знаю, куда вы собрались, как же могу вас направить? Может, вы просто так катаетесь, типа развлекаетесь, или за руль недавно сели.

— Движение по кругу, — прокаркал навигатор.

— Заткнись, без тебя тошно, — буркнула я. — Куда сейчас, налево? Направо?

— По кругу.

Я ощутила себя циркулем и вновь очутилась возле ошалевшего дорожного полицейского.

— Круговое движение, — упорно твердила коробка, — едем с дозволенной скоростью. Остановка в потоке чревата аварийной ситуацией.

— Идиот! — заорала я. — Кретино-первоклассо! Сколько мне еще тут ездить?

— До конца маршрута шестьсот тридцать два метра, — ответил навигатор.

Я вцепилась в руль. Может, внутри пластиковой емкости сидит пьяный гномик с атласом в ручонках?

Иногда навигатор вполне разумно со мной общается, а временами...

— Движение по кругу!

— Не хочу! — вырвалось у меня.

— Давайте документы!

Я потрясла головой и погрозила навигатору кулаком.

— Фигушки! Сусанин хренов! При чем здесь права?

— И техталон на машину.

— Отстань!

— Я сейчас вас арестую!

— Попробуй! — взвилась я. — Еще наручники надень! Короче, хватит лабуду нести! Куда ехать?

— Вы пьяная или обкуренная? — поинтересовался навигатор.

Моему терпению пришел конец, я подняла левую руку и... почувствовала, как запястье сжали клещи.

— Сидеть! — заорали сбоку.

Я повернула голову и увидела пунцово-красного гаишника, который крепко держал меня за руку.

Тут только до моей глупой головы дошло, в чем дело. На улице тепло, поэтому в машине открыто окно — я не люблю включать кондиционер, легко простужаюсь от перемены температуры. Патрульный услышал мой бурный диалог с навигатором и принял его на свой счет. И ведь он начал со мной беседовать, но я, разгоряченная ездой по кругу, приняла речь милиционера за болтовню навигатора. Надо срочно выпутываться из идиотской ситуации...

— Ой, простите, — заулыбалась я, — не хотела вас обидеть.

— Да? — относительно мирно спросил сержант.

— Я грубила не вам.

— А кому?

— Штурману.

— В машине никого нет, — протянул патрульный и отпустил мою руку.

— Вот он, — я ткнула пальцем в коробочку, — заставил меня сто раз здесь крутиться. Я чуть от злости не умерла!

— Движение по кругу, — вякнул навигатор.

Я откинулась на спинку кресла.

— Слышали? Мэри пошла по кругу!

— Кто? — разинул рот сержант.

— Когда я училась в консерватории, — охотно пояснила я, — нам невесть зачем преподавали английский. На одном из занятий мы переводили текст, в нем было слово «merry-go-round». Это на самом деле карусель, но один наш умник заявил: Мэри пошла по кругу!

— И чего? — не въехал сержант.

— Просто смешно! Мэри пошла по кругу, — уточнила я.

— Так здесь круговое движение, — пожал плечами гаишник, — иначе никак. Все правильно. Давайте-ка дунем в трубочку...

Я подчинилась.

— Ничего, — с разочарованием отметил мент.

— Я вообще не пью! — заявила я.

— Движение по кругу, — попугаем повторил навигатор.

— Езжайте, — разрешил сержант.

— По кругу? — печально уточнила я.

— По-другому тут никак, — кивнул гаишник.

Глава 8

Руки покорно завертели руль, через пять минут нарезания кругов в голове помутилось.

— Направо, — вдруг каркнул навигатор.

Я возликовала. Слава богу! Может, тут правилами

предписано вертеться на месте, пока не откроется нужный проезд?

— До конца маршрута триста метров.

— Ошибаешься, — изумилась я, — метро «Молодежная» находится в Крылатском.

— Двести пятьдесят.

— Ты уверен? — спросила я.

А вот интересно, почему я обращаюсь к прибору в мужском роде? Он же говорит женским голосом.

— Сто.

Я стала озираться. Ничего не понимаю!

— Конец маршрута. До свидания. Отстегните ремень и покиньте автомобиль! — занудил навигатор.

Я высунулась из окна. Действительно, улица завершалась тупиком. «Букашка» стояла перед уютным двухэтажным особнячком, вход в который украшала массивная дверь с латунной табличкой с надписью: «Клиника лечения неврозов, пограничных состояний и расстройств умственной деятельности». Глубокое возмущение охватило меня.

— Издеваешься? — прошипела я, глядя на коробочку. — Сволочь!

— Отстегните ремень безопасности.

— Фиг тебе! Теперь я поеду без советов бешеных миксеров, — объявила я и выключила прибор.

Так, как отсюда выбираться? Ага, налево, прямо, направо... А вот и круг с ментом. Радостно улыбаясь, я высунулась в окно и помахала гаишнику.

— Привет!

— Здорово! — кивнул парень.

— Движение по кругу, — каркнуло с торпеды.

Я искоса глянула на коробочку — там мигал зеленый огонек. Пришлось снова выключить «Сусанина». До шумного проспекта я добралась без приключений, но когда неожиданно быстро и беспрепятственно вклинилась в поток машин, с торпеды донесся знакомый приказ:

— До съезда с трассы двести метров.

— Я же тебя отсоединила! — вырвалось у меня.

— Включите сигнал поворота.

— Посреди магистрали идет бетонный отбойник, — вступила я в беседу с навигатором, — так что позволь тебе напомнить: я сижу вовсе не на кенгуру, а в самой обычной машине, не способной прыгать.

— Налево.

— Тут нельзя выполнить этот маневр.

— Направо, — неожиданно согласился навигатор.

По непонятной причине я перестроилась. Очевидно, коробочка обладает способностями к гипнозу, иначе почему я совершаю глупости? Не было ни малейшей необходимости менять ряд!

— Налево, — коротко приказал мучитель.

Пришлось вернуться на прежнее место.

— Разрешенная скорость сто километров в час.

Я глянула на знак, висящий над дорогой. Ну надо же, совершенно точно! Вероятно, навигатор замечательная вещь, просто я не привыкла к нему. А тот как раз сообщил:

— Вы находитесь на скоростном шоссе Гжевск — Оринск. Просьба соблюдать правила, не отстегивайте ремень.

— Скажи наркотикам «нет», — ухмыльнулась я, — и не пей на ночь коктейль из текилы с грибочками. Оглянись по сторонам, вокруг Московская кольцевая автодорога! Извини, но я даже не подозреваю, где находятся упомянутые тобой Гжевск и Оринск. И не собираюсь узнавать местоположение данных городов. Чао!

С этими словами я ткнула пальцем в красную кнопку. Но навигатор не выключился, а продолжил разговор:

— У вас должна быть аптечка.

Я попыталась отодрать болтуна от торпеды.

— Внимание! Мост через реку Галушка, — закрякал он, — впереди тоннель. Проверьте высоту самосвала. Сверхгабаритный груз следует везти объездом через Вольск.

Я, забыв о руле, нырнула под сиденье. Где здесь штекер? Куда я воткнула провод? Так и не найдя «гнездо», я выпрямилась, увидела прямо перед собой нечто огромное, черное, жуткое, нажала изо всей силы на тормоз, отпустила баранку и зажмурилась в ожидании удара. Но вместо громкого ба-бах, я уловила противный, однако совсем не оглушительный звук царапанья, словно на капот взобралась парочка решивших поточить когти кошек.

Один мой глаз начал приоткрываться, и тут слева раздался мат:

— ...! ...! ...!

От неожиданности я распахнула глаза и увидела мужика лет шестидесяти, одетого в рубашку цвета хаки со следами споротых погон. Лицо его имело оттенок спелой свеклы, рот кривила злобная ухмылка, на макушке сидела шапка-ушанка.

— Что случилось? — пролепетала я.

— Поворот направо, — занудно сообщил навигатор.

Но мне было не до болтливой коробки.

— ...! ...! ...! — выругался пенсионер, — ...! ...! ...!

Я попыталась трезво оценить ситуацию и попросила мужика:

— Разрешите, я выйду.

— ...! ...! ...! — прозвучало в ответ.

Я выползла из-за руля, ступила на асфальт и замерла в ужасе. Я попала в аварию, въехала в багажник серо-белой «Волги» лохматого года выпуска.

— Пристегните ремень, — донеслось из моей «букашки», — разрешенная скорость восемьдесят километров в час.

— ...! — рявкнул пострадавший.

Я потрясла головой. Так, спокойствие... Неприятность уже произошла и впадать в истерику не стоит. Нужно оценить ущерб и попытаться все уладить миром.

— Железнодорожный переезд, — курлыкал навигатор.

— ...! ...! ...! — отозвался пенсионер.

По моей спине пробежали мурашки в свинцовых сапогах. Не счесть числа анекдотам про блондинок за рулем, и, чего греха таить, — далеко не все они хорошо управляются с четырьмя колесами. Но отнюдь не блондинка на иномарке основная беда на дороге. Самый страшный вариант — пенсионер на древней «Волге». А если он даже в жарком июне не стягивает с головы ушанку, вот где подлинная катастрофа!

— Внимание, пост ГАИ, — объявил «штурман».

— ...? ...? ...? — тут же с вопросительной интонацией выматерилась «ушанка».

Ко мне стал возвращаться оптимизм. Пенсионер безостановочно матерится, навигатор находится в астрале, ничего страшного не происходит. Дедуся не ругается, он так разговаривает, и, похоже, его заинтересовал навигатор. А еще — вот уж радостное открытие! Ни бампер моей «букашки», ни багажник «Волги» не помяты, погнуты лишь номера машин.

— Наверное, нет необходимости вызывать ДПС, — обрадовалась я.

— ...! ...! ...? — заявил мужик.

— Простите, не поняла!

— ...? ...? ...? — с другой интонацией произнес пострадавший.

— Направо через сто метров, — внес свою лепту в беседу навигатор.

— ...! ...! ...!

Я прислонилась к крылу «букашки». И призвала себя к спокойствию. Надо представить, что я попала в аварию... ну... допустим, в Африке. Язык местных племен мне не известен, но необходимо договориться с аборигенами. Кстати, пенсионер, похоже, идет на контакт, без особой злобы предложил мне совершить пешее путешествие с сексуальным уклоном. Попытаюсь завязать неформальные отношения.

— Меня зовут Лампа. А вас?

— ...! ...! Юрий Петрович.

— Здорово! — искренне обрадовалась я. — Вот и познакомились. Смотрите, «железо» цело.

— ...! ...! ...? — нервно поинтересовался Юрий Петрович и вытер лицо рукавом рубашки.

— А сколько стоит номер? — Я правильно поняла его высказывание.

— ...! ...! ...! ...тысяч!

— Через Днепр для нас пути нет, — трагично отметил навигатор.

Я покосилась на коробочку. Эк его колбасит, бедняжку!

— ...! ...! ...! Двадцать тысяч! — ожил Юрий Петрович.

— Вы с ума сошли? — деликатно осведомилась я. — За такие деньги можно половину вашей таратайки купить! Номер цел, его надо лишь выпрямить. Хотите пятьсот рублей?

— ...! ...! ...! — взвизгнул пенсионер.

— Направо! — гаркнул «штурман».

— Сейчас, милый, поедем дальше, — успокоила я нервничающий прибор, — вот только разберусь с жадным Юрием Петровичем.

— ...? — жалобно спросил тот и начал обмахиваться невесть откуда вынутой газетой.

— Маршрут проложен, — крякнул «гид».

— ...! ...! ...! жопа, — тихо добавил пенсионер.

Отлично, похоже, мы достигаем консенсуса. Хозяин «Волги» перестал орать, навигатор тоже проявляет желание дружить, осталось лишь уточнить цену.

— Я готова заплатить триста рублей.

— ...!!!

— Ладно, четыреста.

— ...!!!

— Пятьсот. Но это последняя цена.

— Направо? — заискивающе поинтересовался навигатор. Потом живо добавил: — Налево, движение по кругу.

— Не нервничай, дорогой, — я попыталась утешить явно расстроенную коробочку.

— Город Курск, — приободрился «Сусанин», — разрешенная скорость шестьдесят километров в час.

— Отдавай, иначе не договоримся!

Я подпрыгнула. Кто это сказал? Уж точно не Юрий Петрович, это совсем не его стиль. Навигатор? Кажется, он совсем, бедный, заболел! Очевидно, на моем лице отразилась растерянность, потому что пенсионер ткнул пальцем в сторону «букашки» и неожиданно вполне четко произнес:

— Его.

— Что? — не поняла я.

— ...! Жопа!

— Вы хотите получить мой навигатор?

— ...!!!

— Маршрут завершен, — жалобно пискнула коробочка.

Меня охватила непередаваемая радость. Неужели я сейчас избавлюсь от деда и жуткого прибамбаса одновременно? На столь счастливое разрешение ситуации я даже не надеялась.

— Навигатор? — повторила я.

— Жопа! — рявкнул дедок.

— Забирайте.

— ...? — не поверил Юрий Петрович.

— С огромным удовольствием, — подтвердила я. — Но только сами его снимайте, не помню, как штекер отсоединить.

Со скоростью обезумевшей мухи бывший военный нырнул в салон моей иномарки, поковырялся там пару секунд и вылез назад, прижимая к груди кусок пластика с торчащими в разные стороны проводами.

— Жопа...? — спросил он.

— Можно, можно, — закивала я.

Ну надо же, я расчудесно понимаю мужика. Оказывается, дело не в наборе слов, Юрий Петрович знает их всего штук десять, а в выражении лица бывшего вояки и его интонациях.

— ...! ...! ...!

Вот сейчас отставник явно меня благодарит.

— ...! ...? ...!

А на данном этапе предлагает помощь.

— Спасибо, сама справлюсь, — ответила я.

— ...! — укоризненно заявил пенсионер, поднял крышку багажника «Волги», выудил здоровенный молоток, в одно мгновение выпрямил номер «букашки», спрятал инструмент, прыгнул за руль, завел мотор, высунулся в окно, улыбнулся и нежно сказал:

— Жопа!

— Жопа, жопа, — помахала я ему в ответ. — Счастливой дороги, не обижай мой навигатор. Он, правда, слегка странный, но что-то мне подсказывает, вы с ним договоритесь. Свояк свояка видит издалека.

«Волга» тихо потрусила вперед, я вернулась в «букашку», завела мотор и очень скоро обогнала самый элитный автомобиль отечественного автопрома. Юрий Петрович, занимая левый ряд, плюхал со скоростью сорок километров в час. Обе руки пенсионера цепко держали руль, спина застыла в напряжении, ушанка сползла на лоб. Очевидно, процесс рулежки был для водителя слишком сложным, если не сказать тяжелым. На торпеде «Волги» под свешивающейся с зеркала заднего вида иконкой маячил навигатор. На секунду мне почудился укоризненный всхлип коробочки: «Движение по кругу», — но я живо затоптала в себе ростки жалости. Ничего, «Сусанину» будет лучше с Юрием Петровичем.

Вот вам наглядный пример того, что все плохое непременно имеет хорошую составляющую. Образно говоря, в бочке дегтя всегда отыщется ложка меда. Я попала в аварию, но выскочила из происшествия без особых потрясений, даже номер в порядке, зато избавилась от сумасшедшего прибора, выбросить который мне бы не позволила элементарная жадность. Я не в курсе, сколько стоит навигатор, но, думаю, он не дешевый.

В кафетерии супермаркета была лишь одна девушка, по возрасту студентка. Она сидела за пустым столиком в самом углу и сосредоточенно читала рекламную листовку.

— Ты Суля? — запыхавшись, спросила я.

— Да, — кротко ответила особа.

— Давно ждешь?

— Ну... минут тридцать, — промямлила подруга Фиры.

— Извини, я попала в аварию.

— Ой! — Суля схватилась ладонями за щеки. — Вы живы?

Хороший вопрос! Интересно, как она отреагирует, если я отвечу: «Нет»?

— Хочешь кофе? — предложила я.

— С удовольствием, — согласилась Суля.

Я сбегала к буфетчице, притащила два капучино, тарелочку с пирожными и сказала:

— Боюсь, ты неправильно меня поняла: я не ищу прислугу.

— А-а, — грустно протянула Суля, — ясно.

— Я частный детектив, вот документ.

— Ой! Я ничего не знаю! — тут же заявила собеседница.

— Меня интересует Фира.

— Она умерла. Сердце отказало.

— Тебе не показалось странным, что у молодой здоровой девушки вдруг случился инфаркт?

Суля молча взяла пирожное.

— Фира работала у Ветровых? — заехала я с другой стороны.

Кивок.

— Ей нравилась служба?

Легкое пожатие плечами.

— Что подруга рассказывала тебе о хозяевах? — не успокаивалась я.

Суля подобрала пальцем крошки с опустевшей тарелочки и внезапно поинтересовалась:

— Вам начальник хорошую зарплату выписывает?

— Я совладелица агентства, — усмехнулась я, — сама себе оклад назначаю.

Глаза девушки загорелись.

— Хотите узнать кое-что про Фирку и ее хозяев?

— Да, — честно ответила я.

— А мне нужен плеер, — заявила Суля.

— Ну и? — напряглась я.

Девушка ткнула пальцем вправо.

— Там есть магазин. Купите МР-3, и я все расскажу.

— Дорогое удовольствие, — недовольно протянула я.

— Можно не самый навороченный, — сразу пошла на компромисс Суля, — но лучше белого цвета. А то у всех есть, а у меня фиг!

Я встала и пошла в магазин. Мы с Ниной очень хорошо знаем: чтобы заполучить нужную информацию, частенько приходится раскошеливаться, поэтому всегда предупреждаем клиентов:

— Вы оплачиваете не только нашу работу, но и расходы по делу. Если необходимо провести беседу с человеком в ресторане, счет за еду будет выставлен вам.

В принципе, покупка плеера не очень тяжелое материальное бремя для того, кто решил нанять частного детектива. Спроси я у какого-нибудь нашего заказчика, готов ли он оплатить плеер, а взамен получить интимную информацию, тот бы тотчас сам ринулся в магазин.

Глава 9

Увидев в моих руках коробку, Суля не сумела скрыть радости.

— Давайте его сюда! — потребовала она.

Я поставила упаковку в центр стола.

— Сначала стулья[1].

— Какие? — округлила глаза девушка.

— Забудь, — улыбнулась я, — это шутка. Прежде чем стать обладательницей плеера, ты должна дать мне интервью.

— Спрашивайте, — кивнула Суля.

— Фира долго работала горничной?

— Около года, — задумчиво произнесла девушка. — Сначала радовалась, что ей повезло, потом жа-

---

[1] Лампа вспоминает фразу из романа И. Ильфа и Е. Петрова «Двенадцать стульев» (*прим. автора*).

ловаться принялась. Действительно, несправедливо получилось.

— Хозяева мало платили? Или оскорбляли прислугу?

Суля с тоской покосилась на пустую тарелочку, где раньше лежали пирожные.

— В «Парадизе» хитрая система, домработница включена в квартплату. Фирке в конторе конверт выдавали. Ясно?

— Не совсем.

— Дом-то пустой, — объяснила Суля. — У богатых свои причуды, напокупали квартир.

— Забавно, — кивнула я.

— У одних по пять спален на одного, а нас шесть человек в двушке, — вздохнула Суля. — Разве это честно?

— Жизнь вообще несправедлива, — пресекла я ее попытку жаловаться на судьбу. — Давай-ка о Фире. Что плохого случилось у Ветровых?

— А ничего, — надулась девчонка. — Белье постирай-погладь, ботинки почисти, полы помой, пыль протри. Как утром в семь на работу заявишься, так до восьми юлой и крутись.

— Катерина приказывала Фире мыть полы зубной щеткой?

— Скажете тоже! — фыркнула Суля. — Конечно нет. Хватало обычных дел.

— Если Фира тяготилась службой горничной, ей следовало пойти учиться, — менторски заявила я. — А если ничего другого не умеешь, приходится с тряпкой в руках носиться.

Суля вынула из сумочки сигареты.

— Мы с Фиркой в одной группе учились, — пояснила она. — Но у нее мать умерла, а отец не растерялся и через месяц женился. У мачехи две своих дочки.

Вот она мужу и сказала: «Нечего Фирке у тебя на шее сидеть, пусть работает. Образование и вечером получить можно, так многие делают, и никто не помер».

— Ясно, — кивнула я. — И Фира пристроилась в «Парадиз». Странно, однако, что в пафосный дом взяли девочку без опыта.

Суля повертела в пальцах сигарету.

— Ну теперь уже можно рассказать... Фирка любовь с Герой Выгузовым крутила. А отец Герки в «Парадизе» главный электрик...

— Можешь не продолжать. Понятно.

— Только не повезло Фире, — вздохнула Суля, — у остальных горничных лучше получилось.

— Полагаешь?

— Конечно. Они просто в служебном помещении сидели, — затарахтела Суля, — телик зырили, задницы на стульях полировали. А Фирка туда-сюда носилась, в доме-то одни Ветровы жили. Остальные жильцы редко показывались, у них раз в десять дней пыль с мебели сметут, и шоколадно. Зарплата же у всех горничных одинаковая. Где справедливость?

— С этим мы разобрались! — шлепнула я ладонью по столешнице. — Уже договорились: в мире нет справедливости. Что Фира рассказывала о Ветровых?

— Ну... ничего.

— Совсем? Не может быть.

— Ерунду всякую.

— Выкладывай.

— Ну... телика у них не было. Представляете? Вообще! Они его не смотрели! Никогда! Зато музыку слушали. Аппаратура навороченная! И пластинки хозяин покупал, все, типа, Чайковский. Цирк! Еще у Олега аллергия, поэтому у них животных не было. — Суля наморщила лоб, вспоминая. — Катерина дома не готовила, но у них всегда в холодильнике полно деликатесов. Один раз Фирка растворимый суп себе развела, так хозяйка ей по первое число вломила: «Не желаю эту гадость нюхать! Хочешь жрать — ступай в рабочую столовую, здесь тебе не харчевня». Вот сука!

— Какие отношения были у хозяев?

— Хорошие, они не ругались. Прямо любовь-морковь! Фирке через день постельное белье менять приходилось. Понимаете?

— Кто к ним в гости заходил? — не успокаивалась я.

— Тихо жили, оргий не устраивали. Из дома на работу и назад. Это Олег. А Катерина по тусовкам бегала. Но у нее служба такая, — захихикала Суля. — Ловко некоторые устраиваются! И развлекутся, и пожрут, а оказывается — они пашут. Мне бы так!

— Фира жаловалась на сердце? — сменила я тему.

— Не-а.

— Она часто болела?

— Даже насморк не цепляла, — заверила Суля. — Когда ее в «Парадиз» брали, то заставили диспансеризацию пройти, анализы сдать. Так местный доктор прямо поразился, сказал Фирке: «Ты уникум. Девяносто процентов населения Земли являются носителями вируса герпеса, а у тебя никаких следов этой гадости. Проживешь триста лет». Сглазил, сволочь!

— А при каких обстоятельствах Фира умерла?

— В магазине, тут близко, — махнула рукой Суля. — Пошла босоножки покупать на лето, мерила обувь и упала. Продавщица сначала решила, что она пьяная, потом доперла и «Скорую» вызвала. Но разве к обычному человеку быстро приедут? Когда врачи заявились, Фирка уже... того...

Суля зашмыгала носом.

— Фира не упоминала о письме?

— Каком?

— Может, кто-то попросил ее передать Катерине конверт?

— Не знаю.

— Она не находила у двери хозяев записку?

— Какую? — изумилась Суля. — От кого?

— Не важно. Хоть что-нибудь странное с твоей подругой за некоторое время до смерти случалось?

— Вы о чем? — растерялась собеседница.

— Тебе виднее, — сказала я. — Допустим, с ней в метро познакомился интересный парень, или она нашла кошелек с деньгами, получила предложение поехать на Мальдивы...

— Ничего такого не было, — вяло улыбнулась Суля.

— Ну подумай хорошенько... — уговаривала я девицу.

— Обычная суета. Хотя... Фирка на красивый купальник копила, а заначку дома под своей кроватью держала. Там уже прилично набралось, и вдруг деньги пропали. Их мачехины дочки сперли, но не признались, — возбудилась Суля. — У Фирки денег вообще не осталось! Ни копеечки! Мерзавки все уперли! Вот гадюки!!! Фирка отцу пожаловалась, тот жене сказал, а она...

— Это неинтересно, — остановила я ее.

— А больше — ничего, — развела руками девушка.

— Ты хвасталась, что Фира не имела от тебя тайн!

— Верно.

— И какие у нее были секреты?

Суля опустила глаза и принялась пальцем гонять по столешнице крошку от пирожного.

— Некрасиво чужие тайны выбалтывать, — заявила наконец она.

— Ты получила плеер, — напомнила я.

Девушка быстрым движением схватила со стола коробку, положила ее себе на колени и затараторила:

— С Герой она спала. Фирку отец убил бы, узнай он правду. Ваще-то они пожениться хотели, но Фира красавчика с другой поймала, вот и разбежались.

Герка ее тока-тока в «Парадиз» пристроил! Получила работу, а парня упустила. А потом и вовсе померла!

Суля взяла бумажную салфетку и промокнула глаза.

— Все, — подытожила она, — больше ничего!

— Подумай!

Девушка нахмурилась.

— В школе она уроки прогуливала! В субботу на занятия не приходила.

— Еще про детсад расскажи! — возмутилась я.

— Это я плохо помню, — на полном серьезе ответила Суля, — может, там и было чего, да только в мозгах не задержалось.

Я протянула ей свою визитку.

— Вдруг на ум придут интересные детали, сделай одолжение, звони в любое время дня и ночи. А как с тобой связаться?

— По мобиле Фиры, он теперь мой, — заявила Суля. — Так я пойду?

— Выходит, ты получила плеер ни за что, — сказала я.

Суля хитро прищурилась:

— Вы его сами покупали, никто вас не заставлял.

— Действительно. Главное в жизни — не растеряться.

— Обидеть меня хотите?

— Вовсе нет, просто размышляю вслух. Кстати, если вещь получена обманом, она долго не прослужит, — решила я испортить Суле настроение.

Она быстро прижала к себе упаковку с техникой.

— Я аккуратная, не сломаю.

— Где находится магазин, в котором умерла Фира?

— Рядышком, — девушка ткнула рукой в сторону метро, — прямо у газетного киоска.

Не поблагодарив Сулю, я вышла на улицу и двинулась в указанном направлении. Так, где тут лавка с ботинками?

Сначала на пути мне попался вагончик с шаурмой, затем будка, торгующая журналами, потом замызганный стеклянный павильончик без вывески, на двери которого белело объявление. Я подошла и прочитала текст, написанный аккуратным женским почерком: «Мастерская одежды. Зашить одно место сорок рублей». Плохое настроение разом улетучилось. Нет необходимости покупать сборники анекдотов, достаточно просто посмотреть по сторонам. Вон чуть поодаль магазин с милым названием «Малышок». Все бы ничего, но встык к этой вывеске прикреплена другая: «Пиво, водка, сигареты». Ну и что получилось? «Малышок. Пиво, водка, сигареты». А что имели в виду хозяева салона красоты, назвав его «Кенгурия»? Там делают прически и макияж сумчатым? Или клиенты после посещения стилиста все как один походят на животное с сумкой на брюшке? Впрочем, вероятно, основное направление заведения эпиляция меха кенгуру восковыми полосками. И, похоже, магазин «Хлебурия», расположенный рядом, принадлежит тому же хозяину.

А вот и «Сапог-мегаход», мне явно нужно сюда.

В небольшом зале, заставленном стендами с обувью, тосковала за кассой ярко накрашенная брюнетка.

— Скидок нет! — лениво протянула она, не отрывая глаз от журнала. — Цены фиксированы, мы не торгуемся.

Я подошла к красавице и помахала перед ее носом рабочим удостоверением.

— Вау, опять! — встрепенулась продавщица. — Вы из-за той девки, что у нас померла? Ну ё-моё! Не вчера же случилось!

— Верно.

— Ну, блин, надоели! Я вашим ментам все рассказала! — злилась брюнетка.

— Давайте еще раз попробуем.

— А работать когда?

— Здесь нет ни одного покупателя, — улыбнулась я. — Если они появятся, прервемся.

— Хозяин у нас болван, — неожиданно пожаловалась торговка. — Вы только гляньте! На дворе июнь, а на полках одни сапоги! И никакого сэйла, ни рубля не скинул! Сказал: «Говорите людям, что прибыла новая коллекция, к сезону осень-зима готовимся, первыми хотим быть». Анекдот! Первее никого нет, мало долдонов, которые в июне валенки людям впарить хотят. Вчера я только стельки продала в лыжные ботинки!

— Куда? — засмеялась я.

Продавщица оперлась локтями на прилавок и тоже хихикнула. Но подтвердила:

— Точно-точно, мужик купил стельки в ботинки для лыж.

— Зачем они ему в жару?

— Да идиот какой-то, — сообщила брюнетка, — явно из дурки смылся.

— Тебя как зовут? — я решила перейти с продавщицей на «ты».

— Клеопатра.

— Красиво, — улыбнулась я. — Со мной проще — Лампа.

Клеопатра подняла голову к потолку:

— Погасла? Которая?

— Меня так зовут — Лампа!

Продавщица снова захихикала.

— Я думала, тока мои предки дураки, но твои, получается, еще круче. Свои зовут меня Клёпой. Ладно, спрашивай.

— Помнишь, что случилось с девушкой?

— А то нет! — поежилась Клёпа. — Не каждый день в магазине покупатели мрут. Ох и влетело мне от Рахмета...

— От хозяина?

— Ага.

— За что?

— Не понравилось ему появление милиции. Орал, как взбесившийся барсук: «Почему ты разрешила бабе тапки тут отбросить?» А я откуда знала? На ней не было написано: «Сейчас помру». Выглядела нормально, разговаривала вежливо, потом брык — и нету.

— Давай-ка подробно, в мельчайших деталях.

Клёпа скривилась.

— Пожалуйста! — взмолилась я. — У меня тоже есть начальник, вроде твоего Рахмета. Если не нарою интересных сведений, скандал закатит.

— Это они могут, — с сочувствием кивнула брюнетка. — Погоди, щас все вспомню.

Я вся превратилась в слух.

День, когда скончалась Фира, начался для Клёпы крайне неудачно. Утром она порезала палец, запачкала кровью белую юбку, а потом, открывая магазин, попала по больному месту щеколдой, и красные капли оросили футболку. Кое-как застирав ее, Клёпа устроилась за кассой, и тут косяком пошли идиотки. Они входили в торговый зал, окидывали взглядом полки и, произнося одну и ту же фразу: «Сапоги не нужны», — быстро уходили прочь.

Ни одна из них не удосужилась пройтись по залу. А на одном стеллаже, между прочим, полно босоножек. Конечно, продавщице следовало сказать об этом женщинам, но Клёпа, расстроенная из-за травмированного пальца и двух испорченных вещей, предпочитала помалкивать. В конце концов, она получает твердый оклад, ей плевать на выручку Рахмета.

Около полудня наступило затишье, Клёпа спокойно читала журнал, когда в магазинчик вошла худенькая девушка. В отличие от остальных, она внимательно изучила ассортимент и спросила:

— Зелененькие сабо тридцать восьмого размера есть?

Клёпе страшно не хотелось шевелиться. Чтобы отделаться от покупательницы, она уже хотела соврать: «Нет, остались лишь маленькие». Но девушка вдруг сказала:

— Знаете, я копила на купальник, да заначку стырили. А тут деньги мне неожиданно перепали, вот и хочу обновку купить. Боюсь, как бы бабки опять не украли.

— Сейчас принесу, — устыдилась Клёпа и пошла в подсобку.

Когда она вернулась, в торговом зале творилось форменное безобразие. По залу с визгом носились озорники детсадовского возраста. Малыши уронили часть сапог, а их мамаша — растрепанная черноволосая смуглая тетка, — держа на руках худосочное создание в красном чепчике, сосредоточенно изучала ассортимент.

Клёпа сунула девушке коробку с сабо и возмутилась:

— Здесь не парк развлечений!

— Я хочу купить сапоги, — заявила баба и села на банкетку.

Дети, поняв, что мать временно забыла о них, устроили новый шабаш. У Клёпы закружилась голова, к горлу подступила тошнота.

— Успокойте их, — попросила она женщину.

— А то ж детки! — отмахнулась мамаша. — Им положено шуметь!

— Они другим мешают, — возразила Клёпа. — Видите, у окна девушка обувь примеряет.

— Заткнитесь! — заорала мамаша на ребятишек.

Они перестали визжать, зато завелся карапуз у нее на руках — завизжал, как поросенок, увидевший хозяина с тесаком в руке.

— Как вы их выносите? — не сдержалась Клёпа.

— Кого? — изумилась покупательница.

— Детей! — рявкнула продавщица. — С ума сойти можно от их гвалта!

— Че? Сюда надо одной заходить? — пошла в атаку тетка. — Кровиночки мои тебе поперек горла? Своих родить не можешь, так чужих ненавидишь? Думаешь, эксклюзивом торгуешь? Говнодавы одни на полках стоят!

Клёпа вообще-то не дает себя в обиду, наглых хамок она легко ставит на место, но в то мгновение ей неожиданно стало совсем плохо. Желудок, словно скоростной лифт, стартовал вверх, лоб похолодел, а уши, наоборот, горели огнем.

— Наверное, на меня так суета подействовала, — объясняла она мне сейчас, — столько капризных детей разом к нам не заходило. Ну приведут одного, двух, те сядут на диванчик и ждут. А чтобы так носиться... Вот поэтому башку мне и заломило.

В общем, Клёпа чуть не свалилась в обморок. У нее сильно застучало в ушах, заколотилось в груди, задергалось в низу живота. И вдруг внезапно наступила тишина.

— Больше я сюда ни ногой! — ворвался в уши Клёпы противный голос многодетной мамаши. — И всем во дворе расскажу, как здесь покупателей встречают! Пошли, ребята!

Малыши высыпали на улицу, тетка ушла следом.

— Я еле-еле в себя пришла, — вздохнув, сказала Клёпа. — Прямо колотило всю! Такое ощущение было, будто я пьяная, и спать хотелось. Я еще подумала: замуж выйду — больше одного не рожу.

— Я тоже не люблю шума, — согласилась я.

— В клуб я нормально хожу, а ведь там музыка орет, и ничего! — недоумевала Клеопатра. — Но тут меня натурально повело!

— День с утра не задался, ты понервничала из-за пальца, — посочувствовала я. — Или, может, погода менялась, вот давление и запрыгало. И еще. Чужие дети вообще раздражают. Своим-то простишь любое безобразие, а посторонним нет.

— Знаешь, что меня больше всего обозлило? — призналась Клёпа. — Ладно, мелкие шкодили, что с них возьмешь, они ж маленькие. Мамаша, дура, нарожала сто штук, а воспитать не может. Но с ней девчонка была, уже взрослая. Так та сидела и вязала! Видела, как братья и сестры безобразничают, а не остановила их.

Глава 10

Я сделала стойку.

— Вязала? Спицами?

— Да, — кивнула Клёпа. И фыркнула: — Типичная пофигистка! Вон там пристроилась, в кресле. Может, она больная? Походка у ней странная, бочком как-то ходит.

Я попыталась сложить картинку:

— У матери было много малышей?

— Ну да, — с раздражением из-за моей бестолковости сказала Клёпа. — Точное число не назову, они носились туда-сюда, взад-вперед, шмыг-брык! Может, четверо? Или пятеро! Мельтешили мухами! Как вспомню, так тошнит. Интересно, бывает аллергия на детей?

— Вполне вероятно, — пробормотала я, — на свете всякое случается. А возраст у безобразников какой?

— Не знаю.

— Совсем крошки?

— Они разговаривали. Но не школьники.

— Лет шесть?

— Нет, меньше.

— Пять?

— Скорей всего.

— А еще девочка-подросток?

— Ну да! — всплеснула руками Клёпа. — Взрослая совсем, лет тринадцати. Я в таком возрасте вовсю матери помогала, а если не хотела, то живо затрещину получала. Эта же сидела и вязала! Ни малейшего внимания на младших. Правда, послушная, едва маманька уходить приказала, вскочила и вон кинулась, ни слова не говоря. Ну и семейка!

— Значит, ты ушла в подсобку за сабо, вернулась — в зале суета, а девица вяжет, сидя в кресле? — подытожила я.

— Верно.

— И что случилось после ухода этой орды?

Клёпа наклонилась, достала из-под прилавка бутылку воды, сделала глоток и стала загибать пальцы на руке.

— Я посидела секунду, подождала, пока сердце успокоится. Собрала расшвырянную обувь, поставила ее на стенд, подошла к покупательнице. И тут... бр...

Продавщица поежилась.

— Девушка сидела на диванчике, привалившись к стене и опустив голову. Я сначала подумала, что ей тоже от гама плохо стало, ну и позвала осторожно: «Эй, хотите водички?» Ответа не дождалась, потрясла за плечо... А она — брык! Вау! Жуть! Жесть! Выскочила я на улицу, хотела заорать, но удержалась. Позвонила в милицию, а уж потом Рахмету. Думаешь, хозяин после того, как менты укатили, меня домой отпустил, сказал нежно: «Иди, Клёпочка, отдохни, ты столько пережила, вот тебе премия, купи себе новую юбку»? Фиг! Велел до полуночи в магазине куковать. Гад!

— Как звали женщину с детьми?

— Я с ней не знакомилась.

— Опиши внешний вид многодетной.

— Э... во такая, высокая. Или у нее каблуки были? Ну... типа... нормальная...

— Цвет волос?

— Темная, кудрявая, волосы длинные, лицо желтое.

— Глаза?

— Не видела.

— Особые приметы? Шрамы, родинки, какое-нибудь уродство — заячья губа, например? Слишком оттопыренные уши? — без всякой надежды на успех вопрошала я.

Мой друг мент Володя Костин частенько повторяет:

— Свидетель — главная беда дознавателя. Ничего не видит, не слышит, плохо соображает. Как начнет описывать человека, мама родная!.. Суммируешь показания и не знаешь, то ли смеяться, то ли запить с горя. Портрет получается — загляденье: двухметровый карлик, лысый кудрявый блондин с черными волосами, одетый в джинсы и вечернее платье, шел с собачкой-птичкой на поводке со средней скоростью сто километров в час. Вот и ищи такого, да поскорее!

Клёпа, выслушав мои вопросы, вытянула губы трубочкой и сообщила:

— Вроде между бровями у ней торчала бородавка. А так тетка совсем обычная. Как я и ты.

— Но мы с тобой мало похожи. Я блондинка, ты брюнетка, цвет глаз разный, одежда тоже!

— Так ведь мы женщины, — подвела черту Клёпа. — И та баба, не мужик.

— Здорово! — согласилась я. — Это сильно сужает

круг поисков. Ну вспомни хоть что-нибудь! Некую странность, деталь, удивившую тебя...

— А зачем тебе эта тетка? — заинтересовалась Клеопатра.

— Тайна следствия, — отмахнулась я. — Но мне очень надо отыскать ту мамашу.

— Была одна непонятка! — вдруг заявила Клёпа.

— Какая? — обрадовалась было я.

— Не помню.

— Вспоминай! — потребовала я.

— Вышла я из подсобки... — нараспев заговорила продавщица, — держала в руках коробку... увидела детсадовцев, мамашу ихнюю, услыхала про сапоги и изумилась...

— Чему?

— Щас и не соображу! А тогда шум стоял, мысль в голове какая-то мелькнула и ушла. Не помогла я тебе?

— Спасибо! Очень тебе благодарна! — заулыбалась я. — Последний вопрос. Эта тетка здесь раньше не появлялась? Она не из постоянных покупателей?

— Метро в двух шагах, — засмеялась Клёпа, — тут их пруд пруди.

— Но сейчас сюда никто не заходит!

— Время мертвое, — глянула на часы продавщица, — у нас тоже час пик бывает. Утром, когда домохозяйки за покупками ходят, а потом когда девки после восьми с работы идут и в магазины заруливают. Днем всегда тишина.

— Может, ты встречала эту семейку на улице?

Клёпа помотала головой.

— Не помню.

Дверь магазина хлопнула, вошла пожилая женщина.

— Тапки сорокового размера есть? — одышливо спросила она.

— Вельветовые, — ответила Клёпа.

— Давайте, — оживилась покупательница.

— Погодите, принесу. — Клеопатра, не торопясь, двинулась в глубь торговой точки.

Я вышла на улицу и чуть не задохнулась от жары. Ну почему в Москве не бывает нормальной погоды? Мне подошла бы температура двадцать три градуса, без ветра и дождя. Палящего солнца совсем не надо! Но, к сожалению, столичный климат не знает слова «умеренный». Вот сейчас навалилась жарища, а завтра легко может пойти снег.

Купив мороженое, я пошла вдоль ларьков, задавая торговкам один и тот же вопрос:

— Нет ли у вас постоянной покупательницы, темноволосой, кудрявой, смуглой многодетной мамаши с хулиганистыми детишками?

Ответ тоже звучал одинаково:

— Если всех запоминать, свихнешься.

Потерпев полнейшую неудачу и слопав эскимо, я распростилась с надеждой услышать нечто вроде: «Конечно, конечно. Это Мария Петровна Сергеева, живет вон в том доме, в квартире двадцать». С горя я купила еще и вафельный стаканчик с шоколадным пломбиром и пошла к своей машине.

— Эй, Лампа! — раздался женский голос.

Я оглянулась и увидела Клеопатру, которая курила, стоя у входа в свою лавочку.

— Ты еще тут? — удивилась она.

— Народ опрашивала, — вздохнула я. — Никто бабу с ордой детей не видел.

— Клиника для психов, — засмеялась Клёпа. — Ты вокруг глянь!

Я обвела взглядом улицу, забитую разношерстным народом, и махнула рукой.

— Беда!

— Не расстраивайся! Если будешь искать, то найдешь, — оптимистично сказала Клёпа.

— Вероятно, — уныло кивнула я.

— А я вспомнила, что мне показалось странным.

— Говори! — оживилась я.

— Туфли... — закатила глаза Клёпа. — На мамаше были дорогущие туфли. Ща покажу. Маня!

Из будки с газетами высунулась растрепанная голова.

— Че тебе?

— Дай новый «Визг».

— Он в целлофане.

— Разорви.

— Фигу!

— На секунду!

— Купи и смотри всю жизнь, — не пошла на уступку Маня. — У меня на этой неделе сплошные убытки. Вон сколько всего помято. Чтоб тем детям головы поотрывало...

— Которым? — сделала я стойку.

— Всем! — припечатала Маня. — Ходят, на машинах ездят, родителей не слушают... С виду приличные, а воруют.

— Купи у нее журнал, — предложила мне Клёпа. — Покажу тебе туфли, сразу все поймешь. Маня, дай ей «Визг», за деньги!

— Пожалте... — Из окошечка высунулась толстая рука с глянцевым изданием.

Я отдала взамен купюру, Клёпа велела:

— Открывай посередине. Вот они! Красные!

Я уставилась на пару обуви огненного цвета. Довольно скромные, на мой взгляд, лодочки, каблук сантиметров семь.

— Вот эти? — удивилась я. — А что в них особенного?

Лицо Клёпы приняло мечтательное выражение.

— Это Кох, — протянула она.

— Кто? — не поняла я.

— Модельер, — с явным превосходством ответила Клеопатра. — Он шьет самые дорогие туфли в мире. Стоят они немерено! Отличительный признак — ярко-синяя подметка. Всегда и везде! Это фирменная фенька. Если у дамы на ногах увидишь обувь на синей подошве, сразу станет ясно, сколько она за баретки отвалила!

— Наверное, фиолетовый верх не сочетается с подметкой цвета кобальт, — протянула я. — И зелено-синяя парочка у меня энтузиазма не вызывает.

— Зато шикарно! — уперлась Клёпа. — Так вот, я тогда внесла коробку с сабо для той девушки в зал и машинально на ноги мамаши поглядела, а та как раз на цыпочки поднялась, чтобы сапог с верхней полки снять. Меня будто молнией прошило: какого рожна баба ко мне зашла? Если свои туфли продаст, весь магазин купить сможет!

— Ты, наверное, преувеличиваешь стоимость обуви, — пробормотала я.

— Прочти заметку, — обиженно сказала Клеопатра. — Или давай сама вслух зачту, кха-кха... «Теперь мы научились ценить вещи! Коллекция от модельера Коха — лучшее доказательство тому, что мода возвращается, очаровывая нас уникальными находками. Красные туфли для коктейля. Натуральная кожа, элегантность, сдержанность и очень высокая цена. Эксклюзив для тех, кто любит себя. Соединение шика пятидесятых годов и современных технологий. Великая Мерилин Монро оценила модель по достоинству. Но у туфель не было тогда силиконовой прокладки и титановой основы каблука. Сшиты вручную. Теперь есть и в Москве. Бутик «Эгрера». Цена по запросу».

— А ты уверена, что на многодетной мамаше были именно они? — ткнула я пальцем в снимок.

— Стопудово. Синяя подошва и буква на каблуке. Видишь? Вон там, крохотная «К».

— У тебя зрение орла!

— Не жалуюсь, — пожала плечами Клёпа.

— Сомневаюсь, что мамаша с таким количеством детей может себе позволить столь дорогую покупку. Наверное, у нее на ногах была подделка.

Клеопатра насупилась.

— Че?

— Пол-Москвы носит фальшивые бренды, — пояснила я. — Вот видишь на мне футболку с надписью? На ней имя знаменитого модельера, да только приобрела я шмотку совсем недорого на развале около одного из рынков.

— Оно и видно, — Клёпа не отказала себе в удовольствии меня поддеть. — Нитки в разные стороны торчат и горловина растянулась. Но Коха не подделывают.

— Почему?

— Очень трудно, много мелких деталей, — пояснила Клёпа. — Ну, допустим, в оригинале мысок окаймлен тонкой стальной пластиной, или буква на каблуке выбита, или знаменитая синяя подметка украшена тиснением, а кантик прошит вручную зигзагом. Если не соблюсти точность — сразу понятно: это туфта, а ее брать за бешеные бабки не станут. Идеально воспроизводить его модель дорого, не выгодно. Туфли вообще редко «левые» бывают. Вот сумок и шмотья полно, а с обувью сложнее. И совсем уж глупость красные клепать, они выпендрежные, под определенное платье. Нет уж, лучше фальшивые черные туфли мастерить, они вмиг улетят. Не сомневайся: та мамашка оригинал на ногах имела. И лодочки совсем ни к чему не подходили! Платье на ней было простое, то ли голубое, то ли серое, длинное, до щиколоток. К такому, если не вечер, балетки надевать надо, сандалии, босоножки на маленькой танкетке. Ты валенки с мини-юбкой нацепишь?

— Маловероятно, — ухмыльнулась я.

— Вот! Уж поверь мне, Кох с тем платьем еще хуже сочетался, — завершила разговор Клёпа.

Я, сунув под мышку журнал, вернулась к машине и набрала хорошо знакомый номер.

— Косарь! — отозвалась коллега.

— Нинуша, есть разговор.

— Докладывай.

Я рассказала про странную женщину и постаралась объяснить, что именно меня заинтересовало:

— Во-первых, меня смутили дети.

— А что с ними не так? — настороженно спросила Нина.

— Они показались Клёпе почти одногодками, примерно четырех-пятилетними.

— Не вижу ничего странного.

— Между родными братьями или сестрами должен иметься хоть год разницы.

— Почему?

— Беременность длится девять месяцев, — напомнила я, — а первые девяносто дней после родов женщина, как правило, не способна к зачатию, нарушен гормональный фон. Затем организм приходит в норму, а еще через шесть-восемь месяцев, у всех по-разному, наступает повышенный риск залёта. Молодые мамочки этого не знают и опять беременеют. Поэтому чаще всего бывает так: старшему три года, младшему один. Но чтобы больше трех ребят одного возраста... Она взяла их напрокат!

— Зачем?

— Чтобы убить Фиру. Дети носились по залу, орали, продавщица отвлеклась на них, злилась на шум. И не заметила, как горничную отравили.

— Кто?

— Пока не знаю.

— Что плохого сделала Фира той тетке?

— Нет у меня ответа. Зато есть интересный вопрос.

— Задавай.

— Помнишь видеозапись из нашего офиса? Женщина попросила разрешить ей пройти с малышом в туалет. А еще при черноволосой смуглой тетке была девочка, которая села вязать в холле.

— Дальше.

— Странное поведение для школьницы! Молчит и вяжет.

— Бывают затюканные особы. Вероятно, мать на нее постоянно орет, — предположила моя компаньонка.

— Но в обувной лавке тоже была рукодельница! — выложила я последний козырь. — Хочу смотаться в телецентр и поболтать с теми, кто делал программу, во время которой умер Олег Ветров. Вдруг и там крутилась странная школьница-вязальщица.

— Занимайся только этим делом! — воскликнула Нина.

— А слежка за Рагозиной?

Косарь тяжело вздохнула.

— Тебе же неохота бегать еще и с фотоаппаратом?

— Верно.

— Возьму неверного мужа на себя.

— Спасибо! — обрадовалась я. — Очень благородно с твоей стороны.

— Чует мой ментовский нос, в большую задницу мы лезем с семейством Ветровых, — объявила Косарь. — Но если докопаемся до сути, то можем забабахать свою пиар-кампанию. Надо с теледеятелями погутарить. Им небось не хочется в «желтой» прессе читать статейки типа «Смерть перед камерой». Наверняка мечтают обелить себя. Вот мы, если убийцу найдем, и потребуем сделать о нас программу. Клиент к нам после попрет косяком!

Глава 11

Страшно обрадовавшись решению Нины, я стала рыться в сумочке в поисках губной помады и услышала звонок сотового.

— Слушаю, — сказала я.

— Катастрофа! — всхлипнула трубка.

— Настя, ты?

— А кто ж еще... — простонала Ваксина. — Я погибла! Славик теперь точно почует неладное!

— Что случилось? Или твоему мужу показалась неубедительной история про рекламный слоган?

— Прокатило замечательно, — захлюпала носом Ваксина. — Но... Рубашка!

— Чья?

— Славика! И Романа!

— Если не затруднит, объясни по-человечески.

— Разве я по-собачьи тявкаю? — взвилась подруга. — Мне помощь нужна, а не ехидство.

— Излагай проблему.

— Весной я ездила на Мадагаскар. Устаю очень, если не сменю обстановку, то...

— Дальше! — в нетерпении перебила я.

— Купила Славику в подарок сорочку, эксклюзивная вещь, их шьет жена хозяина одной лавки, — галопом поскакала Ваксина. — Материал раскрашен вручную, местная фенька, берут ткань и делают на ней картину. Я заказала синее небо с оранжевыми звездами и луной, которая курит трубку. Шикарно вышло! Короче, сегодня Славик отправился на работу и встретил... Романа — точь-в-точь в такой рубашке. Ну прикинь! Оба пришли в удивление и познакомились. Хорошо, что у Ромки хватило ума не называть мое имя... Ужас! Получилось круче, чем в кино...

В общем, дальше произошло следующее. Славик звякнул супруге и голосом иезуита протянул:

— Тебя обманули.

— Кто? — не поняла, о чем он, Настя.

— Рубаха... — процедил муж. — Вовсе она не эксклюзив. Нет, знаешь, мне в принципе все равно, я просто был рад тому, что ты во время отдыха вспомнила о муже и нашла время, а главное желание, обратиться к местной мастерице, попросила ее создать вещь именно для меня. Я оценил твою выдумку, затраченное время... Но, оказывается, ты просто купила одежду на местном рынке. Удивляюсь: зачем было врать? Я готов простить любой задвиг, кроме неправды!

Ваксина оторопела. Затем принялась горячо переубеждать разъяренного супруга:

— Любимый, я тебя не обманывала! На самом деле обращалась к лучшей местной художнице, она расписывала ткань по моему рисунку! Я придумала луну с трубкой. Вглядись и поймешь: спутница Земли имеет некое сходство с тобой. Это дружеский шарж.

— Да? — чуть мягче заговорил Славик. — А сегодня один мужик утверждал, будто ему такую же сорочку подарила любовница.

— И почему ты поверил этому идиоту? — закричала Настя. — Мужики более завистливы, чем женщины! Наверное, он обратил внимание на сверхоригинальный рисунок и соврал.

— Он не лгал, — мрачно перебил ее Славик.

— Послушай, это обидно слышать! — возмутилась Ваксина. — Отчего ты веришь не собственной жене, а первому встречному?

— Да потому что этот Роман был в точно такой же рубашке, — нудил Славик. — Сижу я на работе, входит мужик. Комната у нас большая, вечно гул стоит. А тут вдруг тишина повисла. Потом девки наши захихикали. Я голову поднял и решил, что передо мной зеркало повесили. Но быстренько сообразил, в чем дело. Вот уж наши повеселились: «Двое из ларца», «Пирожки из одной печки», «Отовариваетесь оптом?»

Одним словом, ехидничали вовсю... Мы с этим Романом в курилку попёрли. Идём, как идиоты, в одном цеху сделанные, кто навстречу попадается — ржёт в голос.

— Твои коллеги идиоты! — зашипела Настя.

— Сели мы подымить, — вещал Славик, — я и спросил: «Слышь, ты где рубашонку взял?» Роман отвечает: «Любовница на Мадагаскаре была, там нашла швею...» Ну прямо твою историю выдаёт. Чё я был должен подумать? Обманула меня жена, привезла не раритетную сорочку, а местное дерьмо, вроде глиняной статуэтки Венеры из Греции!

Слушая рассказ Насти, я крепко сжала губы. Славик неподражаем! Девяносто девять мужчин из ста заподозрят в такой ситуации жену в неверности. Славка учуял ложь, но не там, повёл себя, как настоящий компьютерщик.

Отлично помню, как однажды я сидела у Ваксиной в гостях, а та огорченно воскликнула:

— Лампуша, вот беда! Сумка сломалась, замок не защёлкивается!

— Выключи её и снова включи, — не отрывая взор от ноутбука, вклинился в наш разговор Славик, непостижимым образом услышав слова Настены. — Кстати, что она говорит?

— Кто? — разом спросили мы с Ваксиной.

— Ну твоя хрень, — пояснил Славик и повторил вопрос: — Что она говорит? Что пишет? Какое окно повесила?

Вот такая была забавная ситуация. И сейчас гений от вычислительной техники сделал очередное неверное предположение. Но я, в отличие от Славика, славлюсь умом и сообразительностью, поэтому, не скрывая возмущения, заявила:

— Настя! Какого чёрта ты купила мужикам одинаковые подарки?

— Две стоили как одна, — плаксиво протянула Ваксина, — не хотела тратиться.

— Жадность наказуема, — пробормотала я.

— Они не должны были встретиться! — взвыла подруга. — Никогда! Живут в разных концах города, не имеют общих знакомых, работают в полярных областях. Я ничем не рисковала. Это нонсенс!

— И он произошел, — констатировала я. — Лучше вспомни, что у них еще есть в гардеробе идентичного, и живо избавь хотя бы мужа от тех вещей.

— Лампуша, — зашептала Ваксина, — помоги! Плиз! Выручи!

— Коим образом?

— Позвони Славке и скажи... — и Настя начала излагать свой план.

— Глупость страшная! — резюмировала я, уяснив свою роль.

— Трудно тебе, да? Сложно, да? — зарыдала Настя. — Вот ты какая! Моя жизнь рушится, а ты...

— Ладно, ладно, — перебила я ее, — хорошо.

Славик долго не брал трубку, но я понимала: повелитель «мышек» и клавиатур, очевидно, с головой погрузился в очередную задачу и не слышит надрывного вопля мобильного.

— Что хотите? — в конце концов донеслось из трубки.

— Привет, привет, — тоном клоуна зачастила я, — Лампа беспокоит! Слышь, Славк, а где Настена?

— На работе, — вежливо ответил наш «Билл Гейтс».

— Она на звонки не отвечает.

— Наверное, на совещании сидит, — предположил он.

— Вот черт! Может, ты мне поможешь?

— Слушаю.

— Настя привезла тебе с Мадагаскара рубашку: луна с трубкой, звезды... Есть такая?

— Да, я сегодня в ней на службу пришел, — подтвердил Славик.

— О, шикарно! Скажи, как она стирается? — поинтересовалась я, чувствуя себя клинической идиоткой.

Интересно, Славик вообще знает, что вещи изредка стирают? Вопрос глупее задать трудно, но Настена приказала ни на шаг не отходить от ее сценария.

— Ты хочешь постирать мою сорочку? — без всякого удивления осведомился Славка. — Но это можно сделать только вечером, раньше восьми я домой не вернусь, если, конечно, дорога до квартиры займет среднестатистическое время. Но если в пути возникнут форс-мажорные обстоятельства, а они могут произойти с двадцатипроцентной вероятностью, то время прибытия домой превращается в малопредсказуемую величину.

Я не сумела сдержать стона. Теперь вам понятна вся нестандартность Славика? Вместо того чтобы спросить: «Лампудель, за каким чертом тебе моя шмотка?» — он принялся занудничать на отвлеченные темы. И его абсолютно не смутило мое желание постирать чужую сорочку. Славик воспринимает реальность как математическую задачу. Дано: Лампа решила привести рубашку Славы в лучший вид. Вывод: ей надо приехать домой к Ваксиным.

— Ты меня неправильно понял, — вздохнула я.

— Очевидно, ты нечетко сформулировала условие, — раздалось в ответ, — начни сначала.

— Я ездила на Мадагаскар. Пошла к той же портнихе, что и твоя жена, купила сорочку своему любовнику Роману. Слямзила идею Насти! Чистой воды плагиат: луна с трубкой, звезды... — несла я придуманную Ваксиной чушь. — А как стирать батик? Глянь, тебе ярлычок пришили? Моему Ромочке забыли. Мне надо срочно! Прямо сейчас!

А теперь оцените в полной мере тупость «пьесы». Мало того, что я звоню Славику, который понятия не имеет о таком агрегате, как стиральная машина, так еще и собралась устроить постирушку сию секунду. Будто нельзя дождаться вечера!

— Его зовут Роман? — вдруг оживился Слава.

— Да!

— Высокий блондин?

— Да.

— Волосы светлые?

Славка неподражаем. Или, по его мнению, «блондин» — это цвет кожи?

— Глаза голубые? — не успокаивался обманутый муж.

— Да.

— На гея похож?

— Да, — машинально ответила я. — А что?

— Как его фамилия?

— Это допрос? — сообразила я возмутиться. — Конечно, я поступила не очень красиво, приобретя парню такую же рубаху, но она мне очень понравилась! Шикарная ткань, суперский рисунок! Я сказала Ромке, что это эксклюзив. Маленькая хитрость! Ты меня не выдашь? Хи-хи-хи...

— А-а-а, понял! — протянул Славик. — Ты ездила на Мадагаскар и воспользовалась наработкой Настюши.

— Молодец! — похвалила я.

— Парня зовут Романом.

— Ты соображаешь лучше всех.

— Хочешь постирать сорочку, но не знаешь как.

— Ты гений!

— Вечером звякни Настьке.

— Мне надо сейчас! — уперлась я. — Ромочка собрался в ней вечером в клуб пойти.

В трубке образовалась тишина.

— Ты умер? — не выдержала я через минуту.

— Вероятность ноль два процента, — неожиданно раздалось в ответ.

— Чего? — растерялась я.

— Сегодня ко мне на службу пришел парень по имени Роман, — завел Славик, — он одет в ту самую рубашку.

— Ой, Ромочка... — засюсюкала я. — Верно, мой дружок собирался ехать к компьютерщикам. Как прикольненько! Вы там в одинаковых сорочечках были! Забавно! Хи-хи-хи...

— Но ты заявила о необходимости стирки рубашки...

— Точненько. Ромочка на нее... э... кофеек пролил. Мой пусенька такой неаккуратный!

— Держишь сорочку в руках?

— Опять в яблочко. Хи-хи-хи...

— Но я вижу Романа, — завел зануда Славик, — он на данном этапе разговаривает с нашим завотделом. Рубашка чистая, без пятен. Из всего вышесказанного делаю вывод: есть еще один Роман с такой же сорочкой. Вероятность существования такого индивидуума равна ноль двум процентам. Что-то тут не склеивается.

Огромная злость на Ваксину поднялась из глубины души и чуть не затопила меня, несчастную. Только Настена могла не сообразить, что Роман, вполне вероятно, до сих пор находится в одном помещении со Славиком!

— Ой, ой, ой, я перепутала. Ну надо же, схватила рубашку с тиграми. Они очень похожи! Ромочка ушел в той самой, мадагаскарской! — запричитала я.

— Мда... — протянул Славка.

— Дай Роме трубку, — потребовала я.

— Вас к телефону! — закричал компьютерный гений.

— Алло? — с удивлением произнес через минуту красивый баритон.

— Милый, ты скоро приедешь? — быстро спросила я.

— Думаю, около девяти, — на автопилоте ответил Роман. — А кто говорит?

— Неужели ты не узнал? Ну и ну! И много у тебя любимых? — зачирикала я, очень надеясь на стандартную реакцию незнакомого мужчины.

— Естественно, я понял, кто мне звонит, — вполне ожидаемо ответил Роман, — поглупей чего спроси! Дорогая, я сейчас занят, соединимся позднее, тут народу полно.

— Замечательно, — выдохнула я, — давай Славу.

— Что еще хочешь? — почти любезно осведомился муж Настены.

— Это мой Рома. А я перепутала рубашки. Понимаешь?

— Угу, — бормотнул компьютерщик, — бывает.

Я запихнула сотовый в карман. Фу, слава богу, выкрутилась! Надеюсь, Настена не наделала еще и других глупостей? Оставленной эсэмэски и одинаковых рубашек вполне хватит. Ну нельзя же быть такой дурой! Ей осталось заявить Славику:

— Любимый, сегодня я буду ночевать у своей подруги Лены, ты ее не знаешь. Телефона у нее нет, ни городского, ни мобильного, живет она не помню на какой улице, я обещала ей помочь помыть окна ночью. Не волнуйся, завтра вернусь!

Очень надеюсь, что в голове Ваксиной остались крохи ума, и она бросит Романа. Ни одна нормальная женщина не променяет мужа на любовника. Почему? Девочки, любой мужчина хорош лишь в первые полгода после знакомства, затем начинается одно и то же. Ну какой смысл делать рокировку? В конце концов вы окажетесь у той же плиты с теми же котлетами. Даже если новый муж в отличие от старого будет исповедовать вегетарианство, для вас особых изменений не произойдет! Просто вместо бифштексов из говядины вы станете жарить капустные биточки.

Следующим этапом было мое общение с телевидением. Минут через пятнадцать я раздобыла нужный телефон и с радостью услышала:

— Программа «Интервью».

— Здравствуйте. Можно Ларису, администратора по гостям?

— Я слушаю.

— Вас беспокоят по поводу Олега Ветрова.

— Ну ёлы-палы! Снова? Он умер! — донеслось в ответ.

— Я великолепно наслышана о неприятном происшествии, но мне нужно задать вам ряд вопросов.

— Вы из милиции, что ли? — устало спросила Лариса.

Секунду я колебалась, потом лихо соврала:

— Майор Романова.

В конце концов, если окажется, что администратор по гостям недолюбливает ментов, скажу, что я частный детектив.

— Что хотите? — осведомилась женщина.

— Поговорить.

— У нас съемки.

— Я приеду в Останкино!

— Студия находится в другом месте.

— Еще лучше, говорите адрес!

— Вам придется долго ждать, — сопротивлялась Лариса, — я не смогу сразу заняться вами.

— Нет проблем.

— Давайте встретимся после окончания всего блока! — взмолилась администратор.

— Хорошо. Во сколько мне прибыть?

— Первого июля около восьми вечера.

— С ума сошла? — вырвалось у меня.

— Мы гоним по две программы в день, — заныла Лариса.

— Без перерыва? — поинтересовалась я.

— Отдыхаем по полтора часа между записями, — нехотя призналась собеседница.

— Закажите мне пропуск, — ледяным тоном велела я, — подожду, когда вы освободитесь.

Глава 12

Человека, впервые попавшего на запись телепрограммы, всегда поражает, насколько закулисье отличается от красивой картинки на голубом экране. Хорошо, что зрители не видят мрачных лиц операторов и не слышат ругани режиссера. Людей телевидения отличает нездоровый цвет лица, лихорадочный блеск глаз, истерические реакции и патологическое желание спать. Есть они давно разучились, перебивают аппетит сухарями, баранками и заветренными бутербродами. Иногда, правда, им перепадает «телекорм» — нечто типа салата «Оливье», утопленного в дешевом майонезе и разложенного в пластиковые коробочки.

Войдя внутрь полутемного помещения, по полу которого змеились провода, я спросила у парня, сидевшего перед монитором:

— Где Лариса?

Юноша махнул рукой влево.

Я сделала пару шагов, наткнулась на стройную девушку в белом платье и улыбнулась.

— Вы Лариса?

— Слава богу, нет, — фыркнула та. — А что, похожа? Вот уж замечательный комплимент, ничего приятнее в жизни не слышала!

— Не знаю, как она выглядит, — объяснила я красотке.

— Ищи самую жирную, — захихикала та. — Думаю, она там, где гримерки.

Попетляв по темным закоулкам, я очутилась в просторной, хорошо освещенной комнате, стены которой были увешаны зеркалами. В высоком кресле возле столика, заваленного косметикой, дремала полная тетка, одетая в оранжевую майку и длинную темно-коричневую юбку. Футболку, угрожающе натянутую мощным бюстом, украшало трогательное изображение собачки в гламурном розовом ошейнике.

— Здравствуйте, — сказала я.

Дама не шелохнулась.

— Добрый день. Вернее, уже вечер, — прибавила я звук.

— Без приказа грим не кладу, — прошептала толстуха, — ступайте к Леониду.

— Вы Лариса?

Баба открыла глаза.

— Что? — с негодованием спросила она. — Кто?

— Вы Лариса? — повторила я.

— Надеюсь, что нет, — вздохнула собеседница, — хотя ваше предположение пугает. Че, похожа?

— Вы уже вторая женщина, которая приходит в ужас от того, что я называю ее Ларисой, — не выдержала я.

Гримерша выпрямила спину:

— А ты ее знаешь?

— Нет, никогда не видела.

Хозяйка гримерной посмотрела на себя в зеркало.

— Утешающая информация, — зевнула она. — Меня Викой зовут, Ларка скорей всего жрет в гостевой.

— В гостиной? — не поняла я.

— В гостевой, — поправила меня Вика. — По коридору налево. Там собираются основные действующие лица программы — випы, не публика. Ларка админ по звездам. Очень она любит с селебрити болтать, ей душу греет чужая слава. К тому же там бутеры всякие, конфетки-бараночки. Увидишь Ларисона — поймешь, о чем я пою. Если Дюймовочки в гостевой нет, то не уходи, ее на запах жрачки принесет.

— Викуся, — нежно заговорила стройная блондинка, врываясь в гримерку, — глянь, пожалуйста, у меня морда не блестит?

Я невольно заулыбалась — под мышкой незнакомка держала крохотного йоркширского терьера, забавное существо, похожее на игрушку.

С неожиданной для сьоей комплекции прытью Вика вскочила с кресла и засуетилась.

— Садись, Полиночка, — зачирикала она, — давай чуток пудрочки добавим, на лобик.

— Спасибо, — улыбнулась Полина и посадила в соседнее кресло свою лохматую собачку.

Несколько минут гримерша порхала вокруг блондинки, размахивая кисточками. Наконец та посмотрела на себя в зеркало и встала.

— Вот теперь шикарно. Мерси! Кстати, мне притащили здоровенную коробку конфет, килограммов пять, не меньше. Я и не предполагала, что таких шоколодных монстров делают! Оставила ее у чайника, идите, пока все не съели.

Помахав нам на прощание рукой, Полина убежала, я вдохнула оставшийся после нее аромат дорогих духов и не удержалась от комплимента:

— Красивая женщина.

— И хорошо воспитана, — подчеркнула Вика, вновь устраиваясь в кресле. — А то у нас чем звездее, тем больше понтов. Некоторые два часа под камерой постоят — и уже крутые, давай меня шпынять, бегай к ним с гримом. А Поля сама приходит. И я никогда ее в плохом настроении не видела. Мастерство не пропьешь!

— Почему-то мне кажется, что я хорошо ее знаю, — протянула я. — Может, встречались раньше?

Вика снисходительно посмотрела на меня:

— Это Полина Яценко, наша ведущая. В эфире она Ульяна. До «Интервью» работала в шоу «Ответ без вопроса», а начинала на проекте «Власть».

— Милая у нее собачка, — улыбнулась я.

— Жужу, йоркширский терьер, — пояснила Вика. И вдруг воскликнула: — Вот урод!

— Ты не любишь животных? — удивилась я.

— Обожаю! — закатила глаза гримерша. — Жужу суперпсинка, ласковая, всех целует. Но есть жуткие люди — суки. Я вспомнила, как приходил тут к нам один, Ветров.

— Который умер в эфире?

— Ага, — кивнула она. — Сел в кресло, я его пудрой посыпаю, а тут дверь открывается, вбегает Жужу и к нему на колени лезет.

— Прикольно.

— А он, мерзавец, как ее пнет! — Вика аж покраснела от возмущения. — Изо всей силы! Да еще заорал: «Уберите эту пакость! У меня аллергия!» Красиво?

— Мда, — крякнула я. — Милый человек. Мог бы и сдержаться.

— Полина теперь Жужу из рук не выпускает, — продолжала Вика, — и правильно делает.

— Яценко здорово выглядит, — отметила я. — Но очень уж она худая.

Вика вздохнула:

— Поля ваще не жрет! Слышала про конфеты? Ни за какие деньги к шоколадкам не притронется. Вес у нее никогда не меняется, на экране все толще смотрятся. Еще от света многое зависит. А насчет молодости... Так ведь всякий там ботокс-шмотокс существует! Ну, давай, топай! Лариса уже точно в гостевой, а мне надо отдохнуть.

Я улыбнулась и пошла по коридору дальше. Мимо то и дело пробегали люди — похоже, тут никто не ходит с нормальной скоростью. Минут через пять ноги снова привели меня к гримерной — очевидно, коридор шел по кругу. Вика похрапывала в кресле, будить ее мне не хотелось, пришлось остановить несущуюся мимо девушку в джинсах.

— Простите, где находятся гости?

Девица пару секунд смотрела на меня пустым взором, потом встряхнулась и переспросила:

— В смысле випы?

— Да, да, — закивала я, — они самые!

— Вы на передачу?

— В некотором роде, видите ли, Лариса...

Завершить фразу мне не удалось, юная особа поднесла к лицу рацию и заорала:

— Блин! Дайте Ларке под жирную задницу! Бросила человека в восьмом коридоре! Живо! Айн-цвай-драй! Сюда, пожалуйста, следуйте за мной!

Последняя фраза относилась ко мне. Девушка порысила вперед, я старалась не отставать. Очевидно, спутница была начальником, потому что на ходу она ухитрялась раздавать указания по рации и шпынять сотрудников, попадавшихся навстречу.

— Валя, где вода? Света, почему неправильно поставили стулья? Вера, отнеси Семену подносы! — шипела девица, не забывая поглядывать на меня. — Ну сплошной геморрой... Яценко пропуск, блин, посеяла, я новый ей сделала, так никак не возьмет. Некогда нашей звезде в отдел кадров зайти, а мне его не отдают. Голова кругом идет!

В конце концов со скоростью тайфуна мы домчались до квадратной комнаты, заставленной диванами. Посреди гостевой возвышался стол с пустыми тарелками и шкурками от бананов, рядом стояла...

Сначала мне показалось, что помещение перегораживает шкаф, наверху которого спит небольшая собака. Я даже удивилась: ну каким образом животное ухитрилось взгромоздиться на такую высоту? Маловероятно, что кудлатый пегий дворетерьер умеет столь ловко прыгать.

— Ларка! — гаркнула моя провожатая. — Последний раз предупреждаю: увижу гостя без присмотра — уволю тебя на хрен!

Собака повернулась, шкаф тоже и обиженно загундосил:

— Анечка, я же не виновата, что у тебя зуб болит! Гостей я проводила, новых только через полтора часа встречать. У всех перерыв, а мне даже поесть нельзя?

Тут до меня с запозданием дошло: передо мной вовсе не шкаф, а женщина невероятных размеров, кудлатое животное наверху — ее голова.

— Если ты не пожрешь, будет только лучше, — отрезала Аня. — А насчет гостьи, то вот она бродила по восьмому коридору, разыскивая тебя. Разберись!

В отдалении послышался звон, потом разноголосые крики, скрежет, треск.

— Разбили! — завопила Аня, выскакивая из гостевой. — Сволочи, гады, мерзавцы...

— Дурдом, — резюмировала Лариса, когда начальство испарилось, — поесть не дадут. Вы кто?

— Полковник Романова, — сурово представилась я и осеклась: вроде во время телефонной беседы я назвалась майором. Или нет?

Со мной всегда так: сначала совру, а потом забуду, что наплела, и оказываюсь в идиотском положении. Но Лариса не заметила нестыковки.

— Ладно, милиция, садитесь, — хмуро кивнула она.

Я опустилась на диван.

— Кофе хотите? — предложила администратор. — Бутербродов нет, новые лишь через час привезут. Никакой заботы о людях! Пашешь трактором, а покушать нечего. Ну, чего вы хотели?

— Вы помните программу с Олегом Ветровым? — спросила я. — Владелец фирмы, выпускающей детское питание, скончался во время эфира.

Лариса открыла небольшую тумбочку, стоявшую в углу, и издала победный клич:

— Супер! Так и знала! Здесь затырили! Будете сэндвич?

Я посмотрела на тарелку, которую администратор обнаружила на полке, и покачала головой:

— Спасибо, я не голодна.

— Нас обедом не кормят, — трагично заявила Лариса и откусила одним махом три четверти от толстого куска белого хлеба, на котором розовел солидный шматок докторской кобасы.

— Так что насчет Ветрова? — напомнила я.

Лариса оживилась:

— Рейтинг передачи после того эфира зашкалило! На повторном показе, утром следующего дня, народ по всей стране нас смотрел! На первом, вечернем, эфире присутствовал корреспондент газеты «Желтуха», так он постарался — разнес новость всем, кто телик не включал. Такой заголовок выдал: «Смерть в прямом эфире». Чумовой эффект! Главный очень доволен был, на совещании сказал: «Ведь можете, когда захотите. Надо творчески мыслить, креативность проявлять. А то катитесь по накатанной колее, ничего впечатляющего не в состоянии придумать!»

— Действительно, убивать людей во время шоу еще не додумались, — согласилась я. — А что, программу показывают дважды?

— Ну да, — кивнула Лариса. — Вечером она в прайм-тайм в прямом эфире идет, а наутро повтор — без купюр, мы ничего не подчищаем. Смотрели нас когда-нибудь?

— Простите, — стала оправдываться я, — ни разу не видела. Работы много, времени не хватает.

— Ерунда, — усмехнулась Лариса. — Сейчас принцип передачи объясню. Есть два блока. В первом приходит гость, представитель малого бизнеса, стилист, модельер, косметолог, врач. В общем, зовем кого-нибудь... э... Лучше на примере! Сегодня записывали шоу с Петром Водопьяновым, он пластический хирург. Сначала Полина, она в эфире под псевдонимом Ульяна работает, очень приветливо с ним беседовала, комплиментами засыпала, нежных слов наговорила. Петруша растаял, спел оду своей клинике. Ну прямо сироп с оладьями вышел: больница у него супер, медперсонал супер, подтяжки супер, цены низкие... в общем, все бегом к Водопьянову, получите новую грудь, нос, рот, попу... Похоже на рекламный ролик, правда?

— Да, — согласилась я. — Думаю, большая часть зрителей телик выключила, народ недолюбливает откровенный пиар. Нынче надо действовать тоньше!

Лариса ухмыльнулась:

— Наоборот, все у экрана дыхание затаили, потому что знали — будет продолжение. Зрители в студии хлопают, Водопьянов довольным котом щурится, Полина тоже улыбается, она у нас пушистый зайчик. И вот, когда панегирик в адрес врача достиг апогея, Яценко говорит: «У нас есть небольшой сюрприз! Хотим, Петр, задать вам еще пару вопросов. Согласны?» Водопьянов кивнул, и тут в студию вводят тетку! Мама родная! — Лариса передернулась. — Жуть ходячая! Лицо перекошено, один глаз не открывается, нос на боку, рта ваще как будто нет, кожа в каких-то язвах... Не дай бог ночью такое чудище приснится — описаешься! Зрители в шоке! Одна старуха чуть в обморок не грохнулась, другая заорала! Петр дар речи потерял, сидит, не шевелится. А Полина, белый наш пушистый зайчик, воркует: «Знакомьтесь, Елена Краснова, сорок лет. Петр, вы вспоминаете эту клиентку?» И понеслось...

Водопьянов пытался что-то вякнуть, но не сумел.

— Забыли? — с фальшивым удивлением осведомилась Полина. — Давайте я напомню. Леночка, садитесь, моя дорогая. Не плачьте, сейчас мы вам поможем. Вы только кивайте, если я говорю правду... Елена обратилась в клинику Водопьянова с пустяковой проблемой. Носогубные складки, так?

Монстр наклонил голову.

— Леночка собиралась замуж, — продолжала Полина, — хотела быть на свадьбе неотразимой и отправилась к пластическому хирургу. Петр ввел Красновой гель и пообещал: «Эффект продлится год». Верно?

Несчастная женщина еле слышно ответила:

— Именно так.

— Но через день после общения с хирургом у бедняжки поднялась температура, — вещала Яценко. — Возникло воспаление, Лена пришла к Водопьянову, и тот попытался ее лечить... Результат, простите за ужасный каламбур, налицо! Несколько операций, задет нерв, красота потеряна. Посмотрите на экран: такой Елена Краснова пришла в широко разрекламированную клинику к Петру, а так она выглядит сейчас.

Зрители, увидев на огромных мониторах снимок милого, чуть курносого личика, заахали, а Полина задала иезуитский вопрос:

— И как такое случилось?

— Редкое осложнение, — попытался оправдаться Петр. — Одно на десять тысяч! Аллергия на...

— Минуту, — перебила хирурга Полина. — Вы разве не делаете пробу?

— Она не нужна, — сглупил Водопьянов, — никакого риска нет. Даже если гель не так себя поведет, он рассасывается.

— Но не в случае Красновой! — напомнила ведущая.

— Повторю, это очень редкая патология. Единственный случай в моей практике, — начал отбиваться Петр. Но Полина вцепилась в него, как терьер в крысу.

— Думаю, Елена не испытывает восторга от того, что стала медицинским раритетом. И как вы решили исправить ситуацию?

— Провел операцию и...

— Она не помогла, так?

— Мы вновь столкнулись с уникальной...

— Нас не интересуют подробности!

— В них вся суть! — взвился Водопьянов. — Нельзя рассматривать проблему однобоко! Медицине известны случаи, когда люди умирали из-за неправильного диагноза, но врачи были ни при чем! Зеркальное расположение органов!

— У Красновой такое?

— Нет, но...

— Неинтересно! — «Белый пушистый зайчик» стукнул кулаком по столу. — На экране фото, на диване женщина. У меня конкретный вопрос: как можно помочь несчастной? Что скажете, Петр?

Водопьянов посерел:

— Никак.

— Это у нее на всю жизнь? — безжалостно уточнила Полина.

— Ну... скажем так: пока пластическая хирургия бессильна, но пройдет время и...

— Ах, оставьте! — возмутилась Полина. — Много радости будет Елене, когда она, отметив девяностолетие, узнает: наконец-то медицина способна справиться с ее трагедией. Нельзя ли поискать такую возможность сейчас, а, Петр?

Хирург с ненавистью посмотрел на Полину.

— Я сделал все, что мог! Увы, я не Бог!

Яценко кивнула и обратилась к зрителям:

— Наш главный герой недоговаривает. Он таки предпринял ряд шагов. Лена, расскажите о предложении Водопьянова.

— Прекратите немедленно! — вскипел хирург. — Вы нарушаете закон, нельзя разглашать врачебную тайну. Я покину студию!

— Пожалуйста, — не испугалась Полина, — шоу дальше пойдет без вас. Мы привыкли к резкой реакции наших героев на правду. Но, думаю, вам лучше остаться, иначе вы лишитесь возможности высказаться. И никаких тайн мы не разглашаем, Лена сама изложит события. Начинайте...

Краснова ткнула рукой в сторону хирурга:

— Он сначала с гелем напортачил, потом в операции накосячил, затем позвал меня к себе в кабинет и сказал: «Извини, лучше не будет. Мой тебе совет: продай квартиру в Москве, приобрети дом в сельской местности, переезжай в него, на свежий воздух. Я тебе тысяч пять баксов подкину, и разойдемся по-хорошему». Хотел меня из столицы убрать, чтобы глаза в его клинике пациентам не мозолила, народ не пугала. Стращал, что в столице моя морда еще хуже станет. Вот гад!

Зал задохнулся от возмущения.

— Правду ли говорит Лена? — повернулась к Петру Полина. — Вы и впрямь хотели отослать несчастную в село?

— Глупости! — заорал Водопьянов. — Я ей посоветовал временно — подчеркиваю, временно! — пожить на свежем воздухе. Иногда столь простая мера оказывается невероятно действенной. И пять тысяч отстегивал на съем дома! Я был готов ей помочь.

— Ну да, ну да, — удовлетворенно закивала Яценко. — Значит, вы хотите исправить ситуацию, но вам не хватает мастерства!

— Во всем мире нет такого специалиста! — рявкнул Петр.

— Оплатите операцию, если мы найдем хирурга? — в лоб спросила Яценко. — Который вернет ей прежнюю внешность?

Водопьянов криво ухмыльнулся:

— Охотно! Но вам не удастся найти ни одного человека, способного вернуть Красновой прежнее лицо, у нее редкая...

— Это мы уже слышали! Я про деньги. Возьмете на себя расходы?

— Да.

— Без дураков?

— Конечно!

— От обещания не откажетесь?

— Что за бред...

— Вы уже пошли на попятный, — ехидно заметила Полина.

— Ерунда! Я не пятюсь... то есть не пячусь... Готов на все! — воскликнул Петр.

— Подпишете при зрителях обязательство? — ведущая помахала листом бумаги. — Текст простой: я, имярек, согласен оплатить счет, ну и так далее. Побоитесь? Или вы мужчина?

Водопьянов выхватил у Полины документ, живо черканул на нем автограф и заявил:

— Вот. Если обнаружите хирурга — звоните. С величайшим почтением встану у операционного стола, чтобы поучиться у гения, способного творить чудеса.

— Сюрпри-и-из, — кокетливо протянула Полина, — внимание на экран.

Глава 13

Зрители и герои уставились в огромные плазменные панели, установленные в студии, на них появилось изображение мужчины лет пятидесяти, в синей хирургической пижаме. За кадром зазвучал женский голос:

— Доктор Эндрю Нов, работающий в госпитале Святого Лазаря в США, не является коренным американцем. Тридцать лет назад его звали Андреем Новиковым, и он учился в одном из медвузов СССР. Был изгнан из института и страны по политическим мотивам, в результате оказался за океаном, получил диплом хирурга, долгие годы работал в лучших частных клиниках США, теперь Андрей ведущий специалист госпиталя Святого Лазаря. Ему слово...

Изображение ожило.

— Я готов помочь Елене Красновой. Российское телевидение переправило мне историю ее болезни, анализы и прочую необходимую документацию. Мы проведем оперативное вмешательство и курс реабилитации. Посмотрите сюда.

На экране возникло два снимка: страшное лицо и вполне симпатичная физиономия.

— Правое фото сделано до лечения у нас, — пояснил Эндрю, — а вот как девушка выглядит сейчас. Она вышла замуж. Фамилию пациентки не могу назвать из этических соображений. Поскольку Краснова не является гражданкой США и не имеет медицинской страховки, которая могла бы частично покрыть расходы, операция будет платной. Но, учитывая состояние Елены, администрация согласилась максимально сократить счет. Двести тысяч долларов. Сюда включены расходы на операцию, на пребывание в больнице и курс восстановления.

— Ну, Петр, мы вас удивили? — с ликованием воскликнула Полина.

Водопьянов покраснел, потом побледнел.

— Хотите порвать договор? — вскинула брови Яценко.

— Нет! — резко ответил хирург. — И, как уже говорил ранее, я готов лететь вместе с Красновой. Хочу посмотреть на работу найденного вами врача.

Зал зааплодировал, женская часть публики рыдала в голос.

Полина вновь схватилась за микрофон:

— Все мы совершаем ошибки, но не у каждого есть возможность их исправить. Петр Водопьянов доказал свою порядочность. Что ж, даже у большого мастера случаются неудачи. Сотням людей хирург помог, а на Красновой споткнулся. Но теперь, благодаря нашей программе, и он, и Елена получили свой шанс на исправление ситуации. С вами была Ульяна, шоу «Интервью».

Я тяжело вздохнула.

— Водопьянов не убил Яценко после передачи?

— Нет, — усмехнулась Лариса. — Полина сразу убегает, а гостей просят посидеть в студии, якобы для досъемки. Впрочем, у нас охраны полно, мигом скрутят.

— И давно идет шоу?

— Стартовали прошлым летом, рейтинг до сих пор чумовой.

— Не сомневаюсь. Хотя, если честно, не понимаю, почему гости соглашаются на интервью. Знают ведь, что во второй части передачи их ждет засада.

— Нет, — покачала головой Лариса, — в том-то и весь фокус.

— Позвольте вам не поверить. Ладно, во время первых двух-трех передач народ не разобрался, но теперь-то!

Лариса плюхнулась на жалобно заскрипевший диван.

— Мы храним тайну. Весь сюжет знают лишь режиссер и Полина. Остальным сообщают суть, когда гость уже сидит на диване. Впрочем, в курс дела вводят еще админа по випам — то есть мне говорят: «Лариса, разведи этих по разным комнатам, чтобы не передрались!»

— Почему Водопьянов согласился на шоу? Он же понимал: ему устроят засаду, — повторила я.

Лариса расстегнула пояс на юбке.

— Давит, — пожаловалась она, — вещи теперь стали дрянного качества. Раньше я носила шмотки долго, а недавно купленные через неделю даже без стирки садятся.

— Может, надо поменьше есть? — неделикатно ляпнула я.

— Я клюю, как птичка, — заявила Лариса.

Перед моим мысленным взором моментально возникла картинка. Выхожу из дома, лениво потягиваюсь на крыльце и вижу тучу, которая с быстротой молнии закрывает небо. Поднимается ветер, гнутся верхушки елей, крыша особняка трясется. Я понимаю, что это подлетает птичка-Лариса, и в ужасе закрываю глаза. Ба-бах! От звука глаза распахиваются. Двора нет, вместо него огромная яма, в которой отряхивается от земли Лариса. Птичка благополучно приземлилась!

— А бутерброды? — напомнила я. — На тарелке лежало штук шесть.

— Это не жратва!

— Вернемся к программе. Почему же гости соглашаются?

— Они не знают, каким будет окончание шоу! Существует два варианта: жесткач, как с Петром, или мармелад, когда Полина так захваливает человека, что у того прямо в студии крылья отрастают и нимб отпочковывается.

— А каких вариантов больше?

— Пятьдесят на пятьдесят. И логики в их очередности нет. Может три или четыре слюнявых шоу подряд прокатить, а потом бац — бомба с дерьмом. Говорю же, только двое в курсах — Сеня и Полина. Я лишь в момент прихода гостей суть узнаю.

— Но кто же ищет компромат на героев?

— Отдел Машки Литвиновой. Но они партизаны, блин, — скривилась Лариса. — С нами не общаются, в головном офисе сидят. Молчат, как Муму. Хотя я бы за их зарплату тоже языком не шевелила. Люди идиоты, надеются на сироп, поэтому прут на съемки. А потом, знаете ли, отрицательный пиар — тоже слава!

— Ясно... — протянула я. — А в случае Ветрова какая подлянка намечалась?

— Один шоколад планировался, — отрицательно покачала головой Лариса, — молодая мамаша с детьми. Малыши — дикие безобразники, спать их уложить было невозможно. Но мамочка им «Успокойку» стала покупать, и все пошло суперски: лягут в кроватку да сразу сопят!

— Сколько, говорите, у нее было малышей?

Лариса задумалась.

— Вроде... э... трое. Забыла. Вертелись тут под ногами, их с трудом во второй гостевой удерживали.

— Не было ли с женщиной девочки-подростка?

— Откуда вы знаете? — изумилась администратор. — Больная совсем!

— Я здорова!

— Да я не о вас говорю, — объяснила Лариса. — У нас гость списком идет. Чтобы випы у бюро пропусков не маячили, выходит мой помощник и сует охране лист. Менты по головам считают. Перед шоу с Ветровым нам снизу позвонили, что Малявина Римма одного лишнего притащила. Пришлось мне спускаться. Сказала охране: «Простите, ребята, я ошиблась, указала меньшее количество детей». А парень в форме заявляет: «С малышами все правильно, а девчонки в списке нет», — и тычет пальцем в школьницу, уже вполне взрослую. Я к Римме, мол, кто такая.

А она в ответ: «Это Ксюша, ее нельзя дома одну оставить. Она никому не помешает, очень тихая». Я сначала не разобралась, вписала подростка, а уж когда в гостевой они устроились, поглядела на девчонку, и мороз по коже пробрал.

Лариса и сейчас поежилась и вдруг замолчала.

Я в нетерпении воскликнула:

— Девочка была столь уродлива?

— Нет, вполне симпатичная. С густыми волосами, глаза, правда, глубоко посаженные и какие-то... собачьи, что ли, и нос чуть великоват. Но не это меня смутило.

— А что?

— Она дебилка! — выпалила Лариса. — Типичная уо!

— Кто?

— Умственно отсталая, даун. И ходит косо, ногами загребает.

— Дауны имеют специфическую внешность, — заметила я, — но передвигаются вполне нормально.

— Значит, шиза.

— Дочь Риммы вела себя неадекватно? Орала, шумела?

— Нет, наоборот, тихая, покорная, молчала все. В гостевой, когда малыши орать начали, старшая сестра на них никакого внимания не обращала, вытащила из сумочки...

— Вязание! — подскочила я.

— Вы что, экстрасенс? — восхитилась Лариса. — Точно, она достала клубок со спицами и давай ими стучать. А я от мелких визгунов чуть ума не лишилась. Тараканы крикливые! Да тут еще эта Римма попросила присмотреть за ними пять минут, пока она в туалет сходит. Утопала и пропала, нет ее и нет. Прямо заколбасило меня, голова кругом пошла. Ну зачем людям столько пискунов? Вот пару недель назад к нам на шоу обезьян приводили. Дрессировщик их на диван усадил и приказал: «Ни с места!» Так те даже не вздрогнули. Сбились кучей на софе, все в памперсах, мирно в носу ковыряли. А дети! Один чуть чайник не опрокинул, другой по полу на четвереньках ползал, третий сыр с бутербродов сожрал, четвертый... Нет, их было трое. Просто очень шумные. Ясный день, маманька в сортире отсидеться решила, отдохнуть от ребятишек. Я, в принципе, готова помочь, но ведь каждый свои денежки должен сам зарабатывать, не фиг за чужой счет выезжать. Стала ей на мобилу звонить...

— Минуточку! О каких рублях идет речь?

— Некоторым участникам шоу приплачивают, — приоткрыла завесу тайны Лариса. — Не основному гостю, а его оппонентам или похвальбушникам. Дают немного, только кое-кому и сотня хорошо. Та Римма прямо от радости прыгала, когда я ей конверт сунула. Боялась, что из-за смерти Ветрова ее гонорара лишат. Только бабки уже выписали, не нести же их назад. Не разорится канал, а у мамаши, похоже, каждая копейка на счету.

— Давайте еще раз по порядку, — попросила я. — Малыши безобразничали, Римма пропала в туалете...

— Гостей заранее зовут, за час до начала передачи. Грим, то да се. Римма приперла, потом в туалет пошла и будто испарилась. Позвонила я ей — мобилу не берет. Хотела уж за ней в сортир сбегать, а только мелочь-то ее куда деть? С собой тащить? Ну никак нельзя! — частила Лариса. — Шоу, правда, уже стартовало, Ветров тайны не узнает — он в студии сидит. Но, не дай бог, один из крысят убежит или поранится, тогда второй блок сорвется, и меня по головке не погладят! Прямо вспотела я от проблемы, и про странную девчонку вспомнила. Пусть, думаю, она за родственничками приглядит. Повернулась — а на диване пусто! Небось с мамашкой ушла. Ну, блин! Гляжу на малышню и ругаю себя: за фигом Римму отпустила? А тут еще Анька, змея крикливая, по рации меня дергает: «Гость готов? Звук повесили? Морду ей запудрили? Дети в приличном виде?»

Я молча слушала Ларису, а про себя думала: если во время рабочего дня только и ждешь мгновения, чтобы поесть, а потом поспать, то никакой радости служба не принесет...

Не успела Лариса окончательно обозлиться на Римму, как та наконец материализовалась в гостевой.

— Где шлялась? — налетела на нее администратор.

— Курила на лестнице, — без тени раскаяния призналась многодетная мамаша.

— Сиди тут и не высовывайся! — приказала Лариса. — Эй, а старшая твоя куда подевалась?

— Не знаю, — оглянулась Римма. — Разве девочки нет?

— Думала, она с тобой в туалете, — вздохнула Лариса. — Ладно, девочка нам для программы не нужна, найдется. Звякни дочке на мобилу!

Римма заморгала.

— Ну... э... у нее сотового нет!

Лариса кивнула. Конечно, у нищей Малявиной нет средств для покупки телефона еще и для дочери. Следовало пойти поискать молчаливого подростка, но тут издали долетели крики. Администратор сообразила, что приключился форс-мажор, и кинулась в студию.

Первой, на кого натолкнулась Лариса, была Ксюша, стоявшая в одном шаге от съемочной площадки. Девочка быстро-быстро работала спицами, покачивала в такт их движению головой, дергала губами и походила на сумасшедшую.

Громкие вопли: «Врача! Умер! Помогите!» — никак не действовали на подростка. Ксюша словно впала в гипнотическое состояние.

Лариса попятилась и наступила на ногу Ане.

— Посторонних вон! — завизжала начальница. — Никаких лишних глаз и ушей! Зрителей не отпускать! Пошевеливайтесь! Лариска, это кто?

— Дочь гостьи, — прошептала та.

— Живо отсюда! — продолжала орать Аня.

Лариса схватила Ксению за плечо:

— Пошли!

Девочка подняла от вязания взор, и по спине Ларисы пробежала толпа мурашек в шипованных кроссовках: глаза подростка не имели радужной оболочки, вместо нее чернел один зрачок.

— Тебе плохо? — еле выдавила из себя Лариса.

Ксения помотала головой.

— Мама ждет, — сказала администратор.

— Нет, — неожиданно произнесла школьница. — К ней? Да, хорошо. Мамочка самая лучшая, я ей помогаю.

— Римма в гостевой, отведу тебя к ней, — преодолевая невесть откуда взявшийся ужас, бубнила Лариса.

Ксюша протянула руку:

— На.

Администратор, окончательно уверившись в умственной неполноценности Ксении, взяла ее за кисть и передернулась от отвращения. Ладонь Ксюши напоминала на ощупь дохлую рыбу — такая же холодная, скользкая, вялая.

— Вы еще здесь! — испустила очередной вопль Аня, проскакивая мимо. — Подними жирный зад и займись гостями из второго блока! Не фиг тут жаться!

Лариса повела покорную Ксюшу в комнату, где орали ее малолетние родственники.

— Что случилось? — засуетилась Римма.

— Съемок не будет, — ответила Лариса.

— Почему?

— Технические проблемы, — выдвинула привычный аргумент Лара.

— Значит, денег не дадут, — чуть не заплакала Римма. — Тащилась к вам с детьми! Зря только время потратила!

— Не волнуйся, — успокоила ее администратор, — вот гонорар, как договаривались.

— Спасибочки! — оживилась мамаша. — Эй, мелочь, вперед!

Малыши вопя бросились в коридор. Ларису, несмотря на неудачную программу, охватила эйфория: слава богу, ужасная семейка наконец-то уходит. Лариса отвечает за гостей, «косяки» на съемочной площадке не ее головная боль, сейчас Малявина укатит, и можно будет отдохнуть, поесть, подремать на диване.

Шумная семья была уже у выхода, когда Ларису осенило:

— А где Ксюша?

— Черт! — притормозила мамаша. — Напрочь про нее забыла.

Лариса заторопилась назад в гостевую, надеясь, что Ксения сидит там, а не отправилась бродить по павильону. Больше всего администратор боялась увидеть пустую комнату — тогда прощай, мечта о мирном отдыхе.

Но Ксюша молча сидела в углу дивана.

— Тебя мама ждет, — задушив злость, сказала Лариса.

— Я устала, — заявила девочка.

— Пошли! — настаивала администратор.

— Спать хочу.

— Дома отдохнешь.

— Нет!

— Милая, не капризничай, — продолжала уговоры Лариса.

— Спать.

— Мама ждет.

— Спать, — монотонно твердила девочка.

И тут негодование Ларисы достигло критической точки. Ох уж эта мамаша! Ну кем надо быть, чтобы привезти на съемки идиотку, забыть ее в гостевой и даже не вернуться за дебилкой? Лариса схватила Ксению за ледяную руку и с силой подняла дурочку с дивана.

— Я с тобой церемониться не стану! — заорала администратор. — Матери сцены устраивай. Вали отсюда живо, не то охрану позову, кретинка чертова!

Ксения неожиданно вскочила и пошла к двери, выставив вперед правое плечо. Ларисе сразу стало стыдно. Орать полагалось на Римму, а убогая девочка не виновата. Вон какая она нелепая, длиннорукая, кривоногая, колени выпирают, ступни здоровенные, размер сороковой, не меньше. Платье на ней слишком широкое, явно с чужого плеча...

— Ксюша, — позвала Лариса.

— Что? — абсолютно адекватно ответила та и обернулась.

— Возьми с собой конфет со стола сколько хочешь.

— Спасибо, — улыбнулся подросток. — Простите, у меня голова болела, а сейчас прошла. Конфеты я люблю, очень!

Девочка вынула из кармана дешевый мобильный и стала укладывать на его место трюфели.

Лариса изумилась. Значит, у Ксюши имеется трубка. Почему же Римма ей соврала?

Глава 14

— Вы задали ее матери этот вопрос? — поинтересовалась я у Ларисы.

Толстуха закатила глаза.

— Нет. С гостями лучше долго не общаться, в особенности с такими, как та баба. Я всучила дебилку матери и умчалась наверх.

— У вас есть координаты Малявиной?

— Конечно, — кивнула Лариса.

— Дайте, пожалуйста.

Администратор поджала губы:

— Ну... знаете... Телефонная книжка — это мой капитал! Контакты нарабатываются годами, чем их больше, тем ценнее я для руководства.

— Малявина не эстрадная певица или политик, — начала я уговаривать «Дюймовочку», — вам никогда не придется с ней созваниваться. Как, кстати, ее нашли для программы?

Лариса сдвинула брови.

— Да просто. Понадобился человек с детьми, желательно простая баба. Я начала наших спрашивать, и кто-то посоветовал Римму. То ли она чья-то соседка, то ли... Ой, да забыла я уже! Если честно, не помню, что вчера происходило, программа прокатила, и ладно. Если голову всякой хреновиной забивать — маразм заработаешь. Римму помню лишь из-за случая с Ветровым.

— Дайте мне координаты Риммы, — потребовала я. — Если откажете, найду сама. Имя, фамилия известны, дальше дело техники. Но... «кто к нам с мечом придет, тот от меча и погибнет». Не поможете мне — сделаю так, что вас начнут через день таскать в милицию по повесткам. К свидетелям ведь постоянно возникают вопросы! И не прийти в отделение нельзя, это называется препятствованием следствию и карается законом!

— Чего в бутылку-то полезли? — закряхтела Лариса, вытаскивая мобильный. — Разве я отказала? Записывайте...

— Спасибо, — обрадовалась я. — А вы давно на телевидении служите?

— Много лет в этом дурдоме, — хмыкнула Лариса. — Сама себе удивляюсь, тут вообще-то люди тасуются, редко кто надолго задерживается. Но если вы полагаете, что я получаю за верность большой оклад, то ошибаетесь. У нас лишь начальники жируют да еще ведущие, если популярные. Полина, например, толстую пачку купюр загребает! А еще, я думаю, она откат хапает.

— Что-что?

Лариса понизила голос:

— Планировался тут намедни в шоу владелец сети аптек Никаноров. Редактура по нему поработала и, говорят, нарыла компромат — фальшивые лекарства. Вот сука! Хуже грабителя на дороге, торгует смертью. Но Полина сказала, что это повторение: уже был на передаче провизор, и Никанорова не приглашали.

— Нежелание ведущей повторяться понятно, — пожала я плечами, — вы же не программа «Здоровье», чтобы бесконечно о медицине рассказывать.

Лариса выпятила нижнюю губу.

— Да я не о том! Наша звездища спустя неделю после отказа порадовала себя иномаркой. Джип купила. Здоровенный, как автобус!

— Думаете, Никаноров дал взятку Яценко? Отстегнул телезвезде большую сумму, чтобы Полина его не приглашала?

— Ну! В точку!

— Но ведь можно просто отказаться от съемок, сославшись на нездоровье или занятость.

Лариса захихикала.

— Не, у нас такое не пройдет! Рядышком на низком старте «Желтуха» стоит. Мы в тандеме работаем. Журналюги живо в жертву вцепятся: почему кент от телевидения отмазался? Температурит? Ай-ай! Плохо, но не трагично. Снова позовем, через месячишко, мы не гордые. Я звякаю на мобилу и журчу: «Здрассти, Иван Иванович! Ларочка с телевидения беспокоит. Полиночка интересуется, как вы там? Неужели до сих пор гриппуете? Выздоровели? А мы вас ждем-с! Ах-ах-ах! Сыночек теперь занедужил? Мальчика выхаживаете? Ой-ой-ой! Побеспокою позднее!» Ну и так раз пять. То сам в кровати, то дети в парше, то родители при смерти... Ясно: избегает нас, боится. Значит, по уши в дерьме. Ну и спускаем «Желтуху», отдаем туда нарытый материал, а там... читайте эксклюзивчик! Причем надо учесть: программа-то по мужику всего два раза промелькнет — прямой эфир да повтор на следующий день, «Желтуха» же месяц «конфетку» обсасывает, а может, и больше, если объект дурак и в драку ввяжется. Никаноров денег не считает, что ему джип?

Я не смогла скрыть удивление.

— И часто Яценко подобное устраивает? Для меня эта информация — открытие. Я считала, что ведущий — просто говорящая голова, решение за него принимают другие люди.

Лариса тяжело вздохнула.

— Полина у нас на особом положении, умеет кому надо вовремя... Ну, в общем, понятно. Мужики идиоты, глянут на тощие ножонки и чумеют.

— Яценко шикарно выглядит, но ее молодость позади, — пробормотала я, — а нынче в моде юные любовницы.

— Полька хитрющая! — со злостью сказала Лариса. — Всем улыбается, старательно подчеркивает:

мол, в ней нет ничего звездного. Наши дураки ее обожают. «Ах-ах! Полиночка! Милая! Ласковая! Слова грубого не скажет! Солнышко ясное! Здоровается даже с охраной при входе в студию! Внимательная! Помнит о всех днях рождения. Курьершу поздравила — принесла ей корзиночку со средствами для ванны! Ох-ох! Белоснежка!» Тьфу, меня тошнит от шоколада. Я-то в курсах, какая в ней начинка: настоящее дерьмо!

— По-моему, вы несправедливы к Полине, — подначила я Ларису. — Я видела ее в гримерке: замечательно выглядит, очень вежлива, элегантно одета.

Глаза Ларисы сузились и утонули в щеках.

— Ха! И вы на эту удочку попались! — Толстуха хлопнула себя по могучим бедрам. — Полинка же профи, мягко стелет, да жестко спать. В гримерке Яценко и правда со всеми мила. И недавно нашу курьершу с юбилеем поздравила. Все в восторге — такое внимание! Уфф! Только вот Лиза Маркова уволена. Ее продюсер выпер, потому что девчонка Полине нахамила. Яценко ей ничего не сказала, но информация живо до Валерия Львовича, до главного, дошла. А к нему в кабинет всякой шушере хода нет. Кто настучал? Для меня ответ ясен — Полина. Подарок она курьерше всучила... Фу, дерьмо от спонсора, мыло с шампунем выбросить следовало, а Полька дуре отдала. Выглядит Яценко хорошо? Так с ее бабками любой косметолог, стилист и фитнес-тренер доступны! У Польки сплошные заморочки, она на своей внешности сдвинутая.

Я молча слушала Ларису. Зависть — страшная вещь, она начисто лишает человека объективности. Мне понятно, почему слонопотам мажет Яценко сплошной черной краской: Полина хороша собой, знаменита, пользуется успехом у мужчин.

— Нет никого хитрее ее! — брызгала слюной Лариса. — Надо ж умудриться — жизнь в этом гадюшнике провести и ни с кем не пересраться. Лицемерка! Только комплименты говорит, брешет в глаза. Умеет оскорбить, но так, что вроде обласкала. Мне тут заявила: «У нас скоро будет в программе специалист по коррекции веса. Дорого берет, но отлично помогает, без дураков. Люди по сорок килограммов теряют. Хочешь, я с ним пошепчусь, и профессор возьмет тебя даром?»

— Отличная идея!

— А мне не надо. Я че, жирная? — заморгала Лариса. — Вполне собой довольна.

Я растерялась, а собеседница надулась и процедила:

— Но только скоро на ее улице праздник закончится. Наши поговаривают, что Полину начальство уже предупреждало: «Рейтинг падает. В новом сезоне шоу прикроем». Мне Алиска, секретарша главного, рассказывала, как Яценко вылетела из его кабинета — морда потная, даже улыбаться перестала. Но тут снова ей везуха — Ветров помер. Ну зритель и бросился «Интервью» смотреть. Во как, вечно ей везет. Полька дрянь, но ее даже бывшие любовники обожают. Сука!

— Скажите, пожалуйста, кто из вип-гостей был обижен передачей? — перевела я разговор на другую тему.

— Ха! Таких полно!

— Мне понадобится список с фамилиями, адресами и номерами телефонов.

— Всю базу захапать желаете?

— И в мыслях такого нет! Сами же говорили: пятьдесят процентов программ имеют хороший для гостя конец. Среди оставшихся скандальных надо выбрать наиболее жесткие.

— Эта информация есть у редакторов.

Я вынула кошелек:

— Ларочка, у вас большая зарплата?

— Копейки жалкие.

— Отлично! То есть, конечно, плохо. Посоветуйте, к кому из ваших коллег я могу обратиться за помощью. Они, наверное, тоже мало получают?

— Уж побольше моего, — протянула Лариса. — А чего про девок интересуетесь?

— Хочу купить сведения, — провокационно ответила я, — готова платить звонкой монетой.

— Сколько? — живо спросила толстуха.

— Думаю, мы с какой-нибудь из ваших коллег сумеем договориться, — сладко улыбнулась я.

Интересно, знакома ли Лариса с работой милиции? Тот, кто общается с сотрудниками МВД, хорошо знает: они не платят за сведения, которые легко могут получить, предъявив, например, ордера. Если сейчас Лариса удивится, придется сообщить о своей принадлежности к частной структуре.

— Зачем вам тратить время на этих идиоток? — алчно сказала толстуха. — Вроде мы уже подружились, я и сама с радостью вам помогу. Так сколько?

Слегка поторговавшись, мы с Ларисой пришли к консенсусу, и она начала деловито командовать:

— Щас вторая съемка стартует, я на площадке не нужна. Пойдите в универмаг, он у метро находится, поешьте спокойно. А я тем временем списочек раздобуду. Возвращайтесь через час, и я его вручу. ОК?

— Хорошо, — обрадовалась я.

Договорившись с жадной Ларисой, я вышла на улицу и поняла, что за время моего пребывания в съемочном павильоне над Москвой пронеслась гроза. Удушающая жара исчезла, в воздухе разлилась приятная свежесть. Наслаждаясь погодой, я пошлепала по мелким лужам в сторону высокого здания, состоящего из одних стеклянных витрин. В крупных торговых центрах всегда есть кафе. Ужинать мне, правда, абсолютно не хочется, но вот чаю с булочками выпью с удовольствием.

Путь пролегал мимо метро. Людской поток плавно втекал по ступеням в подземный переход, и мне вдруг стало обидно за столицу. Ну почему в Москве так мало думают о людях? Наш город приспособлен для комфортной жизни молодых и здоровых, кто, легко перепрыгивая через две ступеньки, козликом доскачет до платформы. Но ведь в мегаполисе живут пенсионеры, инвалиды, мамы с младенцами. Кстати, когда вы видели на московских улицах человека в инвалидной коляске? Я лично не видела. Неужели в столице России вообще нет инвалидов? Год назад Сережка с Юлечкой подарили мне на день рождения турпоездку в Германию. Семь дней я провела на родине Гейне и Гёте, осматривая достопримечательности. Конечно, Германия великая страна, там есть чем полюбоваться, но меня поразили не музеи и архитектурные памятники, а масса веселых — подчеркиваю, веселых! — людей в инвалидных колясках. Кого-то подталкивали родственники, кто-то бойко рулил сам. В особенности восхитила меня пожилая дама лет ста, не меньше. Фрау восседала в удобной повозке, ее волосы были уложены красивыми волнами, пальцы рук сверкали кольцами, на неподвижных ногах, заботливо прикрытых пледом, спала маленькая собачка, чихуа-хуа. И никто не удивлялся, что лишенная возможности ходить старушка отправилась вместе со своей любимицей в уличное кафе. Старую даму не выгнали вон, не наорали на нее:

— Куда прешь, карга, с грязными колесами? Здесь люди отдыхают!

И нигде не было надписей, строго предупреждающих: «С собаками вход запрещен». Нет, бабуля смаковала кофе, чихуа-хуа спала, и было видно, что такое времяпрепровождение привычно парочке. В Германии инвалиды являются полноценными членами общества. А в Москве?

Увы, у нас бедолаги не смогут даже выехать на улицу — в подъездах нет пандусов. Если все же больной человек ухитрился договориться с соседями, и те, кряхтя, вынесли коляску во двор, тут опять засада: тротуары не заканчиваются плавным съездом, они окаймлены высоким бордюром. А как попасть в автобус, в кинотеатр, ресторан? Да бог с ними, с развлечениями (хотя кто сказал, что инвалид не имеет права веселиться?), — покажите аптеку, вход в которую приспособлен для людей с ограниченными возможностями. Лично я знаю только один книжный магазин, где пространство между стеллажами настолько широко, что между ними проедет коляска, а туалет оснащен специальными поручнями, — это дом книги в Медведкове. Вот и мучаются наши больные соотечественники взаперти. Люди, а ведь заболеть может каждый!

Теперь вспомним о мамах с детскими колясками. Каково им спускать и поднимать их по ступенькам? А бабушки с тележками на колесах... Вон как раз стоит одна, облокотилась о тяжелую сумку, явно не понимая, как стащить ее вниз.

Огромная жалость заполнила душу. Ну кто отпустил из дома божьего одуванчика с клюкой? Кому пришла в голову идея попросить немощную старуху сходить за продуктами?

Ноги сами собой понесли меня к сгорбленной старушке.

— Бабуля, вам помочь?

— Ох, внученька, спасибо! — запричитала пожилая дама. — Руки устали, ноги подкашиваются, а лестница крутая. Сделай милость, одной мне не справиться!

— Сейчас, — кивнула я и попыталась поднять клетчатую торбу. Однако, похоже, она набита кирпичами.

— Тяжело, милая? — принялась охать пенсионерка. — Там банки с вареньем, детям везу. Им некогда, на работе с утра до ночи, а мне делать нечего. Вот и надумала своих порадовать.

— Ничего, — заверила я, — справлюсь. Вот так, потихонечку.

Вцепившись в железную ручку, я стала медленно опускать тележку. Бух! Отлично, одна ступенька позади. Бац! Вот и вторую миновала. Бум! Третью преодолела. А впереди еще очень много! Но не кидать же старуху, которая, опираясь на палку, ползет за мной. Ой, как же не хочется стареть! Ну почему нельзя оставаться вечно молодой? Бабушка даже в теплом июне нацепила на себя серое пальто и замотала голову полотняным платком черного цвета — то ли у нее терморегуляция нарушена, то ли она не знает, что лето на дворе.

— Дети в курсе, что вы в одиночку пустились в путь? — отдуваясь, спросила я у пенсионерки.

— Конечно, — дребезжащим голосом ответила та. — Вчера позвонили и сказали: «Мамочка, мы тебя обожаем. Не осталось ли у тебя нашего любимого варенья? Приедем в субботу и заберем, хотя, конечно, сладкого уже завтра захочется. Давно мечтаем об оладушках с домашним джемом. Но ты сама не катайся! Кстати, ключ оставим под ковриком». Вот я и решила сюрприз им устроить! Ну кто их побалует, если не мамуля? Молодые они еще, только недавно сорокалетие отметили.

— Ясно, — вздохнула я и покрепче вцепилась в ручку.

Молодцы младенцы, разменявшие пятый десяток, умеют манипулировать мамой! Она сама захотела припереть им неподъемные банки. В особенности умилило меня заявление про ключ, оставленный под ковриком.

Глава 15

— Слышь, внученька, — закряхтела бабуля, — ты уж не обижайся, послушай моего совета. Я столько тяжестей переносила и знаю: тележечку легче перед собой толкать!

— Да? — с недоверием спросила я и чуть ослабила хватку. В ту же секунду ручка тележки с силой пнула меня пониже спины, и хорошо, что я успела уцепиться за перила, не то упала бы носом вниз.

— Ох, молодежь! — закашляла бабуля. — Непослушная! Думаете, старики из ума выжили? Нет, еще помнит ум, были когда-то и мы рысаками! Ну не упирайся, встань позади каталки.

— С огромным удовольствием последую вашему совету, — улыбнулась я. — Если честно, сама не пользуюсь такой сумкой.

— В руках продукты прешь? Ой, плохо! Купи повозку.

— У меня машина.

— А-а-а... — протянула старушка. — Значит, замуж хорошо вышла. А моей Лерочке не повезло — выскочила за голодранца. Зять-то замечательный, ласковый, но без порток!

— Еще разбогатеет, — приободрила я ее, встала за сумку, взяла ручку и толкнула торбу вниз.

Сумка не шелохнулась.

— Сколько там банок? — осведомилась я.

— Четыре трехлитровых баллона, пять по литру и мелких парочка, — охотно перечислила бабуля. — Да еще брусок свинцовый. Вот на сколько он тянет, не знаю, его мне в сумку муж положил. Сказал: хорошая вещь, в хозяйстве пригодится.

— Железяка-то зачем? — поразилась я.

— А балконная дверь у них постоянно распахивается, — пояснила бабуля. — Чуть ветерок дунет, створка о стену — хлобысь! Вот я и придумала подпереть ее.

— Лучше починить запор, — пробубнила я, пытаясь столкнуть торбу с места.

— Эх, милая, — пригорюнилась бабуля, — нету у меня в руках мастерства. Многое за жизнь освоила, а вот с деревом и замками не возилась.

— Пусть зять позаботится, — посоветовала я, по миллиметру продвигая колеса к краю ступеньки.

— Андрюшенька у нас хороший, но... — завздыхала бабуля.

Что сказал божий одуванчик дальше, я не услышала. Неподъемная тележка ухнула на другую ступеньку, потянув за собой меня, словно былинку. Сила инерции проволокла поклажу дальше, она скатилась еще ниже и поскакала по лестнице, я же моталась сзади, вцепившись оледеневшими пальцами в ручку. Больше всего на свете я боялась отпустить груз, ведь тогда клетчатое уродство на колесах рухнет и банки превратятся в крошево.

Упираясь ногами в пол, я пыталась остановить движение сумки, но мой вес был явно меньше совокупной тяжести того, что старушка везла «деткам». В конце концов тележка очутились на ровном месте, неподалеку от турникетов.

Я перевела дух, с огромной радостью отметила, что не разбила банки, и стала судорожно оглядываться по сторонам. Где же старушка? В толпе мелькнула согнутая фигура в пальто и платке. Пенсионерка без всякой суеты шагала в мою сторону, опираясь на палку.

— Бабуля! — обрадовалась я. — Так что там с Андрюшей?

— Охохонюшки, — заскрипела она. — Зять хороший мальчик, вот только по дому не помогает...

Я расслабилась и потащила сумку вперед. Ни одно доброе дело не остается безнаказанным. Старушка просила меня о помощи? Нет, я сама подбежала к ней и изъявила желание посодействовать. Теперь нельзя бросить начатое, нужно посадить бабушку в вагон, помахать ей рукой и с сознанием выполненного долга отправиться по своим делам.

— А еще как-то из туалета дымом запахло. Ох, думаю, он курить начал, стервец! — перечисляла старуха недостатки зятя.

Продолжая монолог, она продемонстрировала дежурной удостоверение и живо миновала контроль. Тут только я сообразила, что не купила билет, а назад к кассам идти далеко. Пришлось попросить сотрудницу метрополитена:

— Разрешите я пройду на минуточку? Мне нужно только бабулю в поезд посадить. Вон ту, в платке.

— Ладно, — незлобиво согласилась тетка в форме.

И я стала протаскивать сумку сквозь турникет. Преодолеть препятствие удалось только с третьей попытки, и то лишь после того, как шедший сзади мужик пнул тележку ногой, заявив:

— Ну, бабье! Насуют дерьма и прут в подземку! Кто ж с колесами в метро разгуливает? Рюкзак брать надо!

Моя подопечная, не оглядываясь, шкандыбала по платформе. Очевидно, я произвела на пожилую даму самое положительное впечатление, раз она совершенно не волнуется за судьбу банок. Прибавив скорости, я нагнала ее, и тут послышался шум приближающегося состава.

— Удачной вам, бабушка, поездки, — от души пожелала я.

— Спасибо, деточка, — кивнула старуха.

— Надеюсь, вы без проблем доберетесь до квартиры дочери. Больше не катайтесь одна, пусть лучше вас Андрей сопровождает.

Она с недоумением посмотрела на меня.

— С чего ты взяла про дочку? У нас с мужем два сына.

Я ухмыльнулась. Все понятно, старость не радость! У пенсионерки явные признаки склероза вкупе с маразмом — перепутала пол своих детей.

Состав с грохотом подкатил к перрону.

— Вам сумочку вкатить в вагон? — спросила я. — Или сами справитесь?

— Зачем мне твоя тележка? — изумилась бабка.

Мою душу переполнила жалость к несчастному «одуванчику». Затем возникла злость. Ну детки-конфетки! Используют почти невменяемую мать в качестве обозной лошади. Неужели они не способны трезво оценить ее умственное и физическое состояние?

Пневматические двери с шипением разошлись в стороны, из вагона повалила толпа.

— В кошелке банки с вареньем, — напомнила я, — и свинцовый брусок, чтобы балкон подпирать.

— И за каким дьяволом мне эта ерунда? — пожала плечами бабка, входя в вагон.

— Вы везете ее дочери и зятю Андрюше, — почти с отчаяньем ответила я. — Ну, возьмите сумочку!

Пенсионерка закатила глаза.

— Не нужна мне твоя поклажа! Варенье я не ем. Балкона у нас нет, на первом этаже живем. Ни дочерей, ни зятьев не имею, есть внучок, Андрюша, но ему твои джемы не нужны. Не возьму их. Ступай домой! Да скажи тем, кто за тобой приглядывает, чтобы дверь получше запирали. Ну люди! Вот ведь безответственные, упустили сумасшедшую! Ступай, милая, домой, сама вареньице съешь. Спасибо тебе за желание угостить!

Створки сомкнулись.

И тут только до меня дошло: головной платок у

старухи шелковый, серо-голубой, а та, что рулила к косорукому зятю, спрятала волосы под черным. Я перепутала бабок!

Состав улетел в тоннель, я принялась судорожно оглядываться, с каждой секундой на душе становилось все гаже. Где хозяйка сумки?

— Люди добрые! — заорали вдруг над платформой. — Украли «тачанку»! Там варенье! Сколько на него сахара пошло! Хорошо хоть ягоды не свои, Андрюшка с Василиской у соседей-дураков кусты пооборвали! Выхватила, стерьва, из моих рук каталку и усигала! Вот и верь после этого людям! Хотя энта девка сразу мне уголовницей показалась! Не просили ее лезть, сама навязалась! Разве ж нормальный человек чужую сумку катить возьмется?

Я повернула голову на звук. От турникетов торопилась в сопровождении двух милиционеров моя бабуля. Первым порывом было заорать: «Сюда, сюда, сумочка вас ждет!» Но тут один из патрульных забасил:

— Спокойно, мамаша! Схватим, задержим, арестуем.

— На месте отдубасим, — выдал многообещающе второй сержант, — от нас не убежит.

Я втянула голову в плечи и оценила перспективу. Стою у края платформы, опираюсь на чужую сумку. И если задать десятерым людям вопрос: «Что, по-вашему мнению, собирается сейчас сделать женщина с каталкой?» — все без колебания ответят, что она ждет поезда, чтобы уехать.

Ни милиция, ни уж тем более бабка не поверят моему рассказу о том, что я перепутала старух.

— Ишо там брусок! — набатом гудела заботливая мамаша. — Свинцовый! Не китайская дрянь, не сегодня куплена! Муж с завода в пятьдесят восьмом годе принес! Настоящая вещь! Таперича таких не выпускают! Дорогая! Натуральная! Не химия!

Из тоннеля показался сначала свет фар, потом появился поезд, он остановился, двери одного из вагонов оказались передо мной, толпа ринулась из состава.

— Вон она! — переорала шум метро бабка. — Держите! Хватайте! Ловите!

Сержанты попытались протиснуться сквозь людской поток. Я мигом поняла, что сейчас произойдет: мне заломят руки, отведут в отделение... Я шмыгнула в вагон, проскользнула к противоположным закрытым дверям и спряталась за здоровенного мужика в джинсах.

— Воровка! — донеслось до ушей. — Сумку бросила! Стерва!

Поезд ринулся вперед, я закрыла глаза. Удрала! Больше никогда не стану помогать немощным. Всего-навсего хотела спокойно попить кофе, вот и шла бы себе в ресторан... А что вышло? Теперь надо доехать до следующей станции и пересесть на поезд в обратную сторону... Наверное, Лариса уже раздобыла список гостей программы.

— Дура ты, сеструха, — тихо сказал мужик, за широкой спиной которого я укрылась от преследователей.

Я подняла голову, почувствовала запах перегара и спросила:

— Вы мне?

Дядька улыбнулся, демонстрируя отсутствие передних зубов, вытянул вперед руку, покрытую темносиними наколками, щелкнул меня по носу и с чувством произнес:

— Ваще без руля! Че глазами лупаешь? Старухи не в цвет, лучше с молодыми работать, у них лопатники жирные, а ходячие трупы копейки дома, под гробом,

держат. С морды живопись сотри и под бухгалтера
коси, на такую не подумают. Или наизнанку вывер-
нись, наоборот расфуфырься покруче, богатых тоже
не гребут. Вообще, либо проще оденься, либо блести
елкой. Понятно объяснил?

— Очень, — кивнула я, — огромное спасибо!

Мужик шумно икнул.

— Всему учиться надо! — менторски заявил он. —
Коли профессия нравится — осваивай. Только она не
простая, это тебе не на баяне играть. В нашем деле ум
нужон. Да сообразительность. А ты сумку сперла. Где
кукушка-то?

— Какая? — растерялась я.

«Профессор» снова вытянул руку, но на сей раз
легонько постучал меня по лбу.

— Ау, войдите! Там кукушка живет. Тока твоя,
похоже, спит. Начинай сначала! Выходь на станции,
найди девчонку с сумкой на ремне и действуй. Если
она почует чего, не беги, улыбайся и звени: «Нечаян-
но вас толкнула, народ оборзел — пинается со всех
сторон». Когда человек бежит, он подозрение вызывает. А на месте стоит и лыбится — его идиотом по-
считают, обматерят и уйдут.

Поезд стал притормаживать.

— Вали, Матрена! — напутствовал меня «учи-
тель».

Я обогнула его и подошла к двери. Неужели я похожа на начинающую воровку? Час от часу не легче.
Всегда считала себя вполне приличной женщиной
без признаков криминальной патологии на лице.

Лариса не подвела, она быстро сунула мне сло-
женные листки и заявила:

— Учти! Я не встречалась с тобой! Где ты взяла
список, понятия не имею!

— Нашла его в коридоре, — в тон ей ответила я, — он валялся на полу.

Лариса заржала и, получив «гонорар», ушла. А я вернулась к своей машине. Уселась поудобнее на сиденье и начала изучать купленные документы. Надеюсь, толстуха неглупа и отобрала всех, кто мог затаить зло на Полину.

Номер первый. Кружилина Нина Петровна, хозяйка собачьего питомника, продавала больных животных. Следующий по списку Сатин Сергей Леонидович. Врач-онколог, обещал людям стопроцентное выздоровление, брал большие деньги за суперлекарство, оказавшееся на поверку простым аспирином. Фулычев Егор Петрович, владелец страховой компании, надувавший клиентов почем зря...

Всего сорок четыре фамилии мерзавцев и негодяек. Ветров среди них не числился, что меня не удивило. Передача об Олеге, видимо, и правда должна была быть положительной.

Я сунула бумаги в сумочку. Завтра покажу добытые сведения Нине, потом придется проверить каждого, кто имел хоть небольшой зуб на Полину. Мне в голову пришла неожиданная мысль: вдруг объект преступления не производитель детского питания, а телезвезда? Возможно, кто-то решил разрушить карьеру Полины. Смерть гостя должна была выбить Яценко из колеи. Наверное, преступник надеялся, что Полина сорвется, не станет продолжать шоу, а руководство канала запретит программу, выставит ведущую вон. По замыслу преступника Яценко ждало прозябание в безвестности. Люди телевидения очень зависимы: уберут звезду из эфира, и о ней скоро забудут. Мало кому удается удержаться на плаву и вновь вернуться в студию. Если шоу вычеркнут из сетки вещания, его ведущий — отработанный материал. Вот только, похоже, мститель далек от телекухни. Все получилось с точностью до наоборот: смерть Олега повысила рейтинг программы. Полина же профессионал, она умеет прятать свои истинные чувства за улыбкой. Может, Яценко и переживала из-за кончины Олега, но рисковать своей карьерой не стала!

Я глянула на часы. Уже поздно, и весьма прилично ехать в гости даже к близким знакомым. Но мне просто необходимо поговорить с Риммой Малявиной, задать ей простой вопрос: «Почему вы и ваша дочь Ксения постоянно оказываетесь в тех местах, где люди скоропостижно умирают от инфаркта?»

И очень хорошо, что основная масса работающего населения Москвы уже готовится отходить ко сну. Значит, Римма дома — у нее маленькие дети, им нужно соблюдать режим.

Район, в котором проживала Малявина, находился за кольцевой автодорогой. Ряд одинаковых серых бетонных девятиэтажек растянулся вдоль шумной, никогда не засыпающей магистрали. Я стала кружить между зданиями, пытаясь обнаружить корпус «д». Интересно, из каких соображений городские власти дают один номер сразу десяти постройкам, а потом добавляют к нему буквы? Может, проще использовать только цифры? Их много, на всех хватит! А то глупость получается: 7а, 7е, 7г... А где 7б и 7д?

Почти пятнадцать минут я металась внутри микрорайона, пока наконец не встретила пожилую пару, выгуливавшую перед сном любимого двортерьера.

— Семь «д»? — переспросила дама. — Надо пересечь шоссе, корпус на той стороне.

— Вы уверены? — осторожно уточнила я. — Там, по идее, должны быть четные номера.

— Верно, — вступил в беседу мужчина, — сначала увидите восемь «е», затем шесть «к», а потом будет семь «д».

— Но ведь это нелогично! — возмутилась я.

— Жизнь не учебник алгебры, — философски заметила его спутница.

— Гав, — подтвердила собака.

Я включила поворотник и поехала искать разворот. Увы, по математике у школьницы Романовой была шаткая тройка, поставленная учительницей из чистой жалости. Я ничегошеньки не понимала ни в задачах, ни в уравнениях. Впрочем, пока речь шла о цифрах, я еще могла посчитать в столбик, но когда началась алгебра, я окончательно спасовала.

Глава 16

— Кто там? — раздалось из-за двери.

— Откройте, пожалуйста. Моя фамилия Романова, — представилась я, глядя на ободранную панель с дешевой ручкой.

— А вы кто? — не успокаивалась хозяйка.

— Из программы Полины Яценко, — я решила слегка покривить душой.

— Ну наконец-то! — неожиданно раздалось в ответ.

Послышался тихий щелчок, и створка распахнулась. В полутемной прихожей стояла невысокая стройная молодая женщина.

— Вы новенькая? — с удивлением спросила она.

— Вообще-то я хотела поговорить с Риммой Малявиной, — заулыбалась я.

Девушка изумилась.

— Интересненько... — протянула она. — Ошибка вышла! Здесь живу я, Зина Кондратьева.

— А где Римма Малявина?

— Откуда мне знать? — холодно сказала Зинаида.

— У вас случайно нет сестры? — спросила я.

Хозяйка помотала головой и попыталась закрыть дверь, но я живо втиснулась в прихожую.

— Эй, без наглости! — занервничала Зина. — Что за приколы? Я вас не приглашала, мы не знакомы.

— Зато вы хорошо осведомлены о Яценко, — заявила я.

— Это кто такая? — возмутилась Кондратьева. — Впервые слышу.

— Неужели?

— Среди моих знакомых нет никаких Яценко! — отрезала Зина.

— Почему же вы мгновенно распахнули дверь, услыхав, что я сотрудница телепрограммы? И по какой причине сначала обрадовались, а теперь изображаете удивление? Право, глупо отрицать очевидное! Лучше попросите Римму выйти. Если она укладывает детей спать, я подожду.

Зинаида неожиданно рассмеялась.

— Прикольно, — сказала она. — Ты кто?

— Евлампия Романова, друзья зовут меня просто Лампа, — обрадовалась я возможности установить контакт. — Вот мое служебное удостоверение.

— Вы из милиции? — отшатнулась Зина. — Я ничего плохого не сделала!

— Мне нужно поговорить с Малявиной. И я не работаю в МВД. Видите, вот тут написано «частное детективное агентство», указан номер лицензии.

— Не милиция? — уточнила Кондратьева.

— Нет.

— Не налоговая инспекция?

— Бог мой, конечно нет!

— И вам нужна не я, а Малявина?

— Верно.

— А что она сделала?

— Значит, Римма дома? — обрадовалась я. — Вы просто испугались визита официального лица?

— Ну... да, — после небольшой заминки согласилась Зинаида. — В чем дело-то?

— Будем беседовать в прихожей? Наши голоса не разбудят детей? — сказала я.

— Пошли на кухню, — приказала Зина.

Усадив меня за пустой стол и не предложив ни чаю, ни кофе, хозяйка повторила:

— Что сделала Римма?

— Ничего особенного. Я хотела поговорить о ее старшей дочери Ксении.

— Ксении? — эхом отозвалась Зинаида. — Она вообще... то есть...

— Позовите Малявину!

— Э... э... э... — протянула Кондратьева. — Понимаете... в общем... она того... отсутствует... Ксения тоже... она вообще-то не своя... но есть... а Малявиной нету.

— Кто же есть в наличии? — я попыталась разобраться в ее бормотании.

— Ксения. А Риммы нет. Я ее не знаю. Совсем.

— Давайте сюда подростка.

— Не получится.

— Ксюша не контактна?

— Глупый разговор! — вспылила Зинаида. — Пока не объясните причину своего прихода, я рта не раскрою!

— Особого секрета нет, — вздохнула я. — Во время программы Полины Яценко умер бизнесмен Олег Ветров...

Чем дальше я вела рассказ, тем сильнее нервничала Зинаида. В конце концов она прошептала:

— Ну и делишки! Я вообще-то ни при чем. Мне заплатили, признаюсь. Я взяла деньги. Но еще пожалела Ксению!

— Если можно, говори по порядку! — не выдержала я. — А еще лучше, позови Римму.

— Ее нет.

Я стала выходить из себя.

— Лгать надо умея. То говоришь — Малявина детей укладывает, то сообщаешь — ее нет.

— Про малышей ты сама сказала, — тоже перешла на «ты» Зина, — я лишь кивала.

— Хорошо, не буду спорить. Где Римма?

— Ее нет!

— Опять...

Кондратьева встала, открыла форточку, прижалась спиной к подоконнику и прошептала:

— Я в последнее время нервная стала. Вдруг «Желтуха» докопается или кто-нибудь подставу заподозрит? Но деньги мне нужны позарез! А она успокаивала: «Ты не первая, не дергайся». Я ей верила, а как приеду домой — волнуюсь. Если правда выяснится, я подгажу себе по полной.

— Стоп! Начни с начала. Кто «она»? Какое отношение ты имеешь к программе Яценко? И где Римма? Ксения?

Зинаида села за стол.

— Слушай, попытаюсь объяснить.

Вертя в пальцах салфетку, Кондратьева начала рассказ. А я, слушая его, лишь удивлялась приемам, которые использует современное телевидение.

Зина учится в вузе, где готовят киноактрис. Перешла на пятый курс, но в отличие от большинства своих товарищей пока не замечена ни режиссерами, ни продюсерами. Зиночка тщеславна, мечтает увидеть свой портрет на обложках глянцевых изданий, жаждет оваций, поклонников, премий... Вот только ни одной роли в фильме ей пока не предложили. Кондратьева не понимает, почему удача обходит ее стороной, — у нее приятное лицо, хорошая фигура, она обаятельна, не заносчива. И тем не менее на кастингах ей сразу говорят:

— Большое спасибо. До свидания.

Многие студентки с курса Кондратьевой давно попали в телесериалы, получили хотя бы крошечные роли. Лиха беда начало, за десятисекундными эпизодами последуют и серьезные работы, главное — попасть в обойму. Но Зину счастье обходит стороной. А еще остро стоит вопрос денег. Кондратьева, слава богу и спасибо умершим родителям, имеет собственную квартиру, ей не приходится тратиться на съем жилья, как девочкам из провинции. Но помрежи, проводящие кастинг, смотрят на одежду, обувь, сумку, макияж и прическу кандидаток. У хорошо «упакованной» претендентки больше шансов, чем у замарашки. Во всяком случае, так считает Зина.

В своих постоянных неудачах Кондратьева винит собственную бедность. Вот заявись она на просмотр в платье из последней коллекции пафосного модельера, тогда... Но откуда взять тысячи на обновки, если не хватает рублей на кефир? Где подработать? Расклеивать объявления, продавать гамбургеры, вручать прохожим рекламные листовки категорически не хотелось. И тут Зине неожиданно повезло. Ей позвонила подруга, Олеся Соломкина, и спросила:

— Хочешь бабла?

— До жути, — призналась Зина.

— Могу пристроить тебя на хорошую работу, — пообещала Олеся, — на телевидении. Платят нормально, но требуют соблюдения нескольких условий. Так, ерунда. Не сомневайся, шикарное место!

— Почему сама туда не идешь? — засомневалась Зина.

Действительно странно, когда человек так нахваливает службу, но сам туда не рвется.

Олеська засмеялась.

— Я отпахала на Яценко год и устала. Надоело шоу, а тут еще мне роль предложили. Полина, естественно, отпустила меня, только просила замену подыскать. Нужна талантливая девушка, умеющая держать язык за зубами. По-моему, ты как раз такая.

Все оказалось очень просто. Зине предстояло иметь дело только с ведущей шоу Полиной Яценко и ограниченным кругом ее доверенных лиц. За два-три дня до передачи Яценко звонила студентке и озвучивала задание. Например, говорила:

— Имя — Вера Петрова. Возраст — сорок лет. Хромает. У нее проблема с ногой, из-за болезни тазобедренного сустава женщина лишилась работы на заводе, производящем напитки. Главный гость — хозяин фабрики, разливающей лимонад. Твоя задача: рыдаешь, говоришь про нищету, мол, лишилась службы, зарплаты, голодаешь. Но кто виноват в твоих бедах? Чем мешала изуродованная нога карьере? Подробный текст пришлю факсом.

Зина получала сценарий, заучивала слова и приезжала часа за четыре до начала съемок к павильону.

— Рядом, на улице Квасинина есть дом, хрущеба, Яценко в нем квартиру имеет, — откровенничала студентка.

— Телеведущая живет в халупе? — поразилась я.

Зина пожала плечами:

— Может, из прошлой жизни осталась, наверняка Полина не родилась селебрити. Но я не в курсе, кем она была до телевидения. Вероятно, куковала в нищете. А возможно, она снимает помещение для встреч с актерами. Квартира хоть и аккуратная, да уютной не назовешь. Чисто, но без мелочей, и очень просто, если не сказать дешево, обставлена. Полина там проверяла, как я подготовилась. Затем я переодевалась, гримировалась, получала необходимые аксессуары и шла на съемку.

— Аксессуары? — удивилась я.

Зина кивнула.

— Ничего странного. Допустим, я изображаю больную астмой, мне для убедительности требуется ингалятор. Или я жертва некомпетентного ветеринара. Тогда где моя собака?

— Полина предоставляла и лекарство, и животное?

— Точно!

— А где она брала реквизит?

Кондратьева хмыкнула.

— Меня это не колышет. В деле из шоу еще двое — администратор Филипп и девчонка Юля. Знаешь, они в павильоне постоянно ругались. Филя на Юльку орет, козой обзывает, а она его иначе как «пидор» не величает. Весь народ в курсе: эти двое — враги навсегда. Да только парочка спектакль разыгрывает, по-настоящему они любовники и на Полину пашут. Юля мне на следующий день бабки в конверте привозит. Полина к купюрам не прикасается!

— Значит, Риммы Малявиной не существует?

— Может, и живет где-то баба с такой фамилией, — засмеялась Зина, — но в телепрограмме она точно не участвовала.

— А дети?

— Их Филипп привел.

— Где он взял малышей?

— Зачем мне это знать? — равнодушно сказала Зина. — Всучили мне троицу, я их и повела к входу. Чуть с ума от них не сошла! Лучше общаться со стадом обезьян, чем с детсадовцами. Я и вообще-то к детям равнодушна, а после того раза вовсе не хочу их иметь. За пять минут до истерики довели! Один налево, второй направо, третья вперед бежит... Вот когда я пожалела, что не обезьяной родилась, хвоста мне не хватало! Рук всего две, а спиногрызов на одного больше. Есть же на свете идиотки, которые безостановочно рожают.

— Ксению тоже Филипп раздобыл? — задала я главный вопрос.

Зина потупилась.

— Нет.

— Юля привела? — предположила я.

— Нет, — совсем тихо ответила Кондратьева. — Ты меня не выдашь? Очень мне деньги нужны!

— Пока мне непонятно, откуда появилась Ксюша.

Зинаида подперла подбородок кулаком.

— Объясняю. Я пошла с детьми на вход. Там в холле, до охраны, вечно идиоты тусуются, надеются попасть в зал как зрители.

— Неужели так просто стать участником программы? — удивилась я. — Любого в студию пускают?

— Конечно нет, — снисходительно улыбнулась Зина. — Людей тщательно отбирают, дают им приглашения. Но иногда лажа получается. Режиссер оглядит зал, а там одни старухи или, наоборот, подростки набились, мужчин нет — нехорошо. Получается, что шоу либо старперское, либо на школьников рассчитано. Времени уже нет, эфир прямой, ну и посылают админа в холл. Тот вылетает, орет: «Эй, парни! Вон тот, в красном, другой с бородой, дедушка в кепке... За мной!» Люди знают, что на съемку можно попасть, вот и толпятся. А еще почти все в курсе: операторы любят ярких, нестандартных, ну и обряжаются фриками. Дурдом на выезде...

Зина в образе Риммы Малявиной начала пробираться сквозь толпу, и тут ее кто-то тронул за плечо.

— Простите, — тихо сказала дама, — вы на программу Яценко?

Кондратьева не любит болтать с посторонними людьми, но незнакомка не походила на обычных зрителей. Зинаида покупает модные журналы и отлично поняла, сколько стоит с виду простенький льняной костюмчик, ладно сидевший на мадам, — тысяч семьдесят, не меньше. В ушах дамы сверкали бриллианты, на руке золотые часы, опять же с камнями, которые уж точно не были стразами. Но больше всего Зину поразила сумка, висевшая у нее на плече.

— «Марго», — с придыханием говорила сейчас актриса. — Да не современная — винтажная! Знаешь, сколько она стоит?

Я вспомнила горящие глаза Лизаветы, ее рассказ о певице Маргарите Лансэ, в честь которой назвали ридикюль, и кивнула:

— Да.

— Ума лишиться! — закатила глаза Зина. — А она ее просто так таскает! На каждый день!

Ясное дело, Кондратьева притормозила и поинтересовалась:

— Что случилось?

— Помогите, пожалуйста! — дама молитвенно сложила руки. — Вы, наверное, списком пойдете?

— Ну да, — кивнула Зинаида. — Я гость студии, а это мои детки.

— Паспортов тут не требуют, — шептала женщина. — Мы уже в который раз приходим, я их порядки изучила: если зрители, то по билетам, а гостей администратор встречает.

Кондратьева изобразила недоумение.

— Меня предупредили, чтобы я к менту подошла. Да в чем дело?

— Возьмите Ксюшу!

— Кого? — изумилась актриса.

Дама выдернула из толпы девочку-подростка.

— Ксения мечтает попасть на съемку! Мы сюда уже не первый раз приезжаем, но нам не везет. Кого угодно берут, только не нас. Так, Ксюнечка?

Девочка кивнула.

— Прихватите ее с собой, — попросила дама, — вроде как собственную дочь.

— Это невозможно, — покачала головой Зина, — мои дети маленькие.

— Но у вас вполне может быть и такая девочка, — не отставала тетка. — Идете скопом, никто не усомнится. Ксюшенька не полезет в центр студии, она издали понаблюдает. Верно?

Девочка снова кивнула.

— И не просите! — отрезала Кондратьева и сделала шаг вперед.

Но от дамы оказалось непросто избавиться.

— Вы же сама мать! — судорожно зашептала она. — Поймите меня: Ксюшенька замечательная девочка, отличница, послушная, умная, талантливая, но слегка странная! Не такая, как все, особенная!

Зина бросила взгляд на девочку, молча стоявшую около матери, и испытала прилив жалости. Похоже, Ксения учится в специализированной школе для не совсем нормальных детей. Девочка и впрямь, мягко говоря, странная. Покачивается из стороны в сторону, не моргая глядит поверх толпы.

— У нее сегодня день рождения, — продолжала дама. — Пожалуйста, не откажите!

— Попросите администратора, — посоветовала Кондратьева.

— Уже ходила к ней, — простонала тетка. — Такая жирная носорожина! Я умоляла ее, просила, говорила про день рождения и мечту талантливого ребенка. Нет, и все! Наверное, надо было денег предложить. Но вокруг нее толпа народу, не могу же я ей тысячу евро прилюдно совать. Хоть бы в сторонку отошла...

— Сколько вы собрались заплатить? — обалдела Зина.

— Тысячу евро. Мало? Могу дать полторы.

— Давайте, — моментально решила Зинаида. — Но прикажите Ксении слушаться меня. И в студию, как гостя, я ее не возьму. Речь в передаче пойдет о питании для малышей.

— Вот счастье-то! — чуть не заплакала женщина, расстегивая пафосную сумку. — Держите деньги. Спасибо! Спасибо вам огромное! Ксюня, твоя мечта сбылась! Я же тебе говорила: в день рождения случаются чудеса. Ступай с тетей и слушайся ее, как меня, иначе не попадешь на съемку.

Девочка схватила Зину за руку, и Кондратьева вздрогнула: ладонь «доченьки» напоминала полуразмороженный куриный окорочок. Она была липкая и холодная.

Глава 17

Ксения покорно шла с Зинаидой. Никакой радости, восторга от предстоящего посещения студии она не выказывала. Кондратьева подумала, что элегантная мамаша напоила доченьку успокоительным, и пожалела, что никто не угостил им же малышей, которые, как тараканы, пытались разбежаться в разные стороны.

Толстуха Лариса усадила гостей в гримерке, дети мгновенно начали орать и носиться по комнате, у Зинаиды заболела голова, и она нашла способ временно избавиться от спиногрызов. За Ксюшу Кондратьева не волновалась, та тупо сидела на диване.

Собеседница замолчала и выжидательно уставилась на меня.

— Дальше что? — в нетерпении спросила я.

Зина чихнула и ответила:

— А ничего! Главный гость прямо в студии от инфаркта умер, я не понадобилась. То-то шуму было! Думаю, в ближайшее время Полину не турнут с программы, хотя собирались шоу прикрывать. Интересно, кто ей ворожит? Держат и держат в эфире.

— Если рейтинг высокий, то ведущая никуда не денется, — снисходительно пояснила я.

Зинаида усмехнулась.

— Ну я-то теперь в телекухне тоже кое-что понимаю. Яценко, конечно, шикарно выглядит, но возраст-то поджимает. Наверное, с олигархом живет, он ее болтовню спонсирует. Да только, если рейтинг упадет, никто ей не поможет!

— Вернемся к Ксении, — вздохнула я. — Ты отдала ее матери?

— Нет, себе оставила... — съязвила Зина. — Вот уж глупый вопрос! Вывела за охрану. Тетки той богатенькой, правда, не увидела и велела Ксюше мать у окна ждать. Девчонка, конечно, с прибабахом — туда-сюда сходила и никаких эмоций. Ну точно больная, психическая. Я про таких слышала, они с людьми не общаются. Инфекция называется... от... оут... что-то вроде спортивного термина...

— Если ты имеешь в виду аутизм, то этот недуг ни в коей мере не заразен, и дети, страдающие им, никогда не возьмут незнакомого человека за руку — они избегают тактильных контактов даже с самыми близкими людьми, — пояснила я.

— Я не разбираюсь в болезнях, — равнодушно заметила Зинаида, — я актриса.

— Можешь подробно описать внешность матери Ксении?

Студентка сдвинула брови.

— Рост средний, может, она чуть повыше меня, лет ей... не скажу точно... но, думаю, к сорока. За собой следит, оттого и моложе смотрится, только есть приметы времени, их ботоксом не убрать — морщины на шее! Волосы красивые, темные, вьются. Наверное, она в дорогой салон ходит.

— Ты способна определить стоимость прически? — с недоверием перебила я.

— Конечно, — с превосходством заявила Зина. — Вот ты, например, заглядываешь раз в два месяца в парикмахерскую за углом. Укладку ежедневно не делаешь, масками, специальными обертываниями и разными дорогими средствами не пользуешься. Вымоешь голову, феном на нее подуешь, и готово. Поэтому у тебя волосы забором торчат и блеска не имеют. Учти, красивая укладка молодит!

— Спасибо, — кивнула я, — непременно учту. Но давай обсудим внешность матери Ксении.

— Глаза карие, — методично завела Зина, — она их подчеркивает стрелками и тенями. Губы ярко намазаны, кожа смуглая то ли от природы, то ли тон наложила, между бровями родинка.

Кондратьева говорила и говорила, а мне в голову неожиданно пришло невероятное предположение. Но проверить его стоило. Сумка «Марго» очень дорогая, навряд ли в Москве большое количество женщин имеет их.

— Если покажу тебе фото, узнаешь даму? — спросила я, когда недоучившаяся актриса замолкла.

— Да, — ответила Зина.

Я открыла сумку, вынула снимок Кати с Олегом и положила на стол.

— Похожа?

— Нет! — безапелляционно заявила Кондратьева. — Эта одета иначе, волосы не так уложены, да и лицо не то. И сумка... Вот уж странность!

— «Марго», — констатировала я, — дорогая винтажная вещь, как у матери Ксюши.

— Но она другая! — протянула студентка.

— Не «Марго»? — растерялась я. — На мой взгляд, очень похожа, я видела в журнале подобную.

Зинаида ткнула пальцем в снимок.

— Здесь застежка «змея», а у той женщины, что на шоу дочь привела, была «жаба».

— Извини, не понимаю!

Зинаида оперлась на стол.

— Ты в моде разбираешься?

— Так же, как в парикмахерских, — призналась я. — С одной стороны, люблю красивые вещи, мне нравятся, например, туфли на шпильках, с другой — не стану их носить каждый день, это неудобно. А еще хорошо понимаю, что пошив и продажа одежды и обуви — это бизнес, в котором крутятся миллиарды тугриков, кто-то очень неплохо зарабатывает на желании мужчин и женщин выглядеть шикарно: глянцевые журналы, производители аксессуаров, драгоценностей... Многие люди попадают в зависимость от красивых картинок, ну и получается цепная реакция: хочу быть такой, как эта манекенщица на фото, покупаю платье, туфли, делаю прическу, приобретаю необходимую косметику, да еще маникюр-педикюр — сумка — серьги — браслет. Если фигура нестандартная — бегом в фитнес-клуб и садимся на диету. Раз начав, невозможно остановиться. Представляешь, сколько может заработать фирма, объявив: в этом сезоне носим синий цвет? Армия дурочек выбросит красные платья и ринется в магазины. Но я не куплюсь на рекламу, если модный оттенок мне не идет. Спокойно отправлюсь на работу в прежней одежде. Понимаешь?

— Ага, — кивнула Зина. — Я задала глупый вопрос. За километр видно, что ты не заморачиваешься своей внешностью. Денег небось нет! Ладно, сейчас расскажу про сумку. О «Марго» мечтают все, кроме таких недотеп, как ты. Джон Варвиано сварганил ее сначала для актрисы Маргариты Лансэ, та была звездой, пользовалась бешеной популярностью, и очень скоро многие дамы захотели такой же аксессуар. Тогда модельер стал производить сумочки на заказ. Но! Женщинам необходим эксклюзив, тем более тем, кто может позволить себе обратиться в дом Варвиано. Поэтому Джон попал в сложное положение: с одной стороны, можно поставить изделие на поток, с другой — тогда оно потеряет уникальность. Что лучше? Делать тысячу сумок по десять долларов за штуку или одну за тысячи? Варвиано выбрал эксклюзивность и не прогадал. О его ридикюлях стали мечтать. Форма «Марго», ее размер, длина ручек, подкладка из шелка с монограммой не меняются никогда, зато производитель играет с фурнитурой, цветом и материалом. При жизни Варвиано аксессуар изготавливали только из кожи: крокодил, ягненок, олень... И модели носили эти названия. Ну допустим, сумка «страус». Понятно, из чего сшили изделие, но еще есть застежка в виде не умеющей летать птицы. Варвиано гарантирует, что повторения не будет, ваша «Марго» имеет паспорт и серийный номер. Если другая дама тоже пожелает приобрести «страуса», то застежку изменят, ну, допустим, вместо изумрудов в глаза птички вставят рубины, или цвет «перьев» окажется не белым, а черным. Тиражировать модели строго-настрого запрещено. Со временем фирма расширила спектр материалов, отошла от традиционных цветов, нынче можно заказать «Марго» и красного, и синего, и зеленого цвета, не только кожаную, а из ткани, замши, искусственных материалов. Но принцип уникальности блюдется свято. И, понятное дело, самыми дорогими сумками являются те, чей номер не достигает сотни. Многие богатые и знаменитые женщины коллекционируют «Марго», покупают их на аукционах. Изделия Варвиано, в особенности сшитые лично Джоном, находятся вне моды. Сумка достаточно велика и, по-хорошему, не может служить дополнением к вечернему туалету. Но ежели на вашем локотке будет висеть пусть довольно объемная «Марго», да еще, допустим, с номером «21», то все присутствующие на тусовке дамы посинеют от зависти, а папарацци кинутся снимать счастливую обладательницу эксклюзива. Сумки из первой тысячи очень дороги, из сотни — бешено дорогие, из пятидесяти баснословно дорогие, из тридцатки сумасшедше дорогие, из двадцатки... Собственно, о стоимости последних можно не заикаться, потому что почти все они принадлежат семье Маргариты Лансэ и никогда не выставлялись на продажу.

Зинаида перевела дух.

— Ты очень подробно изложила суть дела, — кивнула я, — спасибо. Значит, на фотографии дама с моделью «змея», а у матери Ксюши была «жаба»?

— Да, — подтвердила студентка. — Я о такой сумке могу только мечтать, но все-все про них читала в журналах.

— Однако у одной дамы могут быть две «Марго»! — цеплялась я за свою версию.

Зина прижала руки к щекам:

— Да ты представляешь, сколько стоит сумка?

— Сейчас в России полно богатых людей. Есть, скажем, магазин, где продают телефоны, украшенные брильянтами, по сто тысяч евро...

Зинаида потрясла головой.

— «Жаба» и «Змея» из первой серии, в мире есть всего по двадцать экземпляров каждой. Это были любимые аксессуары Маргариты, в ее гардеробе двенадцать «змей» и четырнадцать «жаб», остальные получили подруги великой актрисы. После смерти Лансэ дом Варвиано никогда не возвращался к производству этих серий.

— Но, может, у той женщины была подделка? — предположила я.

— Мать Ксении имела настоящую, — с придыханием ответила Зина. — Я чуть в обморок не упала, когда увидела. Такая вещь! А она таскает ее запросто, как обычную котомку!

В кухне стало тихо. Я попыталась сложить вместе расползавшиеся в разные стороны мысли и вдруг меня осенило:

— Вот странно!

— Что еще? — недовольно спросила Зинаида и демонстративно посмотрела на большие настенные часы.

Я сделала вид, что не понимаю намека, и продолжила беседу:

— То, что ты «подставная», было секретом?

— Естественно.

— Съемочная группа не знала о «приемах» Яценко?

— Конечно нет. Поэтому я и гримировалась на конспиративной квартире, — сказала Зинаида. — Кстати, Полина была мною очень довольна. Пообещала к зиме в сериал пристроить, я, по ее словам, суперпрофи. Любая роль мне по плечу: я изображала в шоу и старух, и алкоголичек, и девушек легкого поведения, и примерных студенток...

— Тогда непонятно, почему ты оставила свой настоящий адрес в базе.

— Кто? — поразилась Зинаида. — Я?

— Ну да. Иначе каким образом мне удалось бы тебя найти?

— Не знаю, — заморгала Кондратьева. — Когда ты в дверь позвонила и сказала, что из программы Яценко, я подумала, что деньги принесли. Юля беременна, она собиралась уволиться. Вот я и решила: Юля шоу покинула, теперь другая вместо нее. А кто еще мог знать, что я у Полины на подхвате? Только свои: сама Полина, Филипп и Юлька. Поэтому я тебе и открыла.

— Ты не оставляла свой адрес администратору по гостям?

— Конечно нет.

— Откуда же он у Ларисы?

— Понятия не имею. Это она тебе его дала?

— Да, — призналась я, — за определенную мзду. Я попросила координаты Риммы Малявиной, и, как ты выражаешься, носорожина мне их добыла.

— Офигеть! — возмутилась Зина. — Ларка же не в теме. Я ее ни разу в той квартире не встречала.

— Вероятно, толстуха туда не заглядывает, но в курсе всех дел, — предположила я. — Ты же сама говорила: Лариса с Полиной много лет вместе работают.

— Во всяком случае, Ларка считается самой старой сотрудницей, — закивала Зина. — Но зачем она сообщила тебе мой настоящий адрес?

— Не знаю! Сама как думаешь?

Кондратьева сосредоточенно сморщила лоб.

— Мне хорошо платят. Может, Ларка решила кого-то из своих на сладкое место пристроить?

— И поставить под угрозу шоу? Представляешь, какой поднимется скандал, если «Желтуха» пронюхает о спектаклях, разыгрываемых в прямом эфире? Навряд ли Лариса хочет остаться без работы!

— Ну тогда я ничего не понимаю, — фыркнула Зинаида. — Но точно знаю: моего адреса в базе нет и никогда не было.

Глава 18

Сев в машину, я на автопилоте завела мотор и поехала в сторону Мопсино. В голове смешались в разноцветный винегрет все сведения, раздобытые за сегодняшний день.

Странная молчаливая девочка Ксюша, увлеченно вяжущая шарф в любых обстоятельствах, присутствовала при кончине Олега. Богатая дама упросила Зину взять ее дочь с собой, не пожалела большой суммы денег, чтобы не совсем адекватная Ксения осуществила свою мечту: увидеть изнутри, как делается телепрограмма. Но, похоже, та же Ксюша побывала и в обувном павильоне, где умерла горничная Ветровых Фира, и в нашем офисе, где стало плохо с сердцем Катерине Ветровой. Каждый раз девочка появлялась с черноволосой дамой. Конечно, я видела съемку камер наблюдения и знаю: женщина, упросившая охранника пустить ее с малышом в туалет, походила на цыганку. Но ведь можно купить и парик, и цветные линзы...

Я повернула налево и притормозила у светофора. «Спокойно, Лампа! — сказала я себе. — Ну и дурь же порой лезет тебе в голову!» Хорошо, учитывая, что Ветрова имела раритетную сумку «Марго», на секундочку представим, что Ксюшу привела на программу Катя... Нет, это крайне нелепое, идиотское предположение. Потому что, во-первых, у Ветровой нет детей, а во-вторых, Катерина могла спокойно сказать мужу: «Возьми с собой Ксению», — и Олег провел бы девочку в студию.

Но забудем о логике, просто примем как условие задачи: Катя просила Зину прихватить в телепавильон Ксению, следовательно, Ветрова либо родственница, либо хорошая знакомая родителей девочки. Едем дальше. Катя же, переодевшись и загримировавшись, приходит с Ксюшей в наш офис. Но это невозможно, потому что в тот момент, когда Катя-«цыганка» побежала с малышом (кстати, откуда он взялся) в туалет, Катя-клиентка вышла из кабинета Нины. Я понятно объясняю? Катя с ребенком и Ксюшей входит в холл здания, и одновременно Катя выходит от нас. Нонсенс! Значит, в сортир просилась другая женщина. Кто? А с кем Ксюша была в магазине обуви? Там вновь фигурировала черноволосая мать с капризным чадом и девочкой-подростком. Нет, я зря подозреваю Катю, меня сбила с толку сумка «Марго». Просто у той тетки тоже есть одна из моделей, как и у Ветровой.

Сзади раздались нетерпеливые гудки, я вздрогнула и нажала на газ, надо же, совсем забыла, что стою на светофоре! Руки автоматически повернули руль. Я очень аккуратный водитель, никогда не отвлекаюсь во время движения, но сейчас голова была занята не дорогой.

Пойдем дальше... Олег и домработница Фира умерли от инфаркта, Катя пока жива, но ее сердце практически не работает. Случись с ними осложнение после гриппа, я бы не удивилась. Вирусная инфекция распространяется воздушно-капельным путем и часто нарушает работу внутренних органов даже у очень молодых людей. В нашем случае пострадало сердце, и всякий раз при этом присутствовала Ксюша.

Может, она каким-то образом способствовала кончине Ветрова и Фиры? Но Ксюша не приближалась ни к Олегу, ни к горничной. По рассказам свидетелей, она даже не смотрела на несчастных, а упоенно вязала. Ветров опустошает в студии банку «Успокойки», и через секунду перед Полиной Яценко оказывается труп. И где Ксюша? Лариса обнаруживает девочку стоящей у декорации, в метре от места происшествия. Ксения не давала Олегу воды, не касалась его, не привлекала к себе внимания. Она просто не имела возможности нанести вред бизнесмену.

Теперь рассмотрим сердечный приступ у Кати. Наша клиентка выходит из коридора, делает пару шагов и падает замертво. Ксения сидит на диване. Девочка не вскакивала, не подходила к вдове... Ой, я занимаюсь глупостью! Подросток тут ни при чем. Но почему она непременная участница всех трагических событий? Не знаю! Нет ответа на этот вопрос. Случайность?

Я свернула на шоссе и встала во второй ряд, продолжая размышлять. В жизни часто происходят необъяснимые казусы. Моя знакомая Карина как-то шла домой и увидела ДТП — такси сбило женщину. Кара законопослушная гражданка, она осталась на месте трагедии и дала подробные показания милиции. Через неделю ситуация повторилась: подруга оказалась на том же перекрестке, снова машина и погибшая женщина, и тот же лейтенант приехал разбираться. Он очень удивился, увидев Карину. Представьте себе изумление парня, когда меньше чем через десять дней он вновь очутился на том же пересечении дорог, обнаружил там иномарку с маячком «taxi», труп и... Карину. Ну согласитесь, три раза подряд оказаться свидетельницей ДТП — это уже смахивает на систему. Может, с Ксюшей произошла такая же история? В ее случае всегда присутствует «мама», крикливые малыши и человек, умирающий от инфаркта.

Теперь Лариса! По какой причине толстуха отправила меня к Зинаиде, сообщив, что там живет Римма Малявина? Участие Кондратьевой в шоу — тайна, ее адреса нет в базе данных.

Полина Яценко не только обманывает зрителей, она, судя по рассказу Ларисы, имеет неплохой куш от людей, избегающих скандала. Катерина уверяла, что мужа заказал бизнесмен Тыков, но я знаю: Дмитрий ни при чем, он очень болен, и ему наплевать на Ветрова.

Смерть двух людей и тяжелая болезнь Кати — случайность? У всех было слабое сердце? Россияне не любят и не умеют следить за своим здоровьем. Олег много нервничал, Катерина надорвалась на работе, у Фиры был ничем себя не проявляющий порок сердца. Результат пофигистского отношения к себе — инфаркт. А присутствие Ксюши случайность. Две сумки «Марго» — раритетные, эксклюзивные! — тоже случайность.

Ну и ну, слишком уж их много, этих совпадений!

Но если сумками владела Катя, то зачем она обратилась с просьбой провести Ксюшу к Зине? Могла сказать мужу: «Олег...»

Стоп! Я пошла по второму кругу. Это очень похоже на мое приключение с навигатором, который я удачно сплавила хозяину древней «Волги». Все, надо выбросить из головы мысли о работе. Утро вечера мудренее, сейчас приму ванну и лягу спать.

«Букашка» вкатилась во двор, я вылезла наружу и с наслаждением вдохнула свежий, абсолютно не похожий на московский воздух. До чего же хорошо в Мопсине! Какое счастье, что Кирюшке удалось заполучить этот дом! Скоро мы обставим его и...

Слева послышался грохот, из-за забора вырулила развалюха цвета гнилого баклажана. Стекло передней дверцы опустилось, высунулся мужчина в бифокальных очках.

— Молодой человек, — крикнул он, — где здесь дом семь?

Поскольку я принадлежу к женскому полу, то сначала подумала, что водитель обращается к парню, которого я не вижу. Но затем сообразила, что шофер подслеповат, и вежливо ответила:

— Вы стоите около нужного коттеджа.

— Супер! — заорал очкарик. — Костян, прибыли, вылазь!

Задняя дверца распахнулась, из нее показалась нога в резиновом сапоге, за ней — другая, тоже в сапоге. Но только первый был черного цвета, а второй интенсивно зеленого.

— Слышь, дедуля, — закричал шофер, — позови хозяев! Скажи, сборщики кухни приехали!

Я вздрогнула. Ну и ну, странная парочка! Хотя прибыли мастера вовремя, что является редкостью.

— Здравствуйте, проходите внутрь, — вежливо сказала я. — Будем знакомы, Лампа.

— Люстру тоже могем повесить, — кивнул тот, что в разных сапогах, — но за отдельную плату.

Я давно привыкла, что люди таким образом реагируют на мое имя, поэтому спокойно пояснила:

— Электроприборами заниматься не надо. Меня зовут Евлампия, сокращенно Лампа.

— Я Гоша, — представился очкарик, — он Костян.

— Замечательно, — улыбнулась я.

Живописной группой мы вошли в прихожую, и здесь мастера меня несказанно удивили. Они разом поставили на плитку чемоданчики с инструментами, вытащили бахилы и натянули на обувь. Движения Гоши и Костяна напоминали танец маленьких лебедей, настолько слаженно и гармонично действовали сборщики. Это были первые на моей памяти рабочие, позаботившиеся о чистоте полов хозяев.

— Налево, пожалуйста, — попросила я, и тут из гостиной выбежали все собаки.

Я попыталась остановить Рейчел и Рамика, но куда там! Стаффиха и двортерьер принялись скакать, словно обезумевшие, Муля, Феня, Капа и Аза крутились вокруг нас как волчки. Гоша и Костян замерли.

— Ой, какие славные кошечки! — вдруг заорал первый и, присев, начал гладить мопсов. — Персы, да?

Я постаралась не рассмеяться. Очевидно, мастер никогда не общался с котами-экзотами. Они очень пушистые, мопсы похожи на них, как окно на табуретку!

— А мне больше коняшки нравятся, — заявил

вдруг Костян и обнял Рейчел за шею. — Всю жизнь
мечтал о пони. Она дома не гадит?

— Рейч собака, Рамик тоже, а те, кого гладит Гоша, мопсы, — объяснила я. — Они гуляют во дворе, в
комнатах не безобразничают.

— Ну и ну! — восхитился Костян. — А эти Рейчсобака и Рамиктоже уже взрослые или жеребята? Таких можно купить или вы их из-за границы привезли? Дорого заплатили? На них нельзя кататься?

— Тише, кисоньки, — отбивался от ластившихся
мопсов Гоша. — Ох, вы мои сладенькие, мурзики со-
патые.

— Это собаки, — повторила я.

— Этособаки... — мечтательно протянул Костян. —
Замечательные этособаки! Но пони красивше! Эй,
Рейчсобака и Рамиктоже, дайте я вас обниму.

— Похоже, вы любите животных, — улыбнулась
я, оставив попытки объяснить Костяну, кто такие
Рейчел и Рамик.

— Мы их обожаем! — хором ответили мужики.

— Вот только завести не можем, — грустно уточнил Гоша, поправляя очки. — Все дни и ночи на работе.

— Я давно предлагал: давай купим малявку, вот
такую, лохматую, — замахал руками Костян, — и будем с собой таскать.

— Не все заказчики живность любят, — возразил
Гоша.

— Твоя правда. Такие гоблины встречаются! —
приуныл Костян. — Вот у вас здорово — кошки, лошадки. Мы тут душой отдохнем!

— Точно. Приедем домой в хорошем настроении, — согласился Гоша.

— Вы братья? — спросила я.

— Нет, — нежно улыбнулся Гоша, — просто любим друг друга. Ну, показывайте фронт работы. Можно я киску на руки пока возьму?

Я, временно лишившись дара речи, кивнула. Сборщик мебели подхватил Капу, мопсиха счастливо заулыбалась и стала облизывать очки мастера.

— Где кухня? — спросил Костян.

— Там, — пришла я в себя, — направо.

Сопровождаемые толпой животных, сборщики проследовали к кухне. Я прислонилась к стене.

— Кто приехал? — заорал со второго этажа Кирюша.

— Парочка голубых друзей живой природы, — сообщила я и тут же прикусила язык.

— Кто? — повторил Кирик, скатываясь по лестнице.

— Сборщики кухни, — пояснила я.

По дому понесся стук, треск, грохот.

— Что происходит? — недовольно спросила Лизавета, сидевшая в гостиной на полу у крохотного телика.

— Шкафчики вешают, — ответила я.

— Зачем шумят? — простонала девочка.

— Ну извини, — развела я руками.

— Лампа! — позвал мужской голос.

Я пошла на зов и увидела, что мастера не теряют времени даром. За короткий срок они успели вскрыть один ящик и вынуть темно-коричневую сушку, правда, без дверей.

— Мы сейчас эту повесим, вы глянете, и, если понравится, остальной ряд выстроим, — предложил Гоша.

— Отлично, — согласилась я.

Костян наклонился и обнял стаффиху:

— Ну что, Рейчсобака, тебе по кайфу? Жаль, что лошади разговаривать не умеют!

Кирюшка разинул рот.

— Ну, начали... — потер руки Костян. — Котики,

лучше отойдите, сладенькие, сядьте подальше. Девочка, эй, милая!

— Вы меня? — сдавленным голосом спросил Кирик.

— Так ведь кроме вас с бабушкой тут никого нет, — улыбнулся Костян. — Забери кошечек! Не дай Господь, поранят лапки.

— Кого? — охнул Кирюшка. — Это же мопсы!

— А я думал, персы! — поразился мастер. — Ну и ну! Этожемопсы? Новая порода?

Я покосилась на Кирика. До сих пор никогда не видела его в такой растерянности, надо побыстрее увести стаю, а то мастера не начнут работу.

— Муля, Феня, Ала, Капа, за мной!

Мопсихи погарцевали в столовую.

— И пони пусть ускакивают, — велел Гоша. — Эй, Рейчсобака, Рамиктоже, бегите к бабуле и девочке! Ну молодцы!

Кирюшка вышел следом за собаками.

— Это кто? — в ужасе спросил он у меня.

— Гоша и Костян.

— Но они назвали меня девочкой!

— Слегка ошиблись, — стараясь сохранить серьезный вид, ответила я.

— Я похож на девчонку?

— Нет, конечно.

— Тогда почему они так ко мне обращаются? — негодовал Кирюша. — Что у меня общего с девками?

— В принципе, у всех людей две руки, две ноги и одна голова, — подначила я его.

— А тебя назвали бабкой, — мстительно напомнил Кирюшка.

— Думаю, у рабочих проблема со зрением, — согласилась я. — Они принимают Рейчел и Рамика за пони, а мопсы для них — персидские кошки.

— Ты вызвала сборщиков из дурдома? — прошипел Кира.

— Потише, — простонала Лизавета, — по телику идет интересная передача.

— А на кухне у нас и вовсе шоу, — не утерпел Кирюша. — Комедия! Черный юмор!

— Хозяйка! — заорал Гоша.

— Нельзя ли его заткнуть? — взмолилась Лизавета. — Пусть немедленно замолчит!

Костян вошел в столовую и громко осведомился:

— Вы меня звали?

Я не успела ответить, Лизавета легла на живот и недовольно заявила:

— Перестаньте визжать! Хочу нормально посмотреть программу.

Мастер съежился.

— Ох, дедушка, дорогой, простите! Да, голос у меня зычный. Раньше я на кране работал, подъемном, вот и привык на всю округу голосить. Извините, дедуля, это больше не повторится.

Лиза замерла, выпучив глаза.

— Наш дедуля совсем долбанутый, — радостно захихикал Кирюша.

— Может, это и не мое дело, пусть тебе бабушка замечание сделает, но, думаю, нехорошо о старших так отзываться, — укоризненно заметил Костян.

— Иди сюда! — заорал из кухни Гоша. — Любимый, поторопись, не могу один дверку удержать!

— Уже несусь, солнышко! — закричал было Костян и осекся. — Ой, дедуля, простите, опять я завизжал.

Продолжая извиняться, сборщик исчез в кухне.

— Вау! — выдохнула Лизавета. — Ну ваще! Что у нас происходит?

— Мопсы — кошки, Рейч и Рам пони, я девочка, Лампа бабушка, ты — дедушка, — пояснил Кирюша. —

Ничего особенного! Ха, я щас только сообразил: наверное, ты и Лампа — муж с женой.

— Дурак! — взвизгнула Лиза и швырнула в него тапочку.

— Хозяева! — загремело из кухни.

Я пошла на зов.

— Ну и как? — хором спросили сборщики.

— Это что? — поинтересовался последовавший за мной Кирюша.

— Сушка, — ответил Гоша.

— Она вверх тормашками висит, — заметила, входя на кухню, Лиза.

— Нет, — возразил Костян. — Мы ж не идиоты!

— Похоже, они самые и есть, — заявила Лизавета. — Карниз получился внизу.

— А ручки у дверок под потолком, — добавил Кирюшка.

— И почему все такое разноцветное? — ожила я. — Правая дверца синяя, левая сиреневая, а сам короб коричневый. Я заказывала цвет «медовый дуб».

— Перевесим в момент! — пообещал Гоша. — Костян, ну-ка... Опаньки! Теперь порядок.

— Карниз вверху, ручки на месте! — отрапортовал Костян.

— Значит, работаем дальше? — спросил довольный Гоша.

Дети закивали.

— Нет! — взвизгнула я. — Дверки не того цвета!

— Бабушка, — ласково пропел Костян, — пусть вам внучка очки поищет.

— Распрекрасно все вижу! Синий и сиреневый цвет! — прошипела я.

— Медовый дуб, — уперся Костян.

— На ящике так написано, упаковка всегда маркируется, — уточнил Гоша. И повернулся к Кирюше: — Девочка, прочти, а то у меня окуляры для работы, буковки не различу.

Лиза заржала в голос.

— Давай, девочка Кирюша, устрой нам внекласс- ное чтение!

— А ты, мальчик, лучше бабушке стул принеси, — попросил ее Костян. — Внук должен заботу проявить.

— Бабуся! Внучок хамит! — заныл Кирюша.

— Ой, только не ссорьтесь! — попросил Костян. — Не ровен час Рейчсобака и Рамиктоже испуга- ются. Лошади ведь нервные, в особенности пони.

— Кирилл, озвучь, какая маркировка стоит на ящике, — ледяным тоном велела я.

— Уно моменто, бабуленька, — не упустил случая поиздеваться Кирюха. — Зачитываю... Цвет: «Глаз испуганной капусты».

— Это как? — подпрыгнула я.

— Очень просто, — без тени улыбки сказала Ли- за. — Бабусенька, разве ты за всю жизнь никогда не видела, как пугается капуста?

— Она сначала трясется, — подхватил Кирюша, — потом потеет, затем у нее глаза вываливаются, один делается синим, другой сиреневым. Я это сто раз на- блюдал! Прикольное зрелище!

Глава 19

У меня заныли пальцы, до такой степени захоте- лось отшлепать Кирюшку. Но я принципиальный противник телесных наказаний, поэтому, собрав в кулак всю волю, сказала:

— В любом случае это не медовый дуб. Так?

— На складе перепутали, — погрустнел Гоша, — сейчас им позвоню.

— Склад работает? — изумилась я.

— У нас все для клиента, — гордо заявил Гоша.

— Многие по ночам мастеров зовут, — пропел Костян, — днем люди заняты.

— Иногда в ящики винтики не положат, — продолжал Гоша, — так мы на фирму звякнем, и моментом будет порядок. Алле, алле, алле, Света! Привет! Это...

Я выхватила из его рук трубку и заорала:

— Светлана, добрый вечер! Вернее, спокойной ночи! Мне прислали не тот цвет моих дверок. Вы надеюсь, понимаете, я говорю о кухонных шкафах... ну деревянные такие, классика с латунью...

— Не волнуйтесь, — прозвучало в ответ, — девиз нашей фирмы: «Наш клиент — счастливый клиент!» При доставке перепутали створочки?

— Да!

— Ах, ах, ах... Вы какой цвет заказывали?

— Медовый дуб.

— Отличный выбор! Вкусу хозяев можно только позавидовать, — откровенно льстила мне Светлана, — элегантное решение для пищеблока, истинная классика! А что вы получили?

— Глаз испуганной капусты, — чувствуя себя распоследней идиоткой, сказала я.

— Великолепное решение, говорящее о нестандартном мышлении владельцев... — машинально запела Светлана и запнулась, сообразив, что ее понесло не в ту степь. — Значит, необходим обмен?

— Верно, — согласилась я.

— У вас Гоша с Костяном сборщики?

— Они самые.

— Лучшая наша бригада, настоящие художники! — не замедлила отметить Света. — Ответственные, умные, талантливые, аккуратные работники.

— Ммм... — протянула я, краем глаза наблюдая за Гошей, который, взяв на руки Капу, нежно качал размлевшую от удовольствия мопсиху.

— Завтра утром совершим обмен, — заверила Света, — вечером приедут мастера и завершат работу. ОК?

— Они ее только начали, — вздохнула я. — Всего лишь сушку прикрепили к стене!

— Начнут и завершат! — голосом пионера, дающего клятву выполнять заветы Ленина, пообещала Светлана. — Наш клиент — счастливый клиент!

— Ну ладно, — с легким сомнением согласилась я.

Гоша и Костян уехали. Перед тем как выйти из дома, они быстро простились со мной, Лизаветой и Кирюшей. Вот расставание с животными заняло больше времени.

— Рейчсобака и Рамиктоже, — обнимал собак Костян, — пони миленькие! Я завтра приеду!

— Котятки мои сладенькие, — ворковал Гоша, наглаживая счастливо сопевших мопсов, — персики любименькие, чмок-чмок-чмок.

Потом сборщики поменялись местами — Гоша принялся ласкать «пони», а Костян «персиков».

В конце концов мне удалось выставить парочку во двор. Гоша сел за руль своей раздолбайки, включил заднюю скорость, наехал на клумбы с тюльпанами, газанул и вынесся за ворота, не забыв прокричать из окна:

— Спокойной ночи, бабулечка! Не переживайте, завтра наведем неимоверную красоту! Выпейте валокординчику — и баиньки.

Втянув носом дым от выхлопа, я чихнула. «Жигули», отчаянно грохоча плохо подогнанными частями, унеслись прочь. Я оглядела погибшие цветы и потащилась домой. Похоже, сладкая парочка обожает только животных, к растениям и машинам мастера никакой любви не испытывают! Тюльпаны Гоша и Костян даже не заметили, а их «Жигули» напоминают металлолом, и остается удивляться, почему они еще ездят.

Ровно в шесть утра ожил дверной звонок. Собаки с лаем кинулись в прихожую, я, не поспав и трех часов, пошатываясь, доплелась до парадной двери, посмотрела на экран видеофона и с огромным изумлением узрела человек десять рабочих в спецовках.

— Вы кто? — спросила я.

— Наш клиент — счастливый клиент! — заорал лысый дядька, стоявший впереди всех. — Я ваш личный менеджер Гена.

В полном изумлении я загнала псов в баню и распахнула дверь.

— Обмен дверок! — возвестил мужик. — Начинай, ребята!

Рабочие засновали муравьями. Через полчаса «глаз испуганной капусты» исчез в недрах новенькой «Газели», а на кухне появились новые упаковки.

— Обратите внимание, — суетился Гена, — везде указано «медовый дуб». Фирма приносит извинения! Вот вам подарочек — наш календарь. Очень удобный, можно повесить на стенку. Хотите, ребята приделают?

— Спасибо, не надо, — быстро отказалась я от услуги.

— Тогда на столе оставлю! — кивнул Гена. — Наш клиент — счастливый клиент!

Распевая на разные лады слоган своей фирмы, Геннадий пошел на выход и вдруг покраснел.

— Простите... очень неудобно, конечно... но... хочется... прямо терпежу нет... не принято у клиентов так себя вести, но... э... понимаете...

— Дверь в туалет вторая по коридору, — улыбнулась я.

Гена стал совсем красным.

— Не, спасибо, мне туда не надо. Да и зачем бы людей стеснять по такому поводу? На дороге кустов полно.

— О чем тогда речь? — поразилась я.

Гена наклонил голову.

— Костян сказал, что у вас замечательные карликовые лошадки. Можно хоть одним глазком взглянуть?

Мне стало смешно.

— Погодите секундочку, животные в бане, я закрыла их там, чтобы под ногами не путались.

— Весь в ожидании, — выдохнул Гена.

Я приоткрыла створку. Собаки мирно дрыхли на мягких матрацах — они не любят рано вставать, считая, что наилучшее время для завтрака — десять утра.

— Эй, Рейч! И ты, Рамик, идите сюда! — позвала я.

Мопсы даже не приоткрыли глаз, когда их товарищи стекли на пол и нехотя заперебирали лапами.

— Эй, Рейч! И ты, Рамик, поторопитесь! — повторила я.

Парочка выползла в холл, Гена заломил руки:

— Боже! Они еще прекраснее, чем я думал. Эйрейч! Итырамик! Очаровательные! Шикарные! Можно их потрогать?

— Пожалуйста, — милостиво согласилась я, — они не кусаются. Надеюсь, вы понимаете, что это не лошади?

— Ну конечно, — заулыбался Гена. — Эйрейч! Итырамик! Милые! Шерстка бархатная!

— И они не пони, — засмеялась я, — Гоша с Костяном ошиблись.

Гена обнял Рейчел за шею.

— Костян не очень хорошо видит, — признался он, — болезнь такая, когда цвета путаются.

— Дальтонизм! — воскликнула я. — Вот почему у мастера на ногах были разные сапоги!

Геннадий закивал.

— А Гоша близорукий. Поэтому они и ошиблись. Но они — лучшие мастера. Вы останетесь довольны. Я же вижу отлично и понимаю: — Эйрейч, Итырамик — олени. Карликовые. Читал о таких в журнале. Ну, прощайте, милые!

В последний раз поцеловав псов, Гена ушел, а я уставилась на собак. Олени?! Ну ладно, Рейчел рыжая, гладкошерстная, с поднятыми ушами, которые при сильно развитом воображении можно посчитать рогами. Но Рамик... Двортерьер покрыт густой шерстью, скорей уж он смахивает на карликового яка!

Чтобы не терять зря времени, я приготовила обед и в начале десятого позвонила Нине. Мы обсудили ситуацию и решили: я по-прежнему занимаюсь делом Ветрова, а Нина работает по поручению Рагозиной.

Я положила трубку, посидела пару минут, глядя в свои записи, и пошла в ванную.

Слишком много вопросов и ни одного ответа. Невозможно тянуть одновременно за все нити, нужно дергать их последовательно, иначе я запутаюсь.

Взяв зубную щетку, я выдавила на нее немного пасты и уставилась в зеркало. Итак, начнем от печки! Олег Ветров. Где случилась беда? На съемках. Вот оттуда и будем плясать. Мне надо задать несколько вопросов Ларисе, надеюсь, она даст на них исчерпывающие ответы. Прямо сейчас, не откладывая, звякну «носорожине», как ее величает актриса-недоучка Зина.

— Слушаю, — прохрипела Лара в трубку.

— Доброе утро! — воскликнула я.

— Утро добрым не бывает, — простонала Лариса. — Что надо? На будильник давно смотрели?

— Уже половина одиннадцатого.

— Еще полдень не пробило! — не успокаивалась толстуха.

— Ларочка, — нежно пропела я, — хочу сказать

тебе «спасибо». Это Лампа, та женщина, которую ты вчера отправила к Римме Малявиной.

— А-а-а... — подобрела толстуха. — Встретились?

— Конечно.

— Поболтали?

— Женщина рассказала мне много интересного. Даже шокирующего.

— Ну и ладно. Теперь чего?

— Звоню поблагодарить.

— Из «спасибо» шубы не сошьешь!

— Осталось выяснить небольшое недоразумение, — я сделала вид, что не понимаю алчные намеки, — Римма-то вовсе не Римма.

— Да ну? — с отлично разыгранным удивлением отозвалась администратор. — А кто?

— Зина Кондратьева, студентка, недоучившаяся актриса.

— Ох и ни фига себе! — изобразила возмущение Лариса. — Обманщица! Постой, ты ничего не путаешь? Студентки все молоденькие девушки, а Малявиной далеко не двадцать.

— Понимаешь, Ларочка, — запела я, — Полина Яценко организует подставы...

Во время моего рассказа толстуха старательно ахала, охала, цокала языком и в конце концов заявила:

— И что ты собираешься теперь делать?

— Вот, позвонила тебе посоветоваться, — прикинулась я «валенком». — Яценко дурит народ. Может, в «Желтуху» обратиться?

— Как понимаешь, я не могу дать тебе такой совет, — с явной радостью подхватила Лариса, — сама ведь работаю в шоу. Но, на мой взгляд, поведение Полины ужасно! Я и не предполагала такого!

— Знаешь, Ларонька, — щебетала я, — нам не очень много платят.

— Аналогично, — кашлянула та.

— Если я открою тебе свою тайну, не выдашь?

— Я? Никогда! Железный сейф и тот болтливее меня, — заверила администратор.

— Я давно сотрудничаю с желтой прессой!

— Ух ты! — не скрыла своей радости Лариса. — Правда?

— В скандальных газетах платят огромные гонорары. За особо ценную информацию тысячи отваливают. Не рублей!

— Врешь! — с придыханием воскликнула администратор.

— Откуда, думаешь, у меня иномарка? — засмеялась я. — Благодаря газетным публикациям.

— Да ты че? — ахнула Лариса. — И столько дают?

— Мне странно твое удивление, — подлила я масла в огонь, — уж на шоу-то у вас невероятные оклады. Например, Яценко сколько получает?

— Это коммерческая тайна, — мрачно ответила Лариса. И не сумела сдержать злости: — Гадина! Но остальным копейки отслюнивают. Порой я думаю, что баба, которая туалеты в хорошей фирме моет, поболее моего имеет. Пашу с утра до ночи, перекусить некогда, а в ведомости хрен с морковкой.

— Давай встретимся и поговорим начистоту, — предложила я. — Понимаешь, я собираюсь уехать из Москвы по семейным обстоятельствам, хочу порекомендовать на свое место в «Желтуху» работящую, умную, интеллигентную женщину, которая достойна оклада пять тысяч евро в месяц.

— Это я! — заорала Лариса так громко, что мне пришлось отодвинуть трубку от уха. — Я! Именно я! Речь идет обо мне! Я! Я! Я!

— Отлично. Ты что собиралась сегодня делать?

— Дома сидеть, — призналась Лариса, — надо хоть в выходной поесть по-человечески.

— Можно я приеду в гости? Никто не помешает

нам спокойно обсудить дела, договоримся, как тебя на мой оклад пристроить, — иезуитски предложила я.

— Прикатывай, — в момент согласилась «носорожина».

— Жди меня через час, максимум через полтора, — пообещала я, записала адрес и ринулась во двор к машине.

В халате Лариса выглядела чудовищно. Мне, всю жизнь похожей на грабли и мечтавшей иметь хоть маленький намек на грудь и попу, впервые стало понятно, что иметь большой бюст и необъятную «мадам Сижу» не так заманчиво, как мне казалось раньше.

— Чаю хочешь? — по-свойски подмигнула мне Лариса. — Пошли на кухню!

Я проследовала за хозяйкой и стала вынимать из пакетов купленные по дороге лакомства, безостановочно приговаривая:

— Тортик безе, пирожные, кулебяка с мясом и, уж не знаю, как ты к нему отнесешься, рулет со сгущенкой.

— Я все люблю, — облизнулась хозяйка. — Ну, рассказывай! Сколько денег платят в месяц? Неужели про пять тысяч евриков правда?

— Стопроцентная, — заверила я. — Но чтобы тебя взяли, надо пройти испытание.

— Тест заполнить? — поскучнела Лариса. — Я вовсе не дура, но теряюсь у компа, если надо варианты выбирать.

— Нет, нет, нужно всего лишь написать статью.

— Ну... — совсем расстроилась администратор. — Плоховато у меня со слогом!

Я изо всех сил удерживала на лице улыбку. Ну скажите, каким образом толстуха намеревается получать огромные деньги от газеты, если не умеет выражать свои мысли на бумаге? Неужели у нее начисто отсутствует трезвая самооценка?

— Нет, — канючила Лариса, — текстуха — это не мое.

— И не надо! — радостно перебила я. — Заплатят за инфу. Нужно только нарыть эксклюзив.

— Какой? — заморгала отекшими веками Лариса.

— Ну смотри! Ты теперь знаешь, что Яценко делает постановочное шоу.

Лариса поджала нижнюю губу и отвернулась к окну.

— Съешь пирожок, — предложила я, — очень вкусный.

Сарделеобразные пальцы хозяйки схватили жирный кусок.

— Заинька, — нежно протянула я, — зачем ты дала мне домашний телефон Зины Кондратьевой? Риммы Малявиной не существует в природе, номер актрисы отсутствует в базе, это секрет Полины. Хотя, как я узнала, в постановках еще участвуют некие Филя и Юля.

Лариса легла мощной грудью на стол.

— Очень уж захотелось Полине сделать красиво, — дыша мне в лицо мясным ароматом, заявила она. — Достала меня! Я решила на прощание дверью хлопнуть.

— Ты уходишь из шоу?

— Меня уходят! — взвизгнула Лариса. — Кто Яценко из дерьма вытащил? Сколько раз я ее от «косяков» спасала — не пересчитать! А теперь... Она мне не так давно заявила: «Начальство недовольно нами. Было совещание, приказали «заострить» шоу. Тебе, Лара, надо постараться! Ищи гостей с шокирующей биографией».

Толстуха задохнулась от возмущения, запихнула в рот зефирину и продолжила:

— Нашла виноватую! Я же просто разыскиваю человека, то есть технически — телефон, адрес... Кандидатуры предлагают другие люди. Но влетело мне, вроде не тех зову, и из-за меня рейтинг валится. Короче, если я не исправлюсь, дадут мне в ближайшее время коленом под зад. А как мне быть, если не я по поиску героев главная, а?

По толстым щекам Ларисы покатились слезы.

— Вот дрянь! — почти искренне воскликнула я. — Значит, ты уже знала об угрозе потери работы, когда давала мне номер Зинаиды? Хотела с моей помощью устроить небольшой скандальчик?

— Небольшой? — выкатила глаза Лариса. — Я надеялась на хороший бенц! Ты занимаешься расследованием убийства, приходишь к Малявиной, а такой нет. Зато есть Зинка Кондратьева, бездарная дура, которую даже в тупой сериал не пристроить. Ну, представляешь шум? Газеты обвизжатся! Полину никакой канал не возьмет!

— Здорово придумано, — похвалила я Ларису.

Она схватила меня за руку:

— Сейчас расскажу такое про Полину... Мне терять нечего, и раз она себя так ведет, все договоренности порваны.

Глава 20

Лариса и Полина были знакомы не один год, сталкивались в коридорах телецентра. Но в более тесные отношения вступили, когда Яценко разругалась с очередным богатым любовником. Тот отомстил бывшей пассии по полной программе: перестал финансировать шоу, в котором она блистала. Без денежных инъекций программа скончалась в одночасье, Поля осталась не у дел.

Сначала Яценко бегала по кабинетам руководства канала и повторяла:

— Ну я же звезда! Поставьте меня на эфир! Сделайте новую программу! Я лучше всех!

Да только на малоулыбчивых капитанов телеэфира капризные заявления не действуют, а растопыренных пальцев они в своей жизни навидались. Поэтому очень скоро секретарши при виде Яценко стали холодно улыбаться и повторять:

— Приходите через неделю.

От отчаянья Полина решила сама стать участницей шоу и заявилась в программу «Болтаем обо всем». Там тогда работала администратором по гостям Лариса.

— Если честно, мне жаль ее стало, — говорила сейчас толстуха. — Поймала она меня в коридоре и взмолилась: «Ларочка, сделай меня героиней! Плиз! Очень надо!» Имя мое разузнала!

Яценко даже выяснила, что Лариса обожает сладкое, и притащила с собой простенький тортик «Сказка». Именно бисквитно-кремовое безумие и объяснило Ларе нынешнее, как материальное, так и моральное состояние чадящей звездульки. Даже полгода назад Полина, приди ей в голову выпить с какой-то администраторшей чаю, позвала бы ту в свою личную гримерку и велела поставить на стол шикарные пирожные, приобретенные в элитной кондитерской. А нынче безработная ведущая сама пришла к толстухе, сжимая в руке кособокую картонную коробчонку, на которой красовался криво приклеенный ценник из затрапезного супермаркета.

Лара побегала по начальству и пристроила Полину в студию, как говорят телевизионщики, «на диван». Яценко стала героиней рядовой, не хитовой программы, посвященной выращиванию цветов. Поля очень мило рассказала о своей любви к фиалкам, на несколько минут привлекла к себе внимание телезрителей, вновь очаровала всех своей улыбкой. Но Лара, наблюдавшая за ней по монитору, хорошо понимала: этот трюк не поможет. Телевидение очень редко вторично раздувает погасшую звезду. Подняться пытаются многие, но получилось это лишь у одного-двух человек. Полина напрасно надеется, что руководство всех каналов сейчас прилипло в своих кабинетах к экранам. Никаких положительных изменений в судьбе Яценко не случится.

Но, видно, у теледивы был очень авторитетный ангел-хранитель. Он слетал к хозяину небесной канцелярии и выпросил-таки для своей подопечной новый шанс.

После эфира Яценко отправилась в комнату, где висело ее пальто, сами понимаете, личной гримуборной у нее более не было. Но именно это обстоятельство и сослужило добрую службу Яценко. Когда Полина собиралась на выход, в помещении находился гость следующей программы, некий Сергей Петрович, обеспеченный чиновный муж. Бывшая телезвезда, мило улыбаясь, прошла мимо его кресла, и тут Сергей Петрович, мирно пивший кофе перед выходом на съемочную площадку, подавился печеньем, закашлялся и вылил эспрессо прямо на платье Яценко.

Полина ахнула, а потом... заплакала. Странная реакция Яценко объяснялась просто — бывшая телезвезда перенервничала, устала, ей, еще недавно царице экрана, появление в волшебном ящике в качестве участницы шоу показалось унизительным. Лариса бросилась утешать Полю, попыталась бумажной салфеткой убрать пятно, но стало только хуже, одежда была безнадежно испорчена.

Сергей Петрович смутился и вытащил кошелек.

— Купите себе обновку, — довольно бестактно предложил он Полине.

Яценко внезапно перестала рыдать.

— Я не беру деньги от посторонних мужчин, —

гордо сказала она. — Впрочем, от знакомых тоже. Достаточно простого «извините». Полагаю, вы не нарочно выплеснули кофе?

На этой фразе Ларису позвал режиссер, и она убежала в студию.

Через месяц Сергей Петрович победил на выборах и стал депутатом, а спустя некоторое время произошло торжественное возвращение на экран Полины — со своим шоу, достаточно острым и привлекательным для зрителя. И вот тогда Лариса без колебаний пошла к Полине и прямо ей сказала:

— Сама знаешь, какой у меня опыт. Возьми к себе админом по гостям. В запасе у меня телефонная книжка толщиной в полметра, и я обращаюсь на «ты» к большей части випов. Потенциальные гости — мои хорошие знакомые.

Конечно, Лара покривила душой, она никогда не была светским персонажем и не пила на брудершафт с сильными мира сего, но Полина милостиво кивнула:

— Хорошо, перебирайся в нашу программу.

Расчет Ларисы был прост — каждое шоу, если оно популярно, живет три-четыре года. То, на котором Лара сейчас служит, уже загибается, и лучше убежать, пока оно совсем не скончалось в муках. Полина же находится на взлете, пару лет можно быть спокойной за свое место.

Имелась и еще одна причина. Телевидение — как большая деревня, слухи здесь по коридорам разносятся быстро. Лариса уже от нескольких людей слышала, что спонсором нового проекта Яценко стал тот самый случайно проливший на нее кофе Сергей Петрович. Депутат женат, поэтому нигде не светился со своей любовницей, но болтливая секретарша главного лица телеканала нашептала на ушко ста подружкам о вечернем, почти тайном визите в кабинет начальника Сергея Петровича и о том, что после беседы босс тут же соединился с Яценко.

Лариса наивно полагала, что Полина вспомнит, кто помог ей познакомиться со всемогущим любовником. Не прояви тогда Лариса христианское милосердие, сгинуть бы Яценко в безвестности! Одним словом, в данном случае Лариса послужила рукой судьбы и должна быть вознаграждена по заслугам. Лара давно работает администратором, пора ей продвинуться по служебной лестнице, занять пост режиссера программы. Ничего хитрого в этой должности нет, любой при наличии опыта справится.

Понимаете, на что рассчитывала Лариса? Но ее взяли старшей по випам, а руководить шоу стала Аня, крикливая и тупая особа, хорошо умеющая только орать. Оклад Ларисе положили небольшой, а работать приходилось много. В довершение ко всему Полина поменяла номер мобильного, и Лариса потеряла, так сказать, доступ к звездному телу. Вход в личную гримерку Полины стерег охранник, а если Лариса сталкивалась с ведущей в коридоре, последняя, приветливо кивнув, проскакивала мимо. Лариса пыталась завести разговор о смене своего статуса и повышении оклада, но всякий раз, едва она открывала рот, Полина выхватывала из кармана мобильный и, очаровательно улыбаясь, говорила:

— Лара, давай позднее потреплемся.

В конце концов администратор выждала-таки нужный момент и сразу рявкнула:

— Имей совесть! Я тебе помогла, теперь твой черед!

Полина изумилась:

— Что ты хочешь?

Ларису понесло:

— Работу! Достойную! Место режиссера! Приличный оклад!

Яценко засмеялась.

— Лара, надо реально себя оценивать. Ты не имеешь никакого образования и не можешь стать капитаном. Я взяла тебя на оклад администратора, ставка фиксирована руководством, повышать ее ради одного человека не станут. У каждого свой потолок, тебе надо поумерить амбиции и не растопыривать пальцы. Если ты не довольна работой, я никого насильно не держу.

Лариса окаменела, а потом, не выдержав, ляпнула:

— Вот ты какая неблагодарная!

— А за что мне тебе «спасибо» говорить? — поразилась Полина.

— Кто устроил тебе встречу с Сергеем Петровичем? Давай разберемся! — Лариса поехала танком на телезвезду. — Не позови я тебя тогда гостем, фиг бы ты сейчас тут сияла!

Яценко улыбнулась.

— Лара, тебе нужно пить успокоительное. И перестань слушать сплетни. Обо мне болтают чепуху! Понятия не имею ни о каком Сергее Петровиче. Шоу живет за счет рекламодателей. Кстати, начальство постоянно требует сократить служащих, и я всякий раз тебя отстаиваю. Просто не рассказываю тебе подробности, чтобы не нервировать. Не лезь на чужую должность. Вот у Ани-то, в отличие от меня, имеется властный покровитель. Сообразит режиссер, что ты под нее копаешь, и вылетишь вон. Поняла? Давай считать, что этого разговора не было!

Резко повернувшись на каблуках, Яценко убежала, Лариса сжала кулаки. Ну, Поля, погоди!

Очевидно, вспоминать об обидной ситуации Ларисе было непросто — сейчас ее голос сорвался, и она закашлялась.

— Почему ты не ушла на другую программу? —

спросила я. — Зачем работаешь на женщину, с которой у тебя плохие отношения?

Лариса мрачно усмехнулась.

— А куда убегать? На старых проектах свои сидят, новых пока не предвидится. Пришлось остаться с Яценко. Тварь неблагодарная! Но ты еще не все знаешь. Где-то через месяц после того разговора Анька-режиссер ко мне девчонку приставила и сказала:

— Ларочка, думаю, тебе одной тяжело, вот помощница. Она, конечно, молодая, неопытная, но ты ее обучишь!

И Лариса поняла — ее хотят выжить из программы. Интеллигентно, аккуратно избавиться от нее. Но, поскольку Лара, уходя, унесет с собой и все контакты, Аня надумала украсть у нее информацию. «Помощнице» велено втереться к Ларисе в доверие и снять копию с ее легендарной записной книжки.

— Уж поверь, — вздыхала толстуха, — мои записи уникальны. Там не только телефоны, но и адреса, плюс всякие сведения: имена родных, детей, клички собак, хобби, пристрастия, даты дней рождения. Допустим, нужен нам Борис Меньшиков, певец. Он вообще на телевидение не ходит, поэтому лакомый кусочек. Звоню ему и говорю:

— Ах, Борис Львович! Как поживает ваш любимый пудель Кристиан? Здоров? Отлично. Помогите нам, у одной вашей поклонницы собака умерла из-за некомпетентности ветеринара... Ну и так далее. Меньшиков никогда на гостевой диван из-за каких-то там поклонников не сядет, ему люди неинтересны, но ради собаки... Понимаешь, да? Я знаю, на какой крючок наживку сажать, а все секреты в книжке. Вот!

— Интересно... — пробормотала я. — Кое-что проясняется. Значит, ты решила отомстить Яценко.

— А кто бы поступил иначе? — вскинулась Лариса. — Она меня заслуженной должности лишила да еще задумала мои наработки захапать. Тут даже белая маргаритка рассвирепеет!

Я опустила взгляд. Конечно, Лариса показала себя с лучшей стороны, когда пригласила никому не нужную Яценко в программу. Честь и хвала ей за доброту и сострадание. Но дальнейшие события разворачивались уже без участия Лары. Кофе был пролит случайно, роман Сергея Петровича и Яценко разгорелся без помощи администратора...

— Только я не дура, — частила Лариса, — работаю с гадюками и научилась их правилам! Сделала вид, что идиотка, а сама все выяснила. Программа — проект Сергея Петровича, натуральное телекиллерство. Он сам кандидатуры для Полиночки подыскивает, у мужика есть служба безопасности, которая фактики нарывает, а наша редактура у нее на подхвате. Ох, какие штуки они отыскивали! Порой жесткач непереваримый! Хочет Сергей Петрович кого-то морально убить — расправляется, желает поддержать — сиропом обольет. Отказаться от участия в шоу невозможно, наши достанут, а если не получится, в «Желтухе» бомбу взорвут. Ну, я тебе про технологию «Интервью» рассказывала...

— Круто! — согласилась я.

— А то! — прищурилась Лариса. — Я про все знаю: квартирка у них тут, рядом, где актрисок переодевают. Думали, все шито-крыто? Но у меня сто глаз, и все зоркие! Да и наши перешептываются по углам.

— Ясно, — усмехнулась я. — Сведений ты товарный вагон нарыла, сообразила, что программа создана и действует как орудие Сергея Петровича, уничтожающего или возвышающего нужных ему человечков. Но только что дальше делать с этой информацией? Слить в газету? Накапать конкурирующему каналу? Страшно. Вот ты и решила действовать чужими руками: дай-ка скажу телефончик Зины Кондратьевой сотруднице МВД. Баба начнет копать, сообразит, что Риммы Малявиной не существует, надавит на студентку, а та, испугавшись, выложит правду. Отлично получится: сама ты ни при чем, а у Полины неприятность.

Лариса вздернула подбородок.

— Она первая начала! Ну ё-моё! Послушай, ты же расскажешь газетам правду про подставу и Зину Кондратьеву?

— Ко мне никто из представителей прессы за интервью не обращался, — преодолевая брезгливость, ответила я.

— Я живо организую! — подпрыгнула толстуха. — Пара звонков — и ты утонешь в корреспондентах. Еще и бабла срубишь, за эксклюзив репортеры готовы платить. Эй, погоди, ты же говорила вначале, что имеешь связи в мире печати, подрабатываешь, получаешь шикарный оклад...

— Спокойно, — кивнула я, — о всяких там интервью и возможности утопить Полину покалякаем потом. Сейчас ответь на мои вопросы. Шоу не закроют?

— С чего бы? Теперь нет, конечно. Ситуация изменилась.

— Кончину Олега нельзя считать попыткой уничтожить Яценко?

Лариса заморгала.

— То есть будто кто-то пристукнул гостя, чтобы Полину убрали из эфира?

— Ну да.

— Глупее и не придумать! Всем на телевидении понятно, что рейтинг после такого зашкалит, — пожала плечами Лариса. — Полине, как всегда, повезло — получила чумовой эффект, потому что у гостя оказалось больное сердце.

Глава 21

Я вышла из дома Ларисы и огляделась по сторонам. Невдалеке виднелись ярко-зеленый козырек ресторанчика, столики на летней веранде под козырьком и стайка посетителей, одетых в яркую, летнюю одежду. Ноги сами понесли меня туда — очень хотелось мороженого. Не надо обвинять меня в обжорстве: просто лучше всего мне думается в момент, когда я ем что-нибудь вкусное. Пломбир с сиропом и орешками отлично стимулирует умственную деятельность многих женщин.

Получив из рук официантки вазочку с шариками, обильно политыми растопленным шоколадом, я отправила в рот пару ложек, и в тот же момент благодарный мозг начал фонтанировать интересными мыслями.

Итак, надо определить, кого хотели наказать. Самого Олега Ветрова? Логично, если учесть, что убит именно он. Некто, кому производитель детского питания насолил, придумал, как избавиться от бизнесмена. Но непонятно, зачем это делать с шумом и треском на всю страну? За каким чертом лишать Ветрова жизни в прямом эфире? Приди мне в голову идея устранить конкурента, я бы постаралась сделать это как можно тише. В 90-х годах многие конфликты в бизнесе завершались наемным убийством. Киллер убирал намеченную жертву, как правило, в тот момент, когда она шла к своей машине, садилась или выходила из нее. Никакая охрана, пусть даже она состоит из человека-паука и Бэтмена в одном флаконе, не спасет от пули. Снайпер, устроившийся на чердаке дома, легко попадет в лоб жертве и уйдет, прежде чем секьюрити добегут до того места. И найдут там лишь брошенное оружие. Если кого-то на самом деле хотят уничтожить, то это только вопрос времени —

киллер старательно изучит образ жизни объекта и выберет нужный день, час, минуту, мгновение...

Но сейчас волна кровавых преступлений схлынула, нынче выстрел из снайперской винтовки почти редкость. Так что, люди наконец-то вспомнили про заповедь «не убий»? Ох, думается, просто народ поумнел и действует менее открыто. Новая забава — несчастные случаи. Автокатастрофа, отравление некачественным алкоголем, инфаркт, инсульт, вот что происходит с жертвами. Сколько среди вышеперечисленных происшествий подстроенных?

Что мешало разыграть такой спектакль с Олегом? Насколько я знаю, Ветров сам сидел за рулем и не имел охранника. Наркоман, напавший на хорошо одетого мужчину, который вылез из дорогой иномарки, чтобы ограбить его и купить дозу, ни у кого не вызовет удивления. За относительно небольшие деньги можно организовать нападение и найти наркомана, который потом в отделении милиции признается в содеянном. Так зачем шум на всю страну? Он заказчику не нужен.

Другое дело, если отомстить хотели Полине Яценко. Некто решил, что скандал в эфире «утопит» шоу. Тогда Олег всего лишь орудие мести, в студии мог сидеть кто угодно, личность гостя не имела значения. Но выясняется, что за спиной Полины находится всемогущий Сергей Петрович. И навряд ли человек, задумавший устранить Яценко, не обдумал все тщательно. Значит, он должен был понимать: телевидение — мир кривых зеркал, то, что у нормальных людей вызывает ужас, повышает рейтинг эфира. И, расправившись с Полиной, он получит врага — ее любовника-депутата, могущественного человека. Легче договориться с хулиганами, которые ее изобьют — с синяками и переломами вести шоу не станешь. Из всего вышесказанного можно сделать лишь один вывод: смерть Олега случайность.

Ей-богу, совершенно не понимаю, каким образом бизнесмена могли отравить? К нему близко никто не подходил, Яценко сидела на приличном расстоянии от Ветрова. Олег открыл банку, крышка щелкнула, значит, герметичность не нарушалась.

Я знаю, почему милиция закрыла дело: в организме Ветрова токсиколог ничего подозрительного не обнаружил. Эксперты МВД все тщательно изучают. Конечно, случаются ошибки, но в связи с обстоятельствами смерти Олега, думаю, дело было взято под особый контроль. Яда не нашли, определили инфаркт. Пора умыть руки.

Но! Потом сердечный приступ почти убивает Катерину Ветрову. Ладно, объясним сбои в работе сердца молодой женщины сильным стрессом: кончина любимого мужа — тяжелое испытание. Тут вроде бы тоже нет никаких хитростей. Катерина никак не могла смириться с потерей Олега, не хотела поверить в его естественную смерть и решила, что произошло убийство. Если бизнесмена убил инфаркт, то в некоем роде виновата сама Катя — не следила за состоянием здоровья супруга, не заметила проблемы с сердцем, вовремя не отправила его к врачу. А насильственная смерть снимает со вдовы вину. Ветрова наняла нас и сама свалилась с инфарктом. Мда, пусть и это будет очередной случайностью. Но ни в какие ворота не лезет смерть ее домработницы Фиры, студентки, никогда ничем не болевшей.

Я поманила официантку, заказала еще одну порцию мороженого и в ожидании начала складывать из бумажной салфетки кораблик.

Нет, их всех убили! Как? Не знаю. Кто? Нет ответа. Но есть тонюсенькая ниточка: каждый раз на месте преступления оказывалась мамаша с детьми. Количество малышей менялось. У той, которая пришла в наш офис, на руках был один малыш и... девочка-подросток с вязаньем. В обувной лавке носилась толпа крикунов, от визга которых у продавщицы заболела голова, и... девочка-подросток с вязаньем. На телевизионное шоу Зинаида пошла в окружении где-то нанятых крошек и... с девочкой-подростком с вязаньем. Постоянная составляющая всех «случайностей» — странная школьница. Я знаю ее имя: упрашивая Зину взять дочь в студию, мать назвала ее Ксюшей. Но как девочку найти? Сколько в Москве живет Ксений?

Тяжелые раздумья прервал телефонный звонок.

— Лампа! — закричала Нина. — Ми... кр... ша... ург...

— Встань у окна или выйди на улицу, ничего не слышу, — ответила я, — связь рвется.

— Не мо... ла... ург!

— Перезвони, — велела я, — ни фига не понятно. Бр, др... — слов не разобрать!

Из трубки полетели гудки, я положила сотовый на стол. Так, на чем я остановилась? Кого из троих хотели убить, а кто попал под руку киллера случайно или попутно, потому что знал информацию, способную привести к главному преступнику?

Внезапно у меня заболела голова, я решила больше не думать о работе и уставилась в большое окно. По тротуару текла разноцветно-веселая толпа. Интересно, почему зимой люди в основном одеваются в серое и черное? В декабре-январе мало солнца, на душе тоскливо, хорошо бы взбодриться при помощи яркой одежды. Мы же, наоборот, словно специально приманиваем депрессию. Как было бы замечательно жить, например, в Италии, где большую часть года светит радостное солнце. Говорят, там здорово: море, вкусная еда и отличный шопинг. Решено, в следующем году непременно отправимся в Италию. Нынешним летом поехать за границу не удастся по самой простой причине: в новом доме отсутствует мебель.

Нам нужны кровати, стулья... Из моей груди вырвался тяжелый вздох: нет, сейчас придется работать по полной программе. Нет денег — нет обстановки. Все очень просто.

— Италия — замечательная страна, — донесся до моих ушей веселый речитатив.

Я вздрогнула, неужели начала разговаривать вслух?

— Мы непременно туда поедем, — пропел тот же голосок.

Я повернула голову влево. Нет, слава богу, я еще не начала разговаривать сама с собой. За соседним столиком сидели две девушки, брюнетка и блондинка — позитив и негатив, одна с аппетитом наворачивает пасту, другая ковыряет листик салата, первая улыбается, это она только что говорила про Италию, а вторая, плохо скрывая раздражение, ей отвечает:

— Ты, Ленка, уже с Мишкой в Париж съездила!

— С Мишей было несерьезно, — продолжая живо уничтожать спагетти, отбила выпад Лена. — А Сережа мне сегодня предложение сделает! На медовый месяц махнем в Венецию!

— Ну-ну! Честно говоря, верится с трудом, — процедила подруга.

Лена старательно накрутила на вилку спагетти, поднесла их ко рту, потом захихикала.

— Знаешь, Олеська, почему ты вечно всем недовольна? Заканчивай сидеть на диете!

— Отстань, — буркнула Олеся.

— Нет, правда, — кивнула Лена, — закажи себе пасту, она здесь дико вкусная!

— Ага, — протянула Олеся, — буду есть спагетти и стану бомбовозом! Всем известно, что от макарон толстеют!

— Я жирная?

— Ты нет, — нехотя призналась Олеся, — вооб

ще-то я в непонятках! Вечно жрешь макароны и худая. Не всем так повезло, я от воздуха пухну.

— Будешь есть спагетти — и у тебя жених появится, — решительно заявила Лена, — м-м-м, вкусно!

— А что, разве есть связь между парнем и пастой? — удивилась Олеся.

Лена схватила салфетку.

— Конечно!. Какие девушки нравятся мужикам? Веселые, здоровые, красивые, умные! А что происходит с девчонкой, когда она, как ты, ест один салат? Откуда ей веселье взять, если в животе бурчит? Здоровья нет, энергии на секс не хватает, о красоте помолчим. Может, кому и нравятся скелеты, обтянутые серой кожей, но я таких парней не встречала. Следовательно, нужно есть спагетти! Почему итальянки считаются самыми сексуальными женщинами в мире? Макароны! Они их каждый день едят!

— Да? — растерянно протянула Олеся.

— Я покупаю «Макфу», — продолжила делиться своим опытом Лена. — Она сделана из твердых сортов пшеницы, поэтому от нее не поправляются. Усекла? Слопаешь макарошки — получишь кучу энергии и перестанешь постоянно ныть.

— И где я эту «Макфу» найду? — привычно замямлила Олеся.

— Сейчас чаю попьем и рванем в супермаркет, — бойко пообещала Лена, — я собралась сегодня устроить Сереге романтический ужин в итальянском стиле. Свечи, музыка и «спагетти по-милански», дико вкусно! Могу дать рецептик. Ну? Я тебе пачку «Макфы» лично куплю, не разорюсь. Чего надулась? Позвони Андрюхе, позови его на ужин а-ля романтик.

Я отпила глоток из чашки. Эта Лена права, как ни странно, от макарон из твердых сортов пшеницы не потолстеешь. Сейчас врачи говорят, что одна из самых полезных в мире кухонь — средиземноморская!

А она включает в себя спагетти, в которые итальянцы кладут все, что им в голову взбредет: мидии, креветки, курицу, ветчину, грибы, баклажаны...

Рот наполнился слюной, я позвала официантку.

— Что ест девушка за соседним столиком?

— Пасту по-римски, — ответила официантка.

— Принесите и мне порцию, — попросила я.

— Представляешь, «Макфу» нужно варить всего четыре минуты, — донеслось тем временем от соседнего столика. — А соус тоже делается очень быстро и легко: обжариваешь на оливковом масле лук, добавляешь немного муки, тщательно перемешиваешь и жаришь две-три минуты. Затем снимаешь сковороду с огня, медленно добавляешь один стакан кипяченой воды. Потом опять ставишь все это на плиту и добавляешь томатную пасту и сушеные травы. Доводишь до кипения, пока смесь не загустеет. И в самом конце кладешь в соус нарезанные ветчину и грибы. Солишь и перчишь по вкусу. И все это варишь на медленном огне десять минут. Очень просто и очень вкусно!

С увлечением слушая рецепт быстрого и вкусного приготовления макарон, я не заметила, как передо мной очутилась тарелка, над которой поднимался пар. Я схватила вилку. Отлично! Подкреплюсь и пойду в магазин. Куплю «Макфу» и приготовлю вечером Лизе с Кирюшей «спагетти по-милански». Ничего, у нас будет не романтический, а семейный ужин, но макарошки от этого вкуса не потеряют!

— Понравится всем, — закончила Лена.

— Так не бывает, — не преминула позанудничать Олеся.

— Говорю тебе, понравится всем! — повторила Лена. — Всегда все оказываются довольны!

— Чаще все оказываются виноваты, — ни к селу

ни к городу буркнула Олеся, — во всяком случае, у моего начальника всегда виноваты все!

Я уставилась на девушек. Фраза «виноваты все» петардой взорвалась в моей голове! Ну почему я не подумала об этой возможности раньше?! «Виноваты все». Порой самое незначительное событие способно дать ключ к разгадке! Или от съеденных макарон моя голова стала работать лучше?

И тут снова заработал телефон.

— Алло! — закричала я. — Говорите!

— Теперь слышишь? — словно из подвала спросила Нина.

— Да, но создается впечатление, что тебя заперли в железный ящик и увезли за сто километров, — ответила я.

— В принципе верно, — засмеялась Косарь. — Спешу сообщить: еду в Питер.

— Зачем?

— По делу Рагозиной, — еле слышно ответила Нина. — Извини, не могу говорить громче. Объект недалеко.

— Когда вернешься?

— Не знаю. Звонила в больницу. Состояние Ветровой пока без изменений. Ой, впереди тоннель, сейчас связь прервется... др... бр... кр...

Я сунула замолчавший мобильный в карман, потом вытащила его и соединилась с Николаем Марковым.

— Ваще жесть, — ответил наш верный помощник, выслушав меня. — Идею найти в городе девочку по имени Ксюша оставь сразу, она бесперспективна.

— Может, через психоневрологические диспансеры попытаться? — уныло предложила я. — Подросток явно с проблемами.

— Ага, прикинь размер работы, — отозвался Николаша, — а еще сейчас полно альтернативной меди-

цины. Если мамашка не поскупилась на тысячу евриков для пропихивания ребенка в телецентр, значит,
она обожает дочь, не жалеет на нее средств. Такая не
обратится в районную поликлинику, наймет платного доктора.

— Согласна, — подхватила я. — Тогда попытайся
накопать подробные сведения о Яценко и супругах
Ветровых. Они должны были пересекаться непременно. Думаю, жертвой убийцы стали все трое, мстили
не одному человеку, убирали целую компанию. Вопрос: почему? Или, если хочешь, за что?

Коля издал протяжный вздох.

— Поступим так. Прямо сейчас этим займусь и
отправлю тебе на е-мейл все, что найду. Идет?

— Отлично! — обрадовалась я.

— Тебе нужна инфа про телезвезду Полину Яценко, бизнесмена Олега Ветрова и его жену Екатерину?

— Правильно.

— А прислуга? Умершая Эсфирь Кинг? Ты забыла
про нее?

— Нет. Полагаю, она как раз тут не случайно.

— Отчего ты пришла к такому выводу? — явно заинтересовался Николай.

— Маленький штришок навел на большие размышления. Лучшая подруга Фиры Суля, рассказывая
о ней, обронила фразу: «Фирка копила деньги на шикарный купальник, держала заначку в тайнике, но ее
мачехины дочки сперли».

— Бывает! В семье часто не складываются отношения между детьми от разных браков, ничего знако-
вого в ситуации не вижу, — влез со своим замечанием
Коля.

— Потому что не дал мне договорить! Фира рассказала Суле о воровстве, позвонила подруге в сле-
зах, долго жаловалась на противных дочек мачехи. Но
через пару дней пошла покупать обувь. Сказала про-

давщице: «Я неожиданно получила деньги. Боюсь, что их тоже украдут, поэтому хочу побыстрей потратить». Вопрос: откуда именно Фира получила сумму?

— Ей выдали оклад.

— Я спрошу у Сули, по каким дням платили Фире, но что-то мне подсказывает: заработная плата тут ни при чем. Кинг сказала, что ей неожиданно дали деньги. Неожиданно! Понимаешь?

— Ну... кредит взяла!

— Думаю, дело обстояло иначе.

— И как?

— Мне надо еще раз побеседовать с Сулей, — пробормотала я.

— Йес! — бодро ответил Марков. — Получишь мои послания, там же будет и счет за услуги.

— В последнем никто не сомневается, — вздохнула я. — Что, твой наследник растет?

— Как на дрожжах, — сообщил Николаша. — Надеюсь, скоро достигнет сорок пятого размера ботинок и я вздохну свободнее — хоть обувь можно будет один раз на пару сезонов покупать.

— Ну-ну... Не хочу тебя разочаровывать, но когда дитятко перестанет расти, оно начнет разбираться в моде и пожелает менять пять пар обуви в месяц. Вот Лизавета, например, мечтает о сумке... Черт! «Марго»! Тоже возможный вариант.

— Что случилось? — напрягся Николай.

— Ерунда, — отмахнулась я, — подумала о шикарной сумочке.

— Ну это без меня, — заржал Коля, — я не разбираюсь в ваших пустячках. Покедова, жди докладную грамоту с вечерней лошадью.

Я начала рыться в памяти мобильного, отыскивая номер вруньи Сули. Противная девушка затребовала плеер, получила его, а взамен не сообщила ничего интересного. Суля использовала меня в качестве кошелька, решила обхитрить и почти преуспела. Но теперь-то я понимаю, что она скрыла большую часть информации. Увы, придется сейчас провести неприятную беседу, хотя я не являюсь сторонницей жестких мер.

Кстати, о сумке. Аксессуар стоимостью в тридцать тысяч евро нельзя назвать пустячком. Если Зинаида Кондратьева ничего не напутала и ридикюль в самом деле стоит невероятных денег, то мать Ксении богата. Вполне вероятно, что она посещает светские рауты. Ага, вот номер, по которому я соединялась с Сулей...

В ухо полетели гудки, затем зачастил тоненький голосок: «Привет. Я пока недоступна. Нахожусь на Мальдивских островах. Перезвоните после девяти вечера, вернусь в Москву и отвечу на ваш звонок. Кто хочет, может оставить мне сообщение после гудка». Пи-и-и-и...

Я нажала на красную кнопку. Суля скорей всего отправилась с приятельницами на один из московских пляжей, использует хорошую погоду для отдыха. Многие девушки загорают сейчас в черте города на чахлой траве или на грязных камнях на берегу мутной Москвы-реки. Потом будут врать соседям и коллегам по работе: «Откуда загар? О! Меня любовник свозил на Бали. Там чудесно!»

Мне такое поведение кажется смешным. Ну нет у тебя денег на пафосные Карибы, экзотическую Индонезию и даже экономичную Турцию, и что такого? По-моему, не стыдно признаться, что провела отпуск в деревне, у бабушки. Кстати, на селе очень весело: пикники, шашлыки, грибы-ягоды, парное молоко, а местная речка может оказаться чище Черного моря.

Ладно, прекратим философствовать, займемся делом. Сумка! Я вновь набрала нужный номер телефона и услышала веселый говорок Эли Найденовой:

— Аллоу!

— Элька, привет.

— Здорово!

— Узнала меня?

— Ну конечно. Как поживаешь? — мигом соврала Найденова.

— Это Лампа.

— Вау! Романова! Как дом? Собаки? Дети? Мебель купили? — зачастила Элька.

— Подробности потом, я по делу.

— Убийство в стиле гламур? — ажитировалась Эля. — Надеюсь, ты помнишь, что я работаю в журнале и нуждаюсь в новостях.

— Ты слышала про сумку «Марго»?

— Естественно!

— Она дорогая?

— Лампа, никак ты решилась на покупку?

— Обойдусь кошелкой из клеенки, — вздохнула я. — Можешь сказать, кто из вашей тусовки ходит с «Марго»?

— Назвать всех?

— А их много?

— Рита Селезнева, Олеся Задорожная, Вера Богданова, Оля Пуркина...

— Откуда у людей такие деньги?

— Ну об этом их пусть налоговая инспекция спрашивает, — захихикала Элька. — Одним любовники подарили, вторым мужья, третьи сами приобрели. Но я еще и четверти всех не вспомнила.

— Поставим вопрос по-другому: мне хочется знать про винтаж. Он ведь дороже?

— Однозначно, — забурчала Найденова. — Круг сужается. Тэкс, дай покумекать... О, Владленка Кирсанова! Ей на двадцатипятилетие папахен подарил раритетную «Марго».

— У тебя есть телефон счастливицы?

— Пиши.

— Странный номер, очень длинный, — заметила я, когда Эля стала называть цифры.

— Ничего удивительного. Сначала код страны, потом города, — хмыкнула Найденова.

— Погоди, Владлена не в Москве?

— Она в Лондоне, живет там постоянно.

— Не подходит, — огорчилась я. — Да и по возрасту тоже. Еще одно уточнение: я ищу даму, у которой есть «Марго» серии «змея» или «жаба».

— Вау! Их давно прикрыли.

— Знаю.

— Очень-очень дорогой аксессуар!

— Ну и у кого из светских львиц он есть?

— Не припомню, — протянула Эля. — О такой редкости говорили бы, просили снять для журнала.

— Давай попробуем еще раз. Я ищу женщину с раритетной «Марго».

— Уже поняла.

— На ногах у нее, вероятно, туфли «Кох».

— Ну и что? — не удивилась Эля.

— Кох, — повторила я, — эксклюзив, на синей подметке.

— Альфреда Коха уже давно не везут из-за рубежа, в Москве бутик открылся, — спокойно пояснила Эля. — Да и не такой он дорогой, можно себе позволить — всего тысяча евро пара.

Я подавила вздох. Элька корреспондент журнала, который пишет исключительно о моде, мы с Найденовой при всей любви друг к другу обитаем в разных мирах. То, что Эльке кажется приемлемым, убивает меня ценой. Ну из кого надо смастерить туфельки, дабы просить за них дикие еврики? Из кожи однодневных саламандр? И какова реальная себестоимость изделия? Сколько модница переплачивает за бренд?

— У персонажа, кроме шикарной сумки «Марго» и не очень, на твой взгляд, дорогой обуви Альфреда Коха, есть еще дочь тринадцати-четырнадцати лет, — продолжала я. — Девочка любит вязать, всегда таскает с собой спицы и клубок. И она странная.

— Детей на тусовки не берут, если только это не специальное мероприятие, — мигом отозвалась Эля. — Твоя бабенка не из наших.

— А у кого еще может иметься раритетная «Марго»? — тупо спросила я.

— Возьми «Форбс» и читай. Все их издания со списками — бизнесмены, шоубиз, политики, — посоветовала Эля.

— Спасибо, помогла, — язвительно ответила я. — Больше никакие идеи в голову не идут?

— Фатима Бекоева, — вдруг сказала Элька. — Она моя подруга, но из конкурирующего с нами издания, пишет о винтаже. Вот она все про «Марго» знает. Фанатка этой сумки!

— Давай телефон, — приказала я. — Знаю Фатиму, встречалась с ней на твоем дне рождения, но номера ее у меня нет.

Глава 22

Люди, имеющие в близких друзьях журналиста, пишущего о гламурных нарядах, коими блистает тусовка, могут быть уверены: телефон любой самой яркой звезды непременно есть если не у вашего приятеля, то у кого-нибудь из его коллег. Получив несколько телефонных номеров Фатимы, я на радостях заказала холодный кофе.

Госпожа Бекоева не спешила взять трубку. То ли принимала ванну, то ли сидела в салоне красоты, готовясь к очередной вечеринке.

Я отложила мобильный, отхлебнула из чашки жиденький эспрессо, щедро сдобренный кубиками льда, и тут же услышала гневную трель телефона. Не посмотрев на дисплей, я схватила аппарат и сказала:

— Слушаю.

— Лампусечка! Кошечка! Солнышко!

Я постаралась не злиться. Ну сколько раз говорила себе: будь внимательна, не кидайся на звонок, сначала позаботься выяснить, кто звонит. Но сейчас я поступила как обычно и буду наказана за суетливость — на том конце провода Настя Ваксина.

— Ну что еще? — довольно нелюбезно спросила я.

— Только ты можешь меня спасти, — захныкала подруга.

Действительно, кто еще согласится выглядеть совершенной дурой в глазах Славика? Сначала я врала ему про идиотскую эсэмэску, затем выясняла режим стирки рубашки... Какова следующая задача? Славе предстоит научить меня вышивать крестиком?

— Так и знала, что ты согласишься! — закричала Настя, неверно истолковав мое молчание.

— Пока я даже не знаю, о чем речь, — слегка испугалась я. — Вдруг попросишь меня прыгнуть с парашютом?

— Господи! Ерунда, никаких усилий, даже приятно, — зачастила Настя. — Всего лишь нужно сделать твое фото. В нашей студии. С лучшим мастером. Потом снимки тебе подарим.

— Не поняла... — растерялась я.

— Боже, Лампа! Элементарно! У меня на фирме есть фотостудия, — объяснила Ваксина.

— И что?

— Ты прямо сейчас, сию минуту приедешь, и наш

самый талантливый суперпрофи Никита сделает парочку снимков.

— Зачем? — продолжала я недоумевать.

— Лампа, если не согласишься, я пропала! Славика пока нет в сети, он только вечером откроет почту. А ящик у него запаролен, шифр я не знаю. Катастрофа! Ужас! Ужас!! Ужас!!! Ты где находишься?

— На улице, — растерянно ответила я.

— Название! — потребовала Ваксина.

Абсолютно не понимая, что происходит, я посмотрела на табличку, украшавшую угол дома, перед которым расположился ресторанчик. Услыхав адрес, Настя пришла в восторг:

— Это перст судьбы! Рука ангела-хранителя! Он привел тебя буквально на порог нашей студии! Вставай и иди к дому номер семь, поднимайся на девятый этаж, мастерская сорок восемь. Не задерживайся, он скоро будет.

— Кто? — Я сделала еще одну попытку осознать происходящее.

— Лампа, если мы с тобой очутимся во время войны в окопе и вражеский снаряд упадет прямо к ногам, как ты поступишь?

— Постараюсь удрать как можно дальше, — честно ответила я. — Если, конечно, сохраню способность шевелить лапами.

— И бросишь подругу? — плаксиво осведомилась Ваксина. — Убежишь, забыв о Настеньке, которая без сознания лежит около чугунной чушки, набитой взрывчаткой? Спасешь свою жизнь, наплевав на чужую?

Я поперхнулась остатками кофе. Очень надеюсь, что судьба не сыграет со мной злую шутку и я никогда не окажусь в вышеупомянутой ситуации. И уж совершенно невозможно ответить искренне на вопрос Ваксиной. Оставлю ли я подругу около снаряда? Очень надеюсь, что нет, вспомню о нашей многолетней дружбе и попытаюсь спасти Настю. Но! Ваксина весит шестьдесят килограммов, поэтому шансов оттянуть ее в сторону у меня практически нет. Ну не погибать же двоим! Боюсь, я все же унесусь прочь. Своя шкура дороже.

— Так как? — обозлилась Настя. — Чего притихла?

— Извини, кофе допивала, — нашла я достойную причину своего молчания. — Естественно, подниму тебя на руки и унесу подальше!

Я не показалась вам бессовестной лгуньей? В конце концов, никто не ждет честного ответа на идиотский вопрос! Ну с какой стати нам с Ваксиной сидеть в одном окопе? Лучше всего, если к вам пристали с дурацкими расспросами, сказать то, что ожидает услышать задавший вопрос. В данном случае: «Я спасу тебя». Иначе Ваксина обидится на всю оставшуюся жизнь. Люди эгоисты, они искренне полагают, что в момент опасности вы кинетесь их спасать, забыв о себе. Но ведь маловероятно, что мы с Настеной очутимся под артиллерийским обстрелом! Подруга никогда не узнает правды!

— Вот сейчас такой момент наступил! — заорала Ваксина.

Я вздрогнула:

— Нас бомбят?

— Меня! Убьют! Скоро! Быстрее! — вопила Настя. — Хватит языком мотать, жизнь заканчивается!

Я вскочила, бросила на столик деньги за пасту, мороженое, кофе и галопом поскакала к соседнему зданию. По невероятной случайности фотостудия действительно находилась в паре шагов от ресторанчика.

После яркого солнечного дня в помещении оказалось темно. Еще тут пахло пылью, воском, дешевой парфюмерией и чем-то не особо приятным — то ли чесноком, то ли луком. Окон здесь не было (или они были задернуты темными шторами), явственно различался лишь письменный стол с включенной настольной лампой, круглое кресло, в котором сидела Настя, и потертый черный кожаный диван, дедушка российской мебельной промышленности.

— Слава богу, — выдохнула Ваксина, подскакивая при моем появлении. — Ну везуха, что ты оказалась рядом! Луч света в болоте! Раздевайся!

Я попятилась:

— Зачем?

— Нужно сделать фото! — заорала Настя и, вытянув вперед руку, щелкнула выключателем.

На секунду мне показалось, что в комнату ударила молния, настолько резким был внезапно вспыхнувший со всех сторон свет. Глаза мгновенно зажмурились. Потом я их осторожно приоткрыла и поняла: мастерская очень большая, вся она забита прожекторами разной величины и неописуемым хламом. В центре комнаты сооружен подиум, на нем стоит кровать, прикрытая красным шелковым покрывалом, под ним лежит некто, чья блондинистая голова покоится на подушке в гламурно-кружевной наволочке.

— Че? Уже приехали? — спросила башка, приподнимаясь.

Я вздрогнула и быстро села на диван. Похоже, фотограф времени зря не теряет. В принципе, он весьма удобно устроился: нет клиентов — можно поспать.

— Никита! — заорала Настя в телефонную трубку. — Идите сюда! Живо! Что значит — «только дожрем»? Модель пришла! Фу, с кем только работать приходится...

— Если они обедают, я пока подремлю, — прошептала голова. — Свет потуши!

— Кругом одни недоноски! — с отчаянием сказала Ваксина, но щелкнула выключателем.

На комнату упала непроглядная темень.

— То, что у человека жизнь рушится, никому не интересно, — продолжала Настя. — Давай, Лампа, стаскивай одежонку!

— Пока не объяснишь, что тут происходит, с места не сдвинусь, — уперлась я.

— Мне нужен твой снимок.

— Ладно. А где фотограф?

— Сейчас придет. Жрет в кафе, — сердито сказала Ваксина. — Ты пока стягивай джинсы.

— Зачем? Мне нужно переодеться?

— Нужна обнаженка, — потерла руки Ваксина.

Я заморгала.

— В смысле?

— Фото голой натуры.

— Чьей?

— Твоей!

Я обомлела:

— Ты заболела? За каким дьяволом тебе это понадобилось? Нет уж, извини! Вполне вероятно, что я вытащу тебя из-под обстрела, но сниматься голышом не стану ни в коем разе!

Ваксина внезапно зарыдала и стала изрекать маловразумительные фразы. Спустя некоторое время я разобралась в сути происходящего и испытала острое желание постучать головой подруги о ближайшую стену.

Фотостудия принадлежит фирме, где Настя служит пиар-директором. Это переоборудованная квартира, тут есть огромная комната, ванная, туалет и крохотная кухонька. Как главный рекламщик, Ваксина сама распоряжается апартаментами, она назначает время съемки, приглашает моделей и фотографов. Понимаете, как удобно иметь такую «хату», если хочешь повеселиться втайне от мужа? Вот Настя и использует эту возможность на все сто процентов. Ну зачем снимать номера в убогих гостиницах, таскаться по чужим дачам или приводить парня к себе? Неприятно и опасно. А в студии абсолютно спокойно, сюда ни одна живая душа без приглашения не заявится. Ключи есть лишь у Насти.

Сегодня утром она, разрулив ситуацию с рубашкой, решила снять нервное напряжение и позвала Романа на свидание. Парень приехал в студию, парочка поразвлекалась на широкой кровати, а потом любовнику пришла в голову не очень оригинальная идея:

— Слушай, как я раньше не догадался! — воскликнул Рома. — Тут же полно аппаратуры, небось есть и объектив в режиме «авто». Давай заснимемся вместе, а? Прикольно!

Насте его предложение показалось забавным. Ваксина вполне уверенно обращается с фотоаппаратами, а потому быстро их настроила, и парочка устроила порносессию. Потом Рома и Настя, хихикая, отобрали лучшие, на их взгляд, материалы. Роман прилег отдохнуть, а Ваксина решила поместить снимки в компьютер — в свой личный ноутбук, у нее там имеется секретная папка. Настена понажимала на клавиши студийного компа, увидела, что две самые лучшие композиции «ушли», хотела уже выключить ноутбук и похолодела. На экране высветилось, как и положено, окно: «Ваше письмо отправлено по адресу...» Настена ошиблась и выслала порноснимки любимому мужу!

— Ох и ни фига себе... — впечатлилась я.

Ваксина огорченно затрясла башкой.

— Работаю целыми днями, голова порой отказывает.

— Точно. Очень верно замечено, — согласилась я. — Представляю реакцию Славика!

— Сначала я впала в истерику, — прижала руки к

груди Настена. — Чуть не умерла! Конечно, Рома мне нравится — он красивый, страстный и так далее. Но я не собираюсь разводиться с мужем. Я обожаю Славика!

— Ясно, — кивнула я, — Рома лучший любовник, а Славик суперсупруг.

— Именно так, — обрадовалась Ваксина, — ты всегда меня понимаешь! Слава богу, мы одинаково смотрим на мир.

Я отвела глаза в сторону. Настена ошибается в отношении идентичных взглядов. У меня нет ни мужа, ни любовника, но я считаю, что если обожаешь одного парня, то второй уже вроде как и ни к чему.

— Села я на диван, — тоном народной сказительницы продолжала Настена, — решила не рыдать, а думать. Напрягла мускулы мозга и... нашла выход. Сейчас сделаем твои фотки с Ромой и отправим Славику. Вечером муж влезет в свою почту, найдет там серию, начнет задавать мне вопросы, и тут я хлопну себя по лбу со словами:

«Милый! Сбросила по твоему адресу рекламную съемку! Извини, моя почта не принимала. Лампа Романова и Нина Косарь заказали билборд для своего агентства, а я ради друзей готова на все. Помогла неудачливым детективам сэкономить. Вместо моделей сняли Лампушку и ее мужика». Если вспомнить ситуацию с эсэмэской, то стройно получается.

— Классно, — язвительно подхватила я. — Но три нюанса мешают считать дело завершенным. А: госпожа Романова не похожа на мадам Ваксину ни рожей, ни, прости, кожей. Славик мигом заподозрит обман. Б: я не хочу сниматься голой. В: не желаю, чтобы мои фото-обнаженки очутились в Интернете.

— Два последних аргумента чистая ерунда, — замахала руками Настя. — А насчет первого... Вот, смотри, какие снимки ушли к Славе: лиц практически из-за волос не видно, остальное сделает Никита. Скажешь, надевала парик на съемку. Сделали пару вариантов с фальшивыми волосами, потом в натуральном виде. Нужна-то всего пара карточек, на которых будет четко видна твоя физия. Это спасет мой брак! Славик поверит, он ведь вообще-то идиот, — умоляла меня Настя. — Выручи меня в последний раз, больше никогда не попрошу!

Я набрала полную грудь воздуха, чтобы сказать решительное «нет», и тут дверь студии распахнулась, в комнату вошли люди. Впереди вышагивал длинноногий парень с черными волосами, собранными на затылке в хвост.

— Привет, Настен, — загудел он. — Где, что, кого? Выдавай концепцию!

— Смотри, Никит, — Ваксина ткнула пальцем в экран компа.

— Угу, — закивал фотограф. — Модели?

— Одна перед тобой, — бойко отрапортовала Настя.

Взгляд Никиты переместился на меня.

— Эта?

— Да, — кивнула подруга.

— Модель для обнаженки? — слегка испугался мастер объектива. — Но она же старая!

— Еще вполне ничего! — обиделась я. — Песок не сыплется!

— Ты уверена, что хочешь снять пенсионерку? — проигнорировал меня Никита, глядя на заказчицу.

— У нас целевая аудитория, старперская, — нашлась Ваксина. — И вообще, кто платит за работу?

Фотограф поднял руки:

— Понял! Сделаем! Где партнер?

Вспыхнул свет. Роман сел в кровати и недовольно протянул:

— Пришли?

— Здорово, — равнодушно обронил Никита и потер руки. — Лады, начинаем!

— А ничего, что он страшный и волосатый, как суслик? — не выдержала я. — Претензии есть только к моему возрасту?

— Бабушка, — тоненько пропищали сбоку, — не выступай без дела, а то выгонят — бабла не заработаешь. В твоем положении надо молча за любую съемку хвататься. Сейчас не то что в твои юные годы, кругом полно восьмиклассниц с силиконовой красотой. Раздевайся!

— Здесь? — обалдела я.

— Ну не на улице же, — вздохнула худенькая девочка в джинсах, обладательница писклявого дисканта. — Поторопись!

— Тут народ!

— Где? — пожала плечами собеседница.

— Ну, в студии. И я ни с кем не знакома!

Девушка скорчила гримасу:

— Умереть — не встать. Ладно, знакомься: с чемоданом Макс, дальше Петя, Леша, Жорка, Игорь и Андрюха. У двери Антон и Миша, левее Федя, Сеня, Олег, Костя. Я — гример Маша. Все свои. Кого стесняться? Давай, не тормози, на тебя смотреть не будут.

— Совсем? — поежилась я.

Маша закатила глаза.

— Откуда ты взялась? Бабочка в пустыне! За фигом нам тебя разглядывать? Сделали работу и ушли. В первый раз, что ли?

Я кивнула.

— Прикольно, — усмехнулась Маша. — Дожила до старости и ни разу на обнаженку не попадала?

Я вновь замотала головой, Маша обняла меня за плечи:

— Расслабься. Они все педики. Им на баб положить и растереть. А я не лесбиянка. ОК? Обычное дело, типа съемки мебели. Представь, что ты комод. Йес?

— Как-то обидно ощущать себя изделием из дерева, — призналась я. — И про возраст неприятно. Я вполне молодая, стройная...

— Ты капризная, — перебила Маша. — Странно, что вообще попала в модельный бизнес. В вате последние десять лет пролежала? Теперь уже в двадцать три года вход везде закрыт. Старость не радость, а тебе повезло. Билборд! Деньги! Слава! Приведешь внуков к щиту, ткнешь в рекламу скрюченным пальцем и похвастаешься: «Глядите, детки, какая я. Вот как зажигаю!»

— Мне до внуков еще лет двадцать! — возмутилась я.

— Фу, надоела! — выдохнула Маша. — Все ей не так! Я не нанималась к капризулям психоаналитиком. Ниче ей не нравится, ни мебель, ни внуки. Ладно, у гинеколога когда-нибудь была?

— Конечно, — осторожно кивнула я.

— Он че, для тебя мужчина? — уперла руки в боки Маша.

— Нет, просто врач.

— О! — обрадовалась гримерша. — И они просто гинекологи: Степка, Макс, Игорь, Костя, Никита, Андрей, Мишка, Федька и та обезьяна в кровати. Все, как один, доктора, да еще голубые! Полегчало? Скидывай шмутяру, штукатуриться будем...

Я молча стала расстегивать джинсы. Ну почему с завидной регулярностью я попадаю в идиотские ситуации? Следовало бы развернуться и уйти, оставив Настю разбираться с этой бригадой голубых, а я почему-то подчиняюсь обстоятельствам. Слушаюсь напористую гримершу. Ей-богу, мне до сих пор никогда не приходилось иметь дело с десятью гинекологами одновременно. И сексуальная ориентация парней не аргумент, с виду-то они смотрятся самыми настоящими мужчинами. Вот ведь попала!

Глава 23

Самое интересное, что Маша оказалась права. Никто из съемочной бригады не обратил на меня никакого внимания. Женщина, вылезающая из одежды, совершенно не заинтересовала снующих вокруг парней, каждый из которых занимался своим делом.

Маша схватила большую губку, налила на нее нечто светло-коричневое и начала быстро меня «намыливать».

— Это зачем? — полюбопытствовала я.

— Тон, — кратко ответила девушка, — убираем неровности и явные уродства.

Судя по количеству грима, последних у меня оказалось в избытке.

— Особо не елозь, — напутствовала меня Маша, укладывая в постель, — а то поправлять придется. И еще, очень прошу: не капризничай, не зли Никиту и Настю. А то нас тут до утра продержат, а у меня сынишка в саду. ОК?

— Угу, — мрачно ответила я.

— Вот и ладненько, — повеселела Маша и ушла во тьму.

Я полежала пару секунд молча, потом решила, что нужно познакомиться с человеком, с которым по воле обстоятельств я очутилась в одной койке, и сказала:

— Добрый день, меня зовут Лампа.

— Роман, — лениво отозвался сокоечник. — Сделай одолжение, отодвинься подальше, ты какая-то противно липкая.

— Это грим, — пояснила я.

— Все равно, — уперся нахал.

— А от тебя несет чесноком, — отомстила я.

— Недавно пообедал, — сообщил он.

— Мог бы зубы почистить, — не успокаивалась я, — или жвачку, в конце концов, купить. И как только Настя с тобой спит!

— Ей нравится! — заявил Роман. — А тебя не спрашивают!

— Вообще-то мы в одной постели, — напомнила я.

— Я не звал тебя сюда, — прошипел любовник подруги. — В страшном сне не пришло бы в голову запихнуть к себе под бок зубочистку.

— Смею заверить, что я тоже никогда не увлекалась павианами, — зашипела я. — Знаешь кто ты? Обезьяна в мохере!

— В чем? — взвизгнул Роман. — Настя! Эта твоя девка, блин, дура!

— Уже познакомились? — обрадованно откликнулась Ваксина. — Вот и хорошо. Никита, строй композицию!

— Чтобы я еще раз согласился на такое! — простонал Роман. — Чем от тебя несет? На какой помойке духи отрыла?

— Отодвинь ноги, а то у меня ощущение, что у тебя на пальцах когти, — я отвесила наглецу ответный «комплимент». — Педикюр делать не пробовал?

— Я не гей! — гордо заявил мужик. — Вот еще, ногти полировать...

— Аккуратный гомосексуалист лучше вонючего натурала, — сообщила я.

— И чего ты с ним делать будешь? — захихикал Роман. — Нюхать?

— Вижу, вы уже подружились, — потер руки Никита. — Этта суперски! Не люблю, когда модели ругаются. Итак... Вау! Лицо! Машка, где морда?

Мы с Романом растерялись, а Настя закричала:

— Лампу не гримировать! Нам нужна узнаваемость!

— Извини, милая, — снисходительно заявил Никита, — но ее лицо ни в какой билборд не годится. Разве на рекламу фильма ужасов. Глаза косые, нос набок, рот... Ну слов не подобрать!

Рома счастливо заржал.

— Хватит! — разозлилась я и, забыв про то, что лежу голая, откинула одеяло.

— Целлюлит я влегкую фотошопом уберу, — мгновенно отреагировал фотограф. — Но рожу...

— У меня нет апельсиновой корки! — возмутилась я.

— А это? — хором воскликнули парни, тыча пальцами в мои ноги.

— Грим потек, от одеяла стерся. Все! Ухожу! Прощайте!

— Ступай, — не испугался Никита. — Ща свистну — сорок девок приедет на замену.

— Нет! — заволновалась Настя. — Перестаньте ругаться. Лампа! Рома! Ну же, подумайте обо мне... Я на грани гибели! Делаем совсем краткую сессию. Никита, строй экспозицию!

Я вернулась на место, процесс пошел, указания посыпались со всех сторон:

— Положи на него ноги...

— Обними парня...

— Так, больше страсти...

— Эй, где у нее грудь? Где? Где?

— Дома оставила, — не выдержала я, — надеваю бюст только по воскресеньям.

— Прикольно, — кивнул Никита. — Машка, неси накладки.

Вы не поверите, но вполне аппетитный бюст размера этак третьего мне соорудили из воздушного шарика, который потом приклеили скотчем к ребрам.

— Никогда не спал с резиновой Зиной, — Роман не упустил момента меня подколоть.

— У тебя все впереди, — не осталась я в долгу. — Знаешь, чем старость отличается от хорошего обеда?

— Нет, — вполне искренне ответил кавалер.

— На банкете сладкое подают последним, а в старости тебя ждут совсем не пирожные, — фыркнула я. — Еще обрадуешься кукле из секс-шопа!

Роман ущипнул меня за живот, я взвизгнула и лягнула мужика.

— Ну-ну, потише! — велел Никита. — Не спешите трахаться, вот уедем, и веселитесь тут.

— Эй, вы чем там занимаетесь? — занервничала Настя.

— Молчать! — заорал фотограф. — Снимаю! Фу, гадость. Где страсть? Отчего у любовников кислые рожи? Вы там клизму ставите? У вас же оргазм! Начали... Дерьмо! Ну все, я с непрофессионалами не работаю. Насть, глянь... баба лежит, словно ей зубы чинят, а мужик совершенно без огня. За какой радостью тебе эти идиоты? Ща звякну Ленке с Мотькой, они тут так зажгут — койка задымится.

— Мне нужны эти двое, — с отчаянием протянула Ваксина.

— Делаем рекламу лесопилки? — на полном серьезе осведомился фотограф. — Секс двух бревен?

— Лампуша, постарайся! — чуть не зарыдала Настя. — Тебе нравится Рома?

— Нет, — честно ответила я. — Он волосатый, воняет чесноком, хамит, щиплется, а теперь еще и вспотел.

— Ради меня полюби его хоть на пять минут. Пожалуйста! — захныкала Ваксина.

— А мои чувства никого не колышут? — обозлился Рома. — Сама попробуй держать в объятиях скользкую бабу, которая безостановочно мотает языком. Она липкая! И дура!

Подруга закатила глаза:

— Когда гроб с моим телом поедет в печь крематория, не забудьте вспомнить, кто толкнул Настеньку в могилу!

— Я сдаюсь, — простонал Никита. — Если кто-нибудь объяснит этим двум идиотам, как себя вести в койке, готов накормить психолога обедом.

— Сладенький мой, — зажурчал черноволосый парень, приближаясь к Роману, — я тебя понимаю, с бабами невыносимо, но...

— У меня ребенок в садике, — зашептала мне в ухо подскочившая Маша, — не будь сукой, изобрази страсть!

— Не умею, — буркнула я.

— Что ты любишь? — поинтересовалась Маша.

— Ну... многое...

— Вот и представь себе самое-самое приятное, — взмолилась гримерша, — забудь о волосатом павиане. Ну же, попытайся! Все равно Настя не отвяжется, у нее менталитет клеща.

Я закрыла глаза и попыталась сосредоточиться. Что мне нравится больше всего? В мозгу развернулась картинка: лежу на кровати в саду, в Мопсине. Рядом на столике стопка новых, еще не читанных детективов, тарелка с клубникой, коробка шоколадных конфет... Тихий ветерок едва колышет крону деревьев, тепло, но не жарко. В доме пусто, и я абсолютно точно знаю: никто до вечера не приедет. Сегодня выходной, дела завершены. А кто там выходит из-за кустов? Ба, это Рамик и Рейчел, они тянут за собой тележку, доверху набитую пачками денег, из кучи торчит табличка: «Дорогая Лампа, тут хватит на мебель и на все твои желания. Теперь можешь работать не за оклад, а ради интереса...»

— Снято! — заорал Никита.

Я очнулась:

— Все?

— Ведь можете, когда захотите, — сказала Настя. — И чего кривлялись? Лампа, хочешь глянуть?

Я, не обращая внимания на протестующие вопли Романа, схватила одеяло, завернулась в него и подошла к компьютеру. Да уж, снимок получился замечательный. На кровати спиной к публике лежит Роман, голова его слегка откинута и повернута вбок, рот растягивает сладострастная улыбка. Я лежу рядом, забросив на красавчика голую ногу, воздушный шарик до противности похож на шикарную натуральную грудь, по лицу гуляет ухмылка счастливой кретинки. Наверное, Никита нажал на затвор как раз в тот момент, когда мне пригрезилась телега с деньгами.

— Спасибо, — шепнула Настя, — ты меня спасла. Славик поверит.

— А здорово вышло, — сказал Роман, появляясь за спиной любовницы, — я очень красивый.

Внезапно меня охватило любопытство.

— Слушай, а ты о чем подумал в момент съемок?

— О бутылочке пива, — искренне ответил Рома. — Представил себе ее, такую запотевшую, холодненькую...

Я молча схватила протянутое Машей бумажное полотенце и, забыв про стыд, начала стирать грим с тела. Нет, все-таки мужчины — простейшие, одноклеточные организмы. Вот мне, например, привиделась многокрасочная картина: дом, раскладушка, книги, конфеты, деньги на мебель и прочие расходы. Мои мечты яркие и разнообразные, а у Ромы — пиво. Фу!

Радуясь, что ужасное приключение закончилось, я села в свою машину, вынула мобильный и набрала номер Сули.

— Але, — отозвалась студентка.

— Как дела? — спросила я.

— Шоколадно, это кто?

— Плеер не сломался?

— А, привет! Пашет зверем, — заверила меня Суля.

— Отлично! — бодро воскликнула я. — Хочешь цифровой фотоаппарат?

В трубке на секунду повисла тишина, потом девушка воскликнула:

— Вау! Давай!

Я усмехнулась. Суля неподражаема. Очевидно, она никогда не слышала расхожего выражения про бесплатный сыр и мышеловку.

— Где встретимся? — заглотила наживку девчонка.

— К метро «Молодежная» мне ехать не с руки, — ответила я.

— Я сама сейчас не дома, по магазинам шляюсь.

— В каком именно месте находишься?

— Да просто по улице топаю, на витрины пялюсь. Во мегамаркет «Лира».

— Отлично, — обрадовалась я, — знаю, где он находится, ехать недалеко. Жди, цифровой фотоаппарат спешит к тебе со всех колес.

Суля сидела в одном из многочисленных ресторанчиков фастфуда, коими был забит последний этаж здоровенного универмага.

— А где фотик? — расстроилась она, уставившись на мои пустые руки.

— Пока еще в магазине, — улыбнулась я.

— Ты меня обманула!

— Нет, дорогая, наоборот. Вручила Суле плеер, а взамен получила ложь. Странно, что аппарат еще работает, по идее он должен был у обманщицы сломаться!

— Я ничего не соврала, — заморгала Суля.

— Ты любила Фиру?

— Она моя лучшая подруга... была, — промямлила девушка.

— Думаю, ты лжешь.

— Да че пристала? — со слезами в голосе воскликнула студентка. — Сама брехать здорова, нагнала про фотоаппарат. Они у всех наших в группе есть, я одна без хороших вещей. Фирка хоть изредка себе что-то позволить могла, на классный сотовый накопила. А мне фига!

Я заморгала, в голове внезапно сложился новый пазл. Вот ведь глупая, не заметила сразу очевидных фактов! Но начну сначала.

— Полагаю, Фира была тебе безразлична, — с презрением произнесла я.

— Она мне родней сестры! — заверила Суля.

— Тогда почему ты не хочешь, чтобы нашли ее убийцу?

Студентка отшатнулась:

— Фирка умерла.

— Верно.

— Сама!

— Нет, ее убили, — мрачно сказала я.

— Кто? — прошептала Суля. — Почему?

— Хочу, чтобы ты ответила на эти вопросы.

— Я?

— Да.

— Я ваще без понятия! — попыталась сопротивляться Суля. — Всем сказали про инфаркт.

— Где Фира взяла деньги на покупку обуви?

— Ну... э... накопила.

— Ты же говорила, что незадолго до смерти подруга жаловалась на вороватых дочек мачехи.

— Суки! Сперли заначку! — сжала кулаки собеседница. — Фирке купальник хотелось, раздельный, типа как у...

— А рубли на сабо? — перебила я Сулю. — Фира умерла в момент покупки обуви.

— Ну... в долг взяла, — нашлась врунья.

— У кого?

— Не знаю!

Я закинула ногу на ногу:

— Откуда у тебя мобильный Фиры?

— Она мне его подарила сама, лично!

— И осталась без трубки?

— Э... ну...

— Хочешь расскажу, как обстояло дело? — ехидно улыбнулась я. — К Фире подошел человек и предложил за хорошую сумму положить перед квартирой Ветровых письмо. Домработница недавно лишилась заначки, до зарплаты ей негде было взять денег, поэтому она обрадовалась возможности заработать. Так?

— А че плохого? — плаксиво протянула Суля. — Чепухня, всего-то и надо было конвертик бросить. Никто бы на Фирку и не подумал. Она его перед своим уходом домой пристроила. Ей тетка объяснила: в нем нет никаких порошков или взрывчаток, лишь записочка с детской считалочкой, ни угроз, ни шантажа. Сказала Фирке: шутка старых приятелей.

— Милый розыгрыш, — согласилась я. — Сама заказчица в дом не пошла, не захотела светиться перед охраной. Но если бы Ветровы задумали найти того, кто подбросил письмо, они бы непременно вышли на Фиру, — констатировала я. — Там же кругом камеры.

— Ха! — выкрикнула Суля. — Фирка-то не дура была! Вышла из квартиры, закрыла все, к лестнице пошла, служебной. Там неподалеку есть мертвая зона, охрана ничего не видит в том углу, все про нее знают, Фирка там всегда курила. Подруга на четвереньки встала, письмо в зубы и назад поползла. Суперски придумала!

— Интересно, — кивнула я.

Суля приободрилась.

— Фирка же раньше с Геркой жила. Помните, я рассказывала? Его папа главный электрик, он Фирку за невестку считал, в «Парадиз» пристроил и о всяких технических примочках сообщил. Их хозяин Баларов идиот. Охраны натыкал! Но, если захотеть, ее легко обмануть можно. Камеры так висят, что только верх человека видно, а присядь — и нету тебя.

— Недоработка, — согласилась я.

— Вот Фирка ею и воспользовалась, — закончила Суля. — Ничего ж плохого, это шутка!

Глава 24

— Думаю, этим дело не ограничилось, — продолжала я. — Фира сообразила, что получила за услугу очень мало, каким-то образом нашла ту тетку и потребовала еще денег. Так? Она пошла на встречу с дамой, а ты находилась рядом, снимала на мобильный Фиры беседу. Так? У тебя был простой аппарат, без наворотов, который может лишь звонить, а Фира накопила на дорогой вариант, с камерой. Вот почему она вручила тебе свой сотовый. Вопрос, отчего Фира его назад не забрала?

Глаза Сули наполнились слезами.

— Она умерла. Я стояла около магазина обуви, ждала...

— Постой! — перебила я. — Давай сначала. Как Фира нашла ту тетку?

Суля пожала плечами:

— Она мне утром позвонила и сказала: «Приходи к Ветровым, хозяев до обеда не будет». Ну я и поперла.

— Погоди! Что значит: «Приходи к Ветровым»? Кто тебя в «Парадиз» пустит?

Студентка засмеялась:

— Ну прямо цирк в огнях! Говорю же, все богатые — идиоты, а их охрана еще глупее. Мы с Фиркой систему разработали: как ее хозяева на работу упрутся, я в гости прируливаю. Не каждый день, конечно, так примелькаться можно, а два-три раза в месяц.

— И как ты проникала в здание?

Суля ухмыльнулась.

— Через гараж. На центральном ходе дураки с пистолетами, а на подземной стоянке никого. Туда только с брелоком попасть можно, поэтому Баларов решил на гоблинах в форме сэкономить.

Я молча слушала Сулю, поражаясь нелепости организации охраны суперэлитного дома. Баларов сам отбирал жильцов, устроил им жесточайший кастинг, натыкал камер, завел лифт с карточками, набил дом прислугой и охраной, но не учел, что аппаратура имеет мертвые зоны, и не подумал о гараже.

Хитрые студентки легко обманывали охранников. Суля спокойно ждала у въезда в гараж. Рано или поздно к воротам подкатывала машина — обслуживающий персонал тоже ставит свои тачки под землей, поэтому долго куковать Суле не приходилось. Ворота поднимаются и опускаются медленно, автомобиля уже и след простыл, а створка все еще ползет вниз. Уехавший шофер и не видел, как маленькая фигурка подныривала под грохочущую железку.

Очутившись в гараже, Суля шла по правой стене: знала, что там очередная мертвая зона. Фира украла для подруги форменную одежду, которую Суля приносила с собой.

Облачившись в темно-синие тряпки с надписью «Служба «Парадиз», студентка направлялась к черной лестнице. Она не боялась быть пойманной — уборщиков в доме тьма, они работают сменами, друг друга в лицо не знают, а форма делает человека как бы невидимкой. Пару раз Суля сталкивалась с разными людьми, обслуживающими дом, и никто не выказал удивления.

Очутившись на нужном этаже, Суля звонила Фире по телефону, горничная отпирала дверь, студентка, встав на четвереньки, преодолевала лестничную клетку и оказывалась в роскошных апартаментах Ветровых. Девушки развлекались как могли — купались в шикарной джакузи, пробовали духи и косметику хозяйки, пили кофе, лакомились деликатесами. Оттянувшись, Суля уходила тем же путем. Замечательное времяпрепровождение, просто СПА-клуб.

— Вот только телика у них не было, — частила Суля. — Ну вообще никакого, даже самого маленького. У хозяина глаза болели. Фирка говорила, он все время капли в них заливал, врач запретил на экран пялиться. Музыку он слушал старперскую, тупую, со скрипками. Ну ни одной записи приличной группы не купил, чтобы там про любовь! Странные такие люди встречаются...

— Неужели хозяйка ничего не заподозрила? — изумилась я.

— Нет, — хмыкнула Суля.

— Но в ванной уменьшалось количество косметики, из холодильника исчезали продукты... Я бы непременно удивилась.

— Ты нищая! — с презрением заявила Суля. — Небось у тебя одна бутылочка с гелем в душе. А знаешь, сколько у той мадам средств? Вагон! Она почти каждый день новые упаковки притаскивала. Вскроет крем для тела, чуть выдавит и отставит в сторону — то ли запах ей не понравится, то ли вид. Екатерина и не помнила, сколько у нее чего есть. Там одной губной помады магазин, не пересчитать тубы! А с продуктами... Они дома мало ели, ну разве завтракали. Ветрова харчи покупала в самом дорогом супермаркете, одни деликатесы брала: хапала семгу, осетрину, белугу, причем всего сразу. Ее бы мой отец за такое ведение хозяйства прибил! А сожрут два ломтика, и все, остальное быстро испортится. Рыба ведь, хоть и из крутого магазина, все равно тухнет. Ну и приказывала хозяйка Фирке: «Убери с полок дрянь, я сегодня свежее привезу». Ни разу не проверила, в мусор домработница хавку швыряет или с собой уносит. В первый месяц Фира у нее спрашивала, куда девать, допустим, печенье со старой датой. А та вздыхала и буркала: «Выброси». Но однажды заорала: «Отстань с ерундой! Сама разбирайся!» Фира и прекратила дергать Ветрову, стала меня в гости приглашать.

— Ясно, — кивнула я. — Ты лучше расскажи о записке и о той тетке!

Суля сложила руки на груди.

— Мы с Фиркой сидели у Ветровых в гостиной. Я кофе пила, она журнал разглядывала. Вдруг как заорет: «Вау! Она!» Я чуть не подавилась капучино...

— Кто? — спросила Суля.

Подруга ткнула пальцем в одну из небольших фотографий, украшавших страницу издания.

— Вот, смотри. Это та самая женщина, которая мне письмо дала, чтобы на половик положить.

— Ты уверена? — с сомнением спросила Суля.

— Стопудово, — заверила Фира. — У меня память на лица золотая! Она хоть и попыталась внешность изменить, да узнать можно. Уж больно яркая — волосы цыганистые, родинка между бровями. Она ее, когда со мной встречалась, тоном замазала, но такую отметину гримом не скрыть, вот она и выступила. А главное — сумка, настоящая «Марго». Я ее сразу узнала. Читала в журналах, видела на картинках, но в жизни лишь один раз встретила — у той бабы. Представляешь, она мне письмо дает, я беру, и тут фифа как взвизгнет: «Эй, поосторожней! Ты мою сумку рукой задела! Небось не знаешь, какая это ценность. Запомни, перед тобой подлинная «Марго». Винтаж. Хоть понимаешь, о чем идет речь?» Ну я ей и ответила: «Уж не тупая, читаю нужную литературу, сразу сумку узнала». И тут она успокоилась, заулыбалась, будто довольная, что хорошо поела. Слушай, она ж, значит, дико богатая! Из нее можно денег вытрясти!

— Так тебе кто-то и даст, — засмеялась Суля. — Небось тетка с охраной ходит.

— Найду ее телефон и позвоню! — азартно воскликнула Фира.

— Где найдешь-то? — вытаращила глаза Суля.

Подруга закрыла журнал и потрясла им в воздухе:

— В этой редакции Олеська Кислова из нашего класса работает, она на журфаке учится! Доперло?

— Кисловой везуха, — завистливо протянула Суля, — родители правильные попались, поэтому ей и журфак, и работа денежная, и машина собственная. Не то что мы — на юбку полгода собираем.

— Не ной, — оборвала Фира. — Я все придумала! Олеська мне телефончик мадамы достанет.

— Ерунда, — не успокаивалась Суля. — Ну, предположим, Кислова вспомнит, как ты за нее — не бесплатно, между прочим, тебе ж приплачивали — во время дежурства по школе лестницу мыла, и отроет номерок. И чего ты тетке скажешь?

Фира прищурилась.

— Она-то мне говорила, мол, в письме шутка, пусть Ветровы посмеются. Вот я и подумала: в конверте и правда ничего особенного, детский стишок, отчего бы мне денег не заработать? Но только хозяева занервничали...

Суля вдруг примолкла. И я в нетерпении воскликнула:

— Ну, дальше?

Девчонка снова принялась рассказывать.

Фиры в тот момент, когда Ветровы нашли конверт, не было в квартире. Горничная явилась утром, а супруги уже встали, чем удивили домработницу. Обычно они еще спали, когда Фира приходила на работу. Первой на кухне всегда появлялась Катя — брала чашку с кофе и уходила в свою ванную. Затем выбегал Олег и требовал свежезаваренный чай. Но в тот день, едва Фира осторожно приоткрыла дверь в апартаменты, до нее донесся нервный голос хозяина:

— Это он! Больше некому!

— Успокойся, — ответила Катя, — это просто глупая шутка.

— Чья? — громко спросил Олег. — Явно его! Сукин сын! Мерзавец!

— Милый, — нежно сказала Катя, — он же на операции, ты сам мне говорил.

— Эка сложность из больницы гадость сделать, — кипятился Ветров. — Решил мне нервы мотать, намекает на то, что киллера наймет.

— Да нет, солнышко, ерунда, — снова попыталась успокоить мужа Ветрова, — дурацкая шутка.

— Чья? — крикнул Олег.

Фира стала снимать обувь и уронила одну туфлю. В квартире мигом повисла тишина.

— Кто там? — через пару секунд спросила Катя.

— Это я, — живо ответила Фира. — Доброе утро!

Когда домработница вошла на кухню, она обнаружила хозяев, которые пили кофе под аккомпанемент радио.

— Под утро какие-то идиоты начали пускать петарды, — зачем-то стала оправдываться Катерина. — Разбудили нас в шесть, заснуть не удалось, вот мы и пришли сюда, включили приемник, а он радиоспектакль передает, детектив. И как люди их слушают? То стрельба, то скандал!

Жалкие попытки Ветровой соврать, что разговор, который услышала Фира, на самом деле являлся сценой из спектакля, только еще больше насторожили домработницу. Никогда раньше Катерина по утрам не проявляла интереса к радио, она вообще редко включала его. И потом, из динамика лилась какая-то заунывная музыка, явно не сию секунду начавшаяся. Да и голоса Ветровых прислуга узнала. Значит, записка являлась не такой уж невинной шуткой, она сильно напугала Олега...

— И Фира нашла телефон? — уточнила я.

— Ага, — кивнула Суля. — Позвонила мне и сказала: «Я была права. Тетка так занервничала! Пообещала завтра в десять раз больше бабок дать».

Выпалив последнюю фразу, Суля замолчала.

— Дальнейшее ясно, — вздохнула я. — Фира решила использовать ситуацию. Хотела, чтобы ты засняла даму на мобильный, предполагала шантажировать ее.

Суля обхватила себя за плечи.

— Нет, никакого криминала!

— Зачем тогда фото?

— Э... просто... для прикола.

— Ладно, — я решила не настаивать на своей версии. — Ну и как разворачивались события в тот день?

— Фирка дала мне свой мобилу, велела встать у ларька с мороженым, откуда хорошо виден магазин «Обувь», — методично начала загибать пальцы Суля. — Они там встретиться договорились. Тетка настаивала на какой-то даче, предлагала Фирке приехать хрен знает куда, но Кинг ей конкретно сказала: «Нашла дуру! Только в центре, на людях». И предложила обувной магазин у метро.

— И дама согласилась?

— А куда ей было деваться? — фыркнула Суля. — Фирка прямо намекнула: «Знаю все про письмо! Оно не шутка, я в курсе истории».

— Какой? — не поняла я.

Суля опустила левый угол рта.

— Никакой, она просто так ляпнула. У них интересный разговор с теткой вышел. Фира поняла, что дело нечисто, а значит, надо понахальнее действовать, тогда хорошо заработает, ну и выдала текстуху: «Зря люди считают, что их секреты похоронены. Но все тайное становится явным. Утопишь скелет, а он возьмет и всплывает. Ничто нельзя под толщей времени похоронить, рано или поздно вылезет». Красиво?

— Мда, роман, — крякнула я.

— Точно! — обрадовалась Суля. — Тоже читали? Я Фирку предупредила, вдруг тетка ее фанатка, узнает текст, а Кинг заржала: «Че, она все абзацы помнит?»

— Извини, не понимаю, о чем ведешь речь, — удивилась я.

— Фирка те слова из книги Смоляковой слямзила, там один мужик из другого деньги выжимает, — пояснила Суля, — Фирке понравилось, и она мне сказала: «Хорошо изложено, убедительно. Так что незачем велосипед изобретать, я ей текст по книжке выдам».

— Образованная девушка твоя Кинг, — пробормотала я. — Ловкая и оборотистая, прямо талант.

— А баба, услыхав те слова, перепугалась, у нее даже голос сел, — неожиданно улыбнулась Суля. — Сразу согласилась в «Обувь» прийти.

— И что?

— Обманула, — выдохнула Суля. — Мы пораньше притопали, чтобы она меня не заметила...

Я обратилась в слух. Очевидно, в паре подружек моя теперешняя собеседница была ведомой, более слабой и откровенно глупой.

Фира приказала подруге занять пост у ларька, сказала:

— Ту бабу ни с кем не перепутаешь. Настоящая цыганка — черная, кудрявая, а губы как у Анджелины Джоли. Она в магазин войдет, ты ее щелкни, потом мы вместе выйдем — снова засними. Не проворонь! А я пока пойду в «Обувь», прикинусь покупательницей, что-нибудь примерять стану.

Суля довольно долго проторчала на стреме, но

никого, даже отдаленно похожего на описанную подругой даму, не видела. Павильон не пользовался успехом, в него никто не рвался, вошла лишь темноволосая кудрявая женщина с кучей детей, но на чадолюбивую мамашу Суля не среагировала. Нужная баба должна была прийти одна. Ну а потом к лавке подкатила «Скорая», приехали менты...

Суля потупилась и замолчала.

— У меня возникли вопросы, — нахмурилась я.

Собеседница исподлобья глянула на меня.

— Ну?

— Отчего бы Фире не назначить свидание с объектом шантажа на улице? Там полно людей, при большом скоплении народа как-то безопаснее себя ощущаешь, и тебе было бы легче работать фотографом.

— Фирка предлагала встретиться у метро, но тетка уперлась: «Только в помещении, можешь выбрать на свой вкус». Вот Кинг и предложила магазин. Он хоть и на ходу, но народу там не особо много.

— Хорошо, это мы выяснили. Теперь второе. Неужели Фира за один день нашла телефон незнакомки?

— Нет, — спокойно ответила Суля. — Кинг позвонила Олеське во вторник, а та ей в среду номер сообщила.

— Тогда не вяжется!

— Что?

— Когда Фира бросила конверт на половик?

— В четверг вечером. И тогда же тетка с ней расплатилась.

— А фото в журнале в какой день недели увидела?

— В следующий понедельник.

— Вот!

— Чего-то не пойму я вас, — вздохнула Суля.

— У Фиры исчезла значка?

— Ага. Я ж говорила: мачехины дочки сперли, — подтвердила девушка.

— Наученная горьким опытом студентка, получив плату за шутку, сразу ринулась в магазин?

— Ну да! Понятное дело, не хотела и этих бабок лишиться. Ее сводные сестрицы натуральные крысы.

— Но по времени не получается! Дама расплатилась за подброшенный конверт в четверг, а в «Обувь» Фира пришла через неделю.

— И чего?

— Продавщице Фира пожаловалась на воровство. Зачем она ждала семь дней?

Суля вскинула брови:

— Фирка сразу в четверг в бутик ринулась и приобрела купальник. Прямо в тот же день.

— А на какие шиши она собралась сабо покупать?

Суля пожала плечами:

— Ей же тетка деньги принести обещала, Фирка на них и рассчитывала. Померила бы обувь, отложила, если подойдет, поболтала с богачкой, получила бабло и расплатилась. Супер бы вышло!

— Но продавщице Фира говорила про воровство, — тупо повторила я. — Создалось впечатление, что девушку обокрали накануне, поэтому мне и пришла в голову мысль, что она еще где-то получила некую сумму. Твоя подруга сказала торговке: «Мне неожиданно перепали бабки, не хочу, чтобы их тоже стырили».

Суля выпрямилась.

— Ой, спину ломит, — по-старушечьи вздохнула девушка. — Фирка никак про упертые рублики забыть не могла, всем жаловалась, даже незнакомым людям. Я ей сказала: «Хорош стонать, глупо выглядишь». А она в ответ: «Обидно же! Столько времени собирала, а они стибрили, и не виноватые. Если отец наказать их не захотел, то мне рот мачеха не заткнет. На всех углах говорить буду, что они воровки».

Я молча смотрела на Сулю. Действительно, почему я решила, что Фира пришла в «Обувь» на следующий день после того, как лишилась заначки? Меня ввела в заблуждение жалоба девушки на вороватых дочек новой жены отца, в голову не пришло, что рана уже не свежая. Фира оказалась из породы злопамятных людей.

— Все? — занервничала Суля. — Где фотоаппарат? Больше мне нечего рассказывать.

— Сейчас получишь, — кивнула я. — Объясни мне еще, почему ты торчала за ларьком и не пошла в магазин, когда прошло много времени?

— Фирка велела до ее выхода не дергаться, — пожала плечами Суля, — приказала ждать. Ну я и послушалась. Кто ж знал, что у нее сердце больное.

— У тебя есть телефон Олеси Кисловой?

— Не-а, — жалобно ответила Суля, — она со мной не дружит.

Глава 25

С редакцией того самого журнала я связалась через пять минут после прощания с Сулей. Нежный девичий голосок на мою просьбу позвать Олесю Кислову очень вежливо ответил:

— Она в отпуске, приступит к работе через двенадцать дней.

— Дайте ее мобильный телефон! — в азарте потребовала я.

Послышалось тихое покашливание, потом секретарь очень корректно мне отказала:

— Мы не уполномочены сообщать личную информацию.

— Девушка, — взмолилась я, — дело очень, просто невероятно важное!

— Олеся проводит медовый месяц в Испании, — прозвучало в ответ, — она отключила сотовый.

Я капитулировала. Но не в моих привычках покорно складывать лапки, даже если ситуация кажется патовой. Следующий звонок я сделала Фатиме Бекоевой.

— Слушаю, — отозвалась она.

Я приуныла — похоже, Бекоева тоже находится на отдых, фоном в трубке был плеск воды и детские крики. И спросила на всякий случай, почти без надежды услышать утвердительный ответ:

— Ты в Москве?

— Привет, Лампуша, — вроде бы вполне искренне обрадовалась Бекоева. — Да, мучаюсь в городе. Главный отвалил в Норвегию, захотелось ему из жары в холод. Повесил на меня весь воз, и ту-ту. А почему ты интересуешься?

— Мне показалось, ты отдыхаешь.

— Точно, — согласилась Фатима. — Нахожусь в яхт-клубе. Место супер, около МКАД.

— Где? — поразилась я. — Ты катаешься на яхте по кольцевой автомагистрали?

Бекоева рассмеялась.

— Ну можно и так сказать, хотя, конечно, звучит по-дурацки. Есть тут одно милое местечко, исключительно для своих, посторонним о рае возле ада ничего не известно. Но ты ведь звонишь не для того, чтобы о гламурных пляжах узнать?

— Долго собираешься загорать?

— Ну... да! А что?

— Мне очень нужна твоя помощь.

Фатима издала непонятный звук, то ли стон, то ли всхлип.

— Извини, Лампуша, но я невероятно устала. Сегодня отбирала вещи для съемок, и просто беда. У меня аллергия на кролика, а его, длинноухого, как назло, во все коллекции насовали. Шубки, шапки, варежки, опушки у свитеров... Повсюду мерзотный заяц, и то, что его раскрасили в разные цвета, дела не исправило. Я обчихалась, наелась таблеток и сейчас реанимируюсь с яблочным кальяном. Никуда ехать не могу, прости. Даже ради тебя!

— Мне только поболтать с тобой надо, — взмолилась я.

— О чем?

— О сумке «Марго».

Фатима помолчала, потом с изумлением переспросила:

— О сумке «Марго»? Ты собралась ее покупать? Лампа, извини, конечно, но она стоит очень дорого. Лучше обрати внимание на коллекцию Леси Ковач. Оригинальные изделия, вполне доступные и...

— Фатя, — перебила я Бекоеву, — если я прикачу на твой гламурный пляж, уделишь мне полчасика? Двигаться тебе не придется, шевелить надо будет только языком.

— Валяй, — милостиво согласилась журналистка, — сейчас закажу пропуск...

Зимой по столичным шоссе трудно передвигаться из-за гололеда. Сколько бы ни обещали городские власти чистить дороги, отчего-то у них это плохо получается. В особенности ужасная ситуация складывается на МКАД. Магистраль имеет рельеф синусоиды: то подъем, то спуск, и едва асфальт покроется тонкой корочкой изморози, как здоровенные фуры начинают буксовать. Летом же проехать по кольцу, опоясывающему город, мешает огромное количество легковушек с иногородними номерами — начинается сезон отпусков, и в столицу слетаются туристы со всех уголков России. Не все имеют хорошие машины, кое-кто рулит в ржавых повозках. Но даже «Жигули», выпущенные с конвейера двадцать лет назад, если за ними нормально ухаживать, вовремя менять масло, ремонтировать, будут довольно бойко служить вам и в старческом возрасте. Но увы, очень многие автолюбители относятся к своим «коням», как фашисты к пленным. Видела я мужчин, которые заводили мотор отверткой, всунутой в замок зажигания, и знаю парня, который управляет «дворниками» при помощи длинного ремня. Стоит ли удивляться, что при повышении температуры и небольшой пробке весь этот металлолом начинает кипеть? В результате МКАД встает насмерть. А что главное в пробке? Сохранять спокойствие, иначе можно сойти с ума. Надо найти для себя нечто утешающее. Вот я сейчас, пробираясь черепашьим шагом в давке, тихо повторяю:

— Все не так плохо. Слава богу, сегодня не конец августа и не тридцатое декабря. Перед началом учебного и в канун Нового года из дома лучше не высовываться...

Наконец я добралась до места. Поставив машину на стоянку, я миновала пост охраны, где бдительно проверили мой паспорт, завернула за небольшое серо-желтое здание и остановилась в восторге. Москва закончилась, начался Тунис, Кипр, а может, Марокко или Гоа. Перед глазами возник огромный бассейн, вокруг него белели лежаки, на которых загорали симпатичные девушки, сплошь блондинки. Чуть поодаль виднелись разноцветные шатры, от воды доносились счастливый детский визг и не менее радостный собачий лай. Я пригляделась и обнаружила в бассейне штук пять детей младшего школьного возраста, двух йоркширских терьеров, лабрадора и толстого мужика, который возлежал на матрасе посреди малышово-псовой стаи и увлеченно читал какой-то журнал. От-

чего-то по бортику не носились взбалмошные тетки с
негодующими воплями:

— Уберите животных, они съедят наших детей!

Похоже, местная публика толерантна к домашним любимцам. Не только к своим, но и чужим.

— Ваш номерок, — прошептали сзади.

Я, успев расслабиться, испуганно ойкнула и обернулась.

— Простите, простите, мне нужно знать, куда вас
провести, — зачастил парень в форме матроса. —
У вас лежак?

— Я ищу Фатиму Бекоеву.

— Сюда, пожалуйста, не споткнитесь, левее, ее ша-
тер номер шесть. Вот там, видите? Вас отвести? Хотите чаю? Кофе? Коктейль? Купальник? Халат? Тапки?
Сколько полотенец? Ужин подать? Меню сейчас
принесут, — безостановочно спрашивал «матрос».

Подавленная фантастическим сервисом, я добралась до разноцветной палатки и нашла внутри на
топчане Фатиму в окружении пустых вазочек из-под
мороженого и бокалов с краями, обсыпанными са-
харным песком.

— Ложись, — Бекоева лениво ткнула пальцем в
пустой шезлонг. — Эй, Серега, принеси моей подруге
весь набор.

— Я за рулем! Коктейль пить не буду!

— При чем здесь коктейль? — засмеялась Фатима. —
Почему сейчас не можешь халат надеть? Жарко же!

— Твоя правда! — вздохнула я. — Просто райское
место.

— Ох, боюсь, недолго оно им останется, — простонала Бекоева. — Видела у воды девок? Уже сюда
начали проникать! Ну да ладно, не стоит переживать
по поводу того, что еще не произошло. Давай, выкладывай. А вот и халатик! Супер! Натягивай!

Я взяла одеяние из махровой ткани и, стаскивая

джинсы, стала вводить Бекоеву в курс дела. По мере моего рассказа с лица Фатимы сдувало улыбку. В конце концов она села, отодвинула от себя кальян и сказала:

— Гала Коротич.

— Прости? — не поняла я.

Фатима взяла чашку, допила кофе и повторила:

— Гала Коротич. Это она черноволосая, смуглая, на цыганку похожа. И с родинкой. Мало кто знает, что она на самом деле Галина Короткова, продавщица из города с поэтичным названием Урыльск. Но я-то со своей профессией обязана понимать, с кем имею дело. Хотя, знаешь, если честно, когда я выяснила правду, была поражена — Гала интеллигентна, умна, вроде бы образованна. Впрочем, в светской тусовке мало что изменилось со времен Пушкина. Не ручаюсь за точность цитаты, но, кажется, звучит так: «Вот наш Онегин на свободе, острижен по последней моде; как денди лондонский одет — и наконец увидел свет. Он по-французски совершенно мог объясняться и писал; легко мазурку танцевал и кланялся непринужденно. Чего ж вам больше? Свет решил, что он умен и очень мил». Ничего не изменилось! Ничего! Понимаешь? Если ты хорошо одета, умеешь поддержать беседу, являешься женой значимого лица или владелицей собственного бизнеса, то легко сделаешь карьеру в тусовке, станешь желанной гостьей повсюду, твое фото попадет на страницы журналов. Похоже, твоя тетка с сумкой «Марго» — Гала Коротич. Хочешь узнать всю правду про мадам?

— Фатя! — подпрыгнула я. — Начинай скорей!

Время появления Галы в Москве Фатима точно назвать не могла. На тот момент, когда Бекоева стала писать о светских дамах, Коротич уже утвердилась в московском обществе. У дамы был салон по пошиву одежды, Гала представлялась модельером, и первая

встреча Фати с ней состоялась во время одного
фэшн-показа, в котором принимали участие и модели, одетые в платья от Коротич.

Бекоева обладает безупречным вкусом и не менее
безупречным воспитанием, а мусульманские тради-
ции, которые чтут в ее семье, никогда не позволяют
Фатиме откровенно демонстрировать презрение по
отношению к творениям других людей. Журналистка
всегда мило улыбается людям, но однажды, увидав
тюлевые занавески, обильно обсыпанные пудовыми
стразами, жуткие одеяния под названием «Коллекция царицы», на секунду потеряла лицо и выдохнула:

— Варварское великолепие.

— Это же Коротич, — шепнула сидевшая рядом
девица — ходячая реклама мировых брендов. — Знаете, откуда она?

— Первый раз вижу ее работы, — призналась Фатя. — Я недавно пишу для журнала, только начинаю
заниматься модой.

Девушка понимающе кивнула и перешла на «ты»:

— Разберешься. Коротич, по слухам, работала на
дороге, обслуживала дальнобойщиков, один шофер и
привез ее в Москву. Гала вроде сначала у трех вокза-
лов стояла, ну а потом... вот... Модельер!

Фатима не поверила незнакомке, но потом услышала историю Коротич еще раз десять, и, в принципе, все рассказывали одно и то же: Гала была прости-
туткой, которой повезло подцепить богатого человека, вора в законе. Его давно убили, но перед смертью
он успел купить Коротич бизнес, и сейчас бывшая
ночная бабочка блистает на светских вечеринках.

Бекоева не наивна, она знает, что не у всех светских персонажей безукоризненное прошлое. И даже
наоборот, у большинства нынешних львов и львиц
оно весьма сомнительное. Чуть поковыряешься в
биографии, поинтересуешься, чем занимался вон тот
олигарх в начале девяностых, или спросишь, что де-

лала этак году в девяносто пятом шикарно одетая мадам, владелица бутика, и тут же выяснишь: мужик носился по Москве с автоматом в руках, а красавица торговала у метро апельсинами. В каждой стране есть темные страницы истории. Америка началась с переселенцев, бывших каторжников, которым не нашлось места в старушке Европе из-за пагубных склонностей к воровству, мошенничеству и убийствам. А российский бизнес вырос из бандитских девяностых.

Фатима не испытывала к Гале ни малейшей брезгливости. В конце концов, что отличает проститутку от светской девицы, живущей за счет спонсора? Но и дружбы с Коротич Бекоева не водила. Женщины мило улыбались друг другу, сталкиваясь на мероприятиях, перебрасывались парой слов, вот и все их общение.

Журнал, в котором служит Бекоева, является российским аналогом иностранного издания, и поэтому из штаб-квартиры, находящейся в Париже, частенько спускают темы для статей. Как-то хозяин холдинга захотел напечатать материал о Джоне Варвиано под названием: «Сумки «Марго» популярны и в России». Фатима углубилась в тему и сделала кучу интересных открытий. Оказывается, лет сорок назад известная тогда советская актриса Зоя Варина обладала целой коллекцией «Марго». Муж Вариной был талантливым ученым, гением математики, его часто приглашали на различные международные конференции. Советское правительство не запрещало Феликсу Варину разъезжать по зарубежным странам. Более того, академик получал денежные премии и гонорары за изданные там труды. Несмотря на то что Варин отдавал львиную долю дохода в казну государства, Зое хватало на украшения и шубки. Актриса считалась одной из самых шикарно одетых дам своего времени и собирала сумки «Марго», о которых простые граждане СССР и слыхом не слыхивали.

Фатима попыталась проследить судьбу ее коллекции. Выяснилось, что Зоя и Феликс Варины давно умерли. У них имелся сын, но он скончался в молодом возрасте от болезни. Может, Бекоева и перестала бы копаться в событиях давно минувших дней, но хозяин издания потребовал выполнения задания, приказав главному редактору в Москве:

— Мне нужна статья о винтажных изделиях Варвиано в России. Ищите и найдете. Если материал не будет напечатан, я поставлю вопрос о вашем соответствии должности. Журналист обязан уметь нарывать интересные факты.

Главред в свою очередь наорал на Фатиму, вот почему она усиленно искала, куда подевались сумки Вариной.

Как работает человек, ищущий информацию? Расспрашивает окружающих, закидывает частую сеть, а потом подтягивает ее к себе и рассматривает улов. Увы, бедняжке Фате не везло. Она обнаружила кучу современных «Марго», за небольшую мзду купила у сотрудников бутика клиентскую базу и стала звонить модницам. Ни одна из них не отказала Бекоевой во встрече, блондинки и брюнетки охотно хвастались ридикюлями, но они имели современные сумки, очень дорогие, но, так сказать, новодельные.

Не успела Бекоева ощутить себя мышью, поданной на обед удаву, как ей позвонила одна из продавщиц бутика Варвиано и воскликнула:

— Фатима, я слышала, вы ищете винтаж?

— Да, — уныло ответила журналистка.

— «Змея» подойдет?

— Вы шутите... — замерла Фатима. — Речь идет о той самой, бог знает когда закрытой серии?

— Похоже на то, — подтвердила девушка. — К нам сегодня пришла одна тетка. Не из наших покупательниц, из простых. Мы даже подумали сначала, что она дверью ошиблась. Представляете изумление управляющего, когда эта вумен попросила оценить сумочку...

Лишь природная вежливость и профессиональная выучка не позволили мужчине ответить:

— Ломбард расположен в соседней арке, пройдите по улице пару метров, там принимают барахло на комиссию.

А может, хозяин бутика просто не успел ее отшить — тетка очень быстро вытащила из необъятной спортивной кошелки пакет с логотипом дешевого супермаркета и уже из него достала... «Марго» из серии «змея».

Управляющий вскрикнул. Его можно понять — меньше всего он ожидал увидеть перед собой раритет, стоящий немереных денег.

На вопль начальника сбежался весь бутик, торговцы засыпали тетку вопросами, основным из которых был: откуда у нее раритет?

Дама честно сказала, что кожаная сумочка принадлежала ее матери, стоматолога по профессии, пояснив:

— Мамочка купила ее лет тринадцать-пятнадцать назад у женщины, которой понадобились деньги. Скажите, это правда ценная штука? Возьмете ее на комиссию? Я бы хотела знать, сколько она стоит...

— Вы записали координаты посетительницы? — пришла в себя Фатима.

— Конечно, — засмеялась информаторша. — За небольшую плату предоставлю вам и ее телефон, и адрес.

Глава 26

Не чуя под собой ног от радости, Бекоева кинулась к Валентине Петровне Никитиной — так звали счастливую обладательницу «Марго». А там взмолилась:

— Умоляю, разрешите сфотографировать сумку для журнала! Вы же хотите продать аксессуар? После нашей публикации вещь сильно вырастет в цене. Если поможете мне, я окажу дружескую услугу вам, не будет нужды идти в магазин и отдавать тридцать процентов за комиссию. Приведу покупательницу прямо сюда, в Москве есть пара-тройка женщин, *способных* приобрести уникум.

Валентина Петровна обрадовалась и рассказала Фатиме историю аксессуара.

Анна Семеновна, мать Вали, имела обширную сеть клиентов — хорошего стоматолога охотно рекомендовали друзьям. Врач много зарабатывала, покупала золото, брильянты, а один раз приобрела сумку, сказав дочери:

— Это уникальная вещь.

— Ерунда какая-то, — протянула Валечка, — лучше бы ты сережки с изумрудами приобрела.

— Дурочка, — снисходительно усмехнулась мать, — тебе скоро тридцать стукнет, а хоть бы чемнибудь серьезным интересовалась... Тогда бы знала — этот предмет дороже многих подвесок.

Валя не поверила маме и, когда та через пару месяцев скончалась, не тронула сумку. Валентина любила погулять, потанцевать и, что греха таить, выпить, поэтому она стала распродавать *собранные* матерью ценности: картины, украшения, посуду, столовое серебро. В конце концов она заболела, попала в больницу, вышла оттуда «в завязке», дав себе слово более не употреблять алкоголь, и поняла — жить ей не на что. За вечными пьянками Валя забыла об учебе, денег ей хватало, собрание матери казалось неисчерпаемым. Но если постоянно черпать воду, высохнет любой колодец. Валентина впала в уныние, обыскала антресоли и нашла сумку «Марго». Дальнейшее известно.

Фатима заскрипела зубами. В голове журналистки уже сложился план убойной статьи под названием «Нелегкая судьба «Марго», но для того, чтобы материал стал бомбой, ей не хватало информации.

— Имя той дамы, которая продала вашей матери сумку, конечно, неизвестно? — безнадежно спросила Фатима.

Валентина усмехнулась, подошла к секретеру и вытащила из него потрепанный блокнот.

— Мамуля была зануда, — пояснила она, — хранила чеки, в смысле бумажки. Я после ее смерти полезла документы разбирать, и нашла гарантию на патефон, приобретенный в начале пятидесятых годов прошлого века. Все свои покупки мама тщательно регистрировала в записной книжке. Я не выбросила ее, оставила на память. Смотрите, тут по алфавиту, буква «с».

Фатима, не веря своему счастью, открыла страничку и прочитала:

«Сумка старинная, «Марго», будет дорожать с каждым годом. Купила у Галины Коротковой». Рядом другими чернилами было приписано — «Гала Коротич».

Бекоева ринулась к Коротич. Сначала она соврала модельерше о своем желании написать про ее коллекцию, потом спросила:

— Вы случайно не знакомы с Галиной Коротковой из Урыльска?

Бывшая проститутка замерла, потом, стараясь сохранить спокойствие, сказала:

— Если это шантаж, то он не имеет смысла. Моим клиентам все равно, откуда я прибыла в столицу. Великолепно знаю, что обо мне болтают!

Бекоева уточнила:

— Вы на самом деле Короткова? Имя «Галина» сократили до «Галы» и слегка изменили фамилию?

— Хватит прикидываться! — отмахнулась Коротич и перешла на деловой тон: — Говори конкретно, что надо. Желаешь расписать в красках мою биографию? Интервью на тему прошлого я не даю. Ври обо мне, как все.

— Меня интересует сумка, — пришла в себя Фатима.

— Какая? — удивилась Гала. — Я их не шью!

— «Марго». Ты продала ее много лет назад одному стоматологу.

— Ах это... — после секундного молчания засмеялась Коротич. — Имел место такой случай. Захотела я из ямы вылезти, бизнес поднять — идей-то в голове крутилось много! Но с финансами был напряг. Поэтому я и рассталась с сумкой. Та стоматолог, как я теперь понимаю, ушлая тетка была, обманула глупую девушку, ниже низкой цену назначила. Но я не в обиде, сама виновата, нужно было как следует все разузнать. Ох и прожженая баба была! Записала мои паспортные данные. Знаешь, между прочим, именно она мне псевдоним придумала. Я-то совсем наивная тогда была. А чего ты хочешь от девки из Урыльска? Ну и пока стоматолог сумку изучала, я все планы перед ней выложила: она мне заплатит, я двух мастериц найму, блузок нашью и торговать стану. От таких откровений врачиха стала хохотать, ну и научила меня уму-разуму. При покупке, конечно, обдурила, но одновременно и помогла мне, посоветовала: «Имя Галина Короткова звучит плебейски, лучше назовись «Гала Коротич». В паспорт к тебе не полезут, а у кого надо, сразу ассоциация с женой Сальвадора Дали возникнет. Никогда никому правду об Урыльске не сообщай. Вернее, то, что ты из провинции, не отрицай, но про желание поступить в институт и про школу, оконченную с золотой медалью, помалкивай. Людей привлекает эпатаж! Проститутка с дороги, кото-

рую нашел на трассе и полюбил бизнесмен-коопера-
тор, бывший вор в законе, вот это история Бонни и
Клайд! Ромео и Джульетта времен перестройки!»

— Значит, ты... — окончательно растерялась Фатима. — Э... э...

— Та же врачиха за небольшую мзду свела меня с
мужчиной, которому требовалось привлечь к себе
внимание, — невозмутимо продолжала Гала, — думаю, он тоже дантисту лавэ отстегнул. Вот уж кто
умел деньги из ничего делать, так это Анна Семеновна! Но тебе мой путь наверх, наверное, неинтересен.

— Откуда у тебя сумка? — задала основной вопрос Фатима. — Я не из желтой прессы, скандальны-
ми публикациями не занимаюсь, должна написать
статью об изделиях Джона Варвиано в России. Понимаю, что тебе мои проблемы безразличны, но все же
скажу: издатель грозит мне страшными карами, если
я не напишу о московских винтажных раритетах.

Гала издала смешок.

— Ну почему же мне все равно? Можем договориться: я тебе выдаю классную историю про «Марго»,
а ты в благодарность тиснешь большой материал о
моей коллекции. Бартер!

— Согласна, — кивнула Бекоева.

— Тогда слушай... — сказала Гала.

Галина Короткова, девочка из многодетной семьи, рано поняла, что счастья в жизни надо доби-
ваться собственными руками, а порой и зубами. На
вечно пьяных родителей надежды не было. И школьница впряглась в учебу. В голове у нее сложился
план: выбраться из Урыльска, приехать в Москву, за-
крепиться в ней, получить диплом, найти отличную
работу, заработать кучу денег... В четко прописанном
сценарии не было глав про мужа и детей. Галина, все
детство и отрочество качавшая многочисленных брать-

ев и сестер, получила мощную прививку от семейной жизни.

С медалью в кармане Галя прибыла в Москву и... ухитрилась не поступить в институт. Золотая награда давала право на льготы при поступлении в вуз, но Короткова была наивна, она не ознакомилась с условиями вступительных экзаменов, не знала, что будущие конструкторы одежды непременно должны пройти творческий конкурс, на который надо представить рисунки. В общем, девушку не пустили дальше комнаты приемной комиссии.

— Возвращайтесь домой, подготовьтесь, и на следующий год ждем вас, — сказала противная очкастая тетка, повертев в руках аттестат Гали.

Мысль о том, что она снова увидит Урыльск, ужаснула Короткову. Бывшая выпускница побрела по Москве, ноги завели провинциалку в какой-то глухой район. Галя устала, хотела есть и пить. Ей негде было переночевать. Она приуныла, и тут в босоножку попал камень. Девушка оперлась о стену, сняла обувь, выбросила досадную помеху и увидела прямо перед носом объявление: «Ищу домработницу с проживанием». Галя сорвала бумажку и пошла искать указанную улицу. Представляю, как сейчас укоризненно качают головами умудренные опытом женщины. Наивная, молоденькая девушка могла попасть в беду. Но нет, в квартире, куда позвонила Короткова, ее встретила дурочка одного возраста с Галиной.

Восемь месяцев Галя ухаживала за крохотной Леночкой, а потом в гости к Нате, хозяйке, приехал из Киева ее родной брат Остап. И Короткова влюбилась.

Весь четко составленный план будущей биографии пошел прахом. Остап поклялся Гале в верности, снял ей квартиру и сказал:

— Осенью поженимся.

Жизнь превратилась в сплошной праздник. Остап носил ей букеты охапками, конфеты килограммами, а когда Галя заикнулась, что не может поехать с ним на море, потому что надо поступать в институт, твердо заявил:

— Моя жена не должна работать. О каком вузе ведешь речь? Дети — вот главное!

И Галя радостно подчинилась Остапу. Наташа, правда, пыталась предостеречь бывшую няню:

— Брат словно спичка, резко вспыхивает и мигом гаснет.

Но Галина не слушала ничьих слов.

В августе Остап уехал в Киев.

— Надо подготовить родителей, — сказал он и исчез на месяц.

Сначала Галя не волновалась, потом забеспокоилась и поняла: ни киевского адреса, ни тамошнего телефона будущего мужа она не знает. Пришлось звонить Нате. Бывшая хозяйка замямлила нечто невразумительное:

— Остап? Ну... не знаю... вроде... у него того, свадьба...

— Точно, — засмеялась Галя, — он поехал с мамой поговорить. Это у нас свадьба намечается.

— Она уже состоялась, — ляпнула Ната.

— Когда? — не поняла Галя.

— Позавчера, — прошептала Наташа.

Галина растерялась.

— Ты путаешь. Я же здесь! Остапу не с кем в загс идти, мы планируем торжество на начало зимы.

— Говорила я тебе, что он козел! — вспылила Наташа. — Короче, Остап женился на Ванде. Их родители давно сосватали, но мой брат долдон — его Ванда с другой поймала и выгнала. Наша мама рассвирепела и в Москву сыночка выперла. Мамахен у нас умная, верно рассудила: Ванда, если красавчика долго не увидит, остынет, соскучится, и все миром уладится. Так и получилось.

— И ты все знала? — прошептала Галя.

— Я предостерегала тебя, да кое-кого перемкнуло! — заявила Ната.

— Остап женат?

— Да! Лучше забудь про него, — безжалостно отрезала бывшая хозяйка. И тут же предложила: — Если хочешь, возвращайся на работу.

Галина бросила трубку. Жить не хотелось. О том, чтобы вновь ухаживать за чужой малышкой, едва не ставшей ей племянницей, было страшно подумать. Год прошел зря, в институт она, поверив Остапу, не поступала. Со съемной квартиры ее в ближайшее время выгонят...

Галя распахнула окно, но шагнуть вниз не отважилась. Веревки в доме не нашлось, тупыми ножами вены не перережешь. Оставалось одно, и девушка съела все лекарства, найденные в аптечке: аспирин, анальгин, какие-то маленькие голубые таблетки, большие желтые пилюли, запила «коктейль» настойкой боярышника и рухнула в постель, предварительно отперев дверь — не хотелось, чтобы милиция сломала створку.

Очнулась Галя в клинике, около ее палаты сидела зареванная Ната. Несостоявшаяся родственница, поговорив с жертвой Остапа, испугалась, поехала на съемную квартиру и нашла Короткову в бессознательном состоянии.

Поправлялась Галя долго. В больницу, где она лежала, свозили людей с нарушениями психики. С Коротковой в одном отделении лежало много девиц, которые пытались уйти из жизни. Потом, правда, они называли себя дурами и исправно выполняли указания врачей.

Галю тошнило от соседок, слушать их разговоры

было невыносимо, поэтому она уходила в местный парк и, пользуясь хорошей погодой, сидела там на скамеечке. Через какое-то время Галина познакомилась с юношей по имени Гриша. Он лежал в том же корпусе и был не совсем адекватен. Григорий писал стихи, видел наяву ангелов, беседовал с ними, но казался совершенно безобидным и даже милым. На третий день знакомства Гриша сказал:

— Ты моя муза. Давай поженимся.

— Нет! — вздрогнула Галя. Но, увидев огорченное лицо парня, добавила: — Я старше тебя, а это неправильно.

Дав себе обещание больше никогда не гулять в той части парка, Галина ушла на свой этаж.

Через сутки в палату заглянула шикарно одетая дама и спросила:

— Кто из вас Короткова?

— Я, — ответила Галя и отложила журнал.

— Можете выйти? — попросила незнакомка.

Короткова накинула халат и двинулась в коридор.

— Меня зовут Зоя, я мать Гриши, — представилась женщина.

Галя опешила.

— Как вы меня нашли?

— Вас Гришенька искал, — улыбнулась Зоя. — Он влюблен!

— Я не виновата, — ответила Галя, — не кокетничала с вашим сыном.

— Конечно, — кивнула Зоя.

— Не приставала к нему.

— Охотно верю.

— Попала в больницу из-за своего парня и не готова к новым отношениям!

Зоя взяла ее за руку.

— Галочка, Гриша очень болен.

— Я поняла, — пожала плечами девушка.

— Не только морально, но и физически. У него беда с кровью, жить мальчику осталось пару месяцев, — продолжала Зоя.

— Бедняжка, — от души пожалела парня Галина. — Сколько же ему лет?

— Почти тридцать, — мрачно ответила мать.

— А выглядит как школьник, — изумилась Короткова.

— Это болезнь, — вздохнула Зоя. — Ущербная психика отражается на внешности и поведении. Хотя ты права, по уму Гришеньке лет тринадцать. И он впервые испытал сильное чувство. Сделай мне одолжение.

— Какое? — напряглась Галина.

— Ты меня не узнала?

— Нет. А должна была? Мы знакомы?

— Фильмы «Побег в небо», «Атлас любви» или «Танец с гитарой» видела?

Короткова заморгала.

— Не-а.

— Так проходит мирская слава... — философски отметила дама. — Моя фамилия Варина, я в тех лентах играла главные роли.

— Извините, — потупилась Галя, — не довелось посмотреть.

— Конечно, когда был жив мой муж, академик Феликс Варин, я могла бы тебя озолотить, — сказала Зоя, — но и сейчас делаю неплохое предложение: есть однокомнатная квартира, она оформлена на Гришу и достанется его вдове. Идет?

— Вы о чем? — отшатнулась Галя.

— Ты из провинции?

— Верно.

— Ни работы, ни денег нет?

— Ну, так.

— Куда пойдешь после выписки?

— Не знаю.

— На что жить станешь?

— Понятия не имею, — честно призналась Галина.

— А я тебе помогу! Выходишь замуж за Гришу и...

— Нет! Он же идиот! — испугалась Галя. И тут же спохватилась, забормотала: — То есть... простите, конечно... я не хотела вас обидеть...

— Ничего, деточка, — прошелестела Зоя, — какие уж тут обиды.

— В мои планы не входит замужество, — отбивалась Галя.

— А иметь квартиру в Москве ты разве не хочешь? — иезуитски спросила Варина.

— Да, хочу, — закивала Галя, — это было бы решением части моих проблем.

— Вот и подумай как следует, — настаивала Зоя. — Я мать, люблю своего сына. Понимаю, что ему по уму едва ли тринадцать, знаю, что счет его жизни пошел на месяцы, и не хочу страданий для Гриши. Он влюблен, мечтает на тебе жениться. В моих интересах подкупить тебя жилплощадью. Ради сына я готова на все! С другой стороны, тебе повезло: с мужем недолго проживешь, до зимы Гриша не дотянет. Да и нельзя назвать ваш союз полностью состоявшимся — секса не будет, Григорий очень болен. Ну поцелуешь его пару раз... Он и не понимает ничего насчет секса, ему достаточно около тебя сидеть, за руку держать, и все.

— Но если он в таком состоянии, загс откажется его расписывать, — отметила Галя. — Умственно отсталые не создают семью.

— Ты согласна! — возликовала Зоя. — О формальной стороне вопроса не беспокойся, я все устрою наилучшим образом.

И Галя стала супругой Гриши. В качестве свадебного подарка Зоя преподнесла невестке сумку «Марго», предварительно рассказав провинциальной девочке о том, что собой представляет презент.

— У меня их несколько, муж дружил с семьей Варвиано, ее члены обожали мои фильмы. Мда, пролетела жизнь, как дым над крышей... — вздыхала Варина. — Никогда над вещами не тряслась, не хранила в шкафах шубы, кольца с брильянтами, все носила в свое удовольствие.

Гриша, несмотря на тяжелую болезнь, прожил целый год, потом тихо умер. Галя получила квартиру и свободу...

— Ох и ничего себе! — покачала головой Фатима, выслушав ее историю. — Прямо роман. Я могу твою биографию рассказать? Издатель забьется в корчах от счастья!

— Конечно, — согласилась Гала. — Только не забудь упомянуть про мою коллекцию одежды. Впрочем, если я умру до выхода статьи, пиар не понадобится, у меня наследников нет.

Бекоева умолкла.

— И ты опубликовала материал? — полюбопытствовала я.

Фатима взяла мундштук кальяна.

— Выйдет через пару месяцев, номер в печать уже сдан. Гала будто напророчила! Я сначала, как мы и договаривались, написала про ее коллекцию, а когда трагедия случилась, побежала к главному, и мы приняли решение статью изъять, чуток переделать и дать позднее. Пойдет под заголовком «Любовь и сумка». Читатели обрыдаются.

— Ты переписывала статью?

— Отчасти.

— Почему?

Бекоева уставилась на меня.

— Лампа, ты газеты читаешь?

— Нет, мне некогда, — призналась я. — И не люблю нашу прессу. Вечно пугают простой народ то голодом, то кризисом, то дефолтом, то атомной войной. Предпочитаю в свободное время детективчик полистать.

Фатима глубоко затянулась, выпустила изо рта кольцо дыма и сказала:

— Гала умерла. Сердечный приступ. Весной случился, в мае.

Глава 27

Перед тем как отправиться домой, я заехала в супермаркет, купила пачку макарон «Макфа» и все необходимое для приготовления «спагетти по-милански». Сейчас сделаю вкуснятину и наконец отдохну.

Но во дворе нашего дома стояли баклажановые «Жигули». Я глянула на развалюху и сразу поняла, что в Мопсино прибыла «сладкая парочка»: Гоша и Костян. Фирма, осуществлявшая поставку кухонных гарнитуров, не обманывала клиентов, сборщики прикатили вешать новые дверки. Значит, отдохнуть не придется

Собак в холле не было, я сняла туфли и босиком прошлепала в столовую, где стала свидетельницей братания мужиков и псов.

— Лошадки мои суперские... — напевал Костян. — Рейчсобака, хочешь морковку? Она коням полезна.

Стаффиха не отказывается ни от какой пищи, поэтому корнеплод приняла с благодарностью.

— Рамиктоже, не обижайся, и для тебя есть сувенирчик, — загундел Гоша, вытаскивая вторую морковку. — Не сомневайтесь, мы все помыли, почистили, как себе готовили.

— А котикам мы мышек прихватили! — бурно радовался Костян. — Персики, сюда, сюда!

Цокая когтями, мопсы подлетели к сборщикам мебели. Впереди, как всегда, неслась Капа, и на ее складчатой морде появилось выражение здоровой собачьей жадности. Больше всего мопсиху интересовал ответ на вопрос: «А что мне дадут? Сыр? Изюм? Печенье?»

Огибая стол, Капуся слегка замешкалась, и ее на повороте обошла бойкая Ада. Муля ухитрилась сохранить царственную величавость и была на финише третьей, последней пришлепала Феня, которой давно пора сесть на диету. Неделю назад я взвесила нашу «дюймовочку» и обнаружила, что та весит ровно шестнадцать килограммов. Пудовый мопс — это, согласитесь, уже слишком.

— Думаю, Фене подошла бы фамилия Пудовкина, — отметил тогда Кирюша, глядя на стрелку, застывшую у цифры «16».

Поэтому сейчас я поспешила вмешаться в ситуацию:

— Пожалуйста, не кормите мопсов сладким!

— Нет, нет, — замотал головой Гоша, — кошаки, они капризные, мы знаем. Им искусственные мышки. Держите, мои крошечки, играйте!

Муля брезгливо понюхала игрушки, укоризненно глянула на мужчин и ушла. Феня была более категорична: выражая возмущение, она зафыркала, потом, гордо вскинув голову, продефилировала в гостиную и, судя по напряженному сопению, донесшемуся оттуда, попыталась взгромоздиться на подоконник. Ада и Капа уставились на мышей, потрогали их лапами и вопросительно посмотрели на сборщиков.

— Эх, говорил тебе, следовало им мячики с колокольчиками купить, — расстроился Костян. — Похоже, фальшивые грызуны кошакам не по вкусу.

— Так мы начнем сборку? — спросил у меня Гоша.

— Сделайте одолжение, — сказала я.

Потом поднялась на второй этаж и поскреблась в дверь к Лизе.

— Чего? — оторвалась от ноутбука девочка.

Я улыбнулась. Мебели у нас практически нет, члены семьи спят пока на надувных матрасах, а у Лизаветы нет даже табуретки. Но компьютер — это святое. Первое, что попросили дети, перебравшись в Мопсино, — подключить Интернет. Я, правда, попыталась сопротивляться и здраво заметила:

— Денег у нас в заначке не так много, лучше приобрести стиральную машину.

— Зачем? — возмущенно заорала Лизавета.

— Вещи стирать, — ответила я.

— Глупости! — решительно возразила девочка. — Руками постираем, а вот без Интернета никуда.

— Откуда рефераты качать? — подхватил Кирюша.

— И ответы по математике? — добавила Лизавета.

— Не поддерживаю человеческую лень, но в данном случае я на стороне младшего поколения, — вклинилась в беседу Юлечка. — Почту ведь надо получать! Иначе мы окажемся в изоляции.

— А я уже привык лазить по вечерам по блогам, — признался Сережка. — Это расслабляет после работы. Такую чушь люди пишут! Почитаешь, и настроение поднимается.

Вдруг занервничал и Костин:

— Что же получается? Мне больше поиграть не удастся?

— Ты увлекся «стрелялкой»? — удивилась я. — Но она у тебя и без Всемирной паутины загрузится.

— Да нет, там много людей, битва с врагами, — слегка смутился майор, — у нас целая армия. Короче, тебе не понять, но я поддерживаю Лизавету. Стиральная машина вовсе не предмет первой необходимости. В конце концов, можно в прачечную сбегать.

— Кстати, мне очень удобно переписываться с коллегами, — неожиданно вставила Катюша. — В одну секунду вчера получила историю болезни из Новосибирска!

Я капитулировала, и нам проложили необходимый кабель.

— Есть проблема? — раздраженно поинтересовалась Лиза. — Господи! Кто внизу так стучит?

— Шкафчики вешают, — вздохнула я. — Надеюсь, сегодня обойдется без эксцессов. Сделай одолжение, открой мою почту.

Пальцы Лизаветы забегали по клавиатуре.

— А ведь кто-то был активно против Интернета, настаивал на стиральной машине, — зловредно напомнила девочка. — Ну и чем бы она тебе сейчас помогла? Вон, вытаскивай из принтера листки и оцени прогресс.

Я взяла распечатки и пошла к себе. Иногда чувствую себя существом из первобытного мира, этакой помесью неандертальца с птеродактилем, которая привыкла шкрябать ручкой по странице, украшенной вензелями, а потом бросать послание в почтовый ящик. Я предпочитаю общаться с приятелями лично, а не посредством всяких там «асек». Но, следует признать, в плодах прогресса масса полезного — вот сейчас я получила от Николаши Маркова данные на Ветровых и Яценко.

Из-за отсутствия стола я разложила бумаги прямо на своем надувном матрасе, вытащила из сумки заранее припасенный пакет с орешками, разорвала упаковку и начала читать документы. Нет, все-таки сейчас жить намного лучше, чем двадцать лет назад. В те годы мне бы не удалось приобрести любимые кешью, а если предположить на секунду, что сей раритет тогда появился бы в магазине, то пришлось бы стоять за ним пару суток в очереди, потом колоть скорлупу неудобными щипцами... Ладно, займемся делом.

Сначала Олег Ветров. Так. Родился, учился... Однако интересно, у нашего бизнесмена нет высшего образования, он закончил всего восемь классов и пошел в техникум, но не сумел получить диплом. Похоже, именно тогда он и начал пить. Вот здесь список его приводов в милицию. Ничего серьезного, мелкое хулиганство: драки без нанесения телесных повреждений противнику, нецензурная брань в общественных местах... Ну кто бы мог подумать, что в суровые бандитские девяностые милиционеры обращали внимание на безобразия алкоголиков! Я, честно говоря, думала, что сотрудники МВД, махнув рукой на мелочи вроде налившегося до ушей водкой гражданина, пытались остановить криминальное цунами, которое тогда обрушилось на Москву. Но, оказывается, пьяница Ветров тоже был им интересен. Может, Олега регулярно увозили в обезьянник, потому что на него жаловались соседи по коммуналке? Коля молодец, собрал все материалы. Ну и ну! Ветров в прежние годы зажигал по полной программе, остается лишь пожалеть тех, кто вынужден был жить в одной квартире с алконавтом.

Я стала перебирать копии заявлений. «Явился по месту прописки в три утра, долго стучал ногой в дверь, а потом вышиб ее»; «Разбил стекло в кухне, бросив в окно утюг»; «Заперся в ванной, никого туда не пускал в течение часа, а потом пришли затопленные снизу Никитины»; «Засорил канализацию, бросив в толчок кости от курицы из супа Лузгиных, съеденной без спроса»; «Ходил по коридору голый и пел нецензурные песни»; «Обозвал пенсионерку Лузгину грубым словом, обозначающим женщину, оказывающую сексуальные услуги извращенным способом за наличный расчет»...

Да уж, шалун! Интересно, почему его терпела жена? Детей у них не было, вроде ничто ее к нему не привязывало. Неужели она любила алкоголика? Так, секундочку, посмотрим, как звали первую супругу бузотера... Короткова Галина Петровна.

Я потрясла головой. Гала Коротич? Маловероятно. Имя Галина очень распространенное. Сейчас, правда, детишек так называют реже, но тем не менее крикните на улице: «Галочка!» — и сразу обернется несколько женщин. «Петровна» тоже далеко не эксклюзивное отчество, и «Короткова» не уникальная фамилия.

К тому же Гала была провинциальной девочкой из Урыльска, а жена Олега коренная москвичка, и жилплощадь в коммуналке принадлежала ей, муж прописался там после бракосочетания. Минуточку, а где он обитал до похода в загс? Хм, общежитие техникума... Но с какой стати москвичу жить с иногородними студентами? Да и не дали бы Ветрову койку, их не хватало для тех, кто приехал учиться издалека. Ну-ка, ну-ка...

Я уставилась в бумагу, прочитала ее раз, другой, третий... И обозлилась на себя: «Лампа! Разве можно быть такой невнимательной! Смотришь в документ и видишь комбинацию из трех пальцев, глаза пробегают по строчкам, а мозг не воспринимает сведения». Ну отчего я решила, что Олег москвич? Он из Урыльска! Ей-богу, странно... Вот и появился в поле зрения провинциальный городок, но Короткова, первая жена Ветрова, не имеет к нему никакого отношения: местечко с благозвучным названием — историческая родина производителя детского питания. Что-то тут не так. Хорошо, поехали дальше.

Я постаралась сосредоточиться. По документам

выходит, что Олег прибыл в Москву из упомянутого Урыльска, поступил в техникум, проучился там короткое время, женился на москвичке, перебрался в ее комнату и начал пить... В принципе, ничего особенного, за исключением того, что Катя, вторая жена Олега, явившись в наш офис, сказала:

— Муж москвич, из хорошей семьи.

Зачем она соврала? Столица России всегда полнилась приезжими. Правда, часть коренных жителей с презрением относилась к варягам, называя их «лимитой» и шипя вслед: «Понаехали...» Может, Катя стыдилась происхождения супруга и слегка его подкорректировала?

Что тут еще имеется? Заявление от Лузгиной Серафимы Викторовны. «Мой сосед Олег Ветров привел с прогулки свою собаку и пустил ее в общую кухню. Пес подошел к моему столику и сожрал отваренное для обеда моей семьи мясо. Я не обвиняю несчастное животное, которое мучается у Ветровых, не способных прокормить собаку. Дружок не виноват, он постоянно жрать хочет. Я высказала свои претензии соседу Ветрову в вежливой форме. Он никак не отреагировал на мои справедливые замечания и ушел к себе. Ночью, около одиннадцати вечера, моя дочь, Катерина Лузгина, пошла в туалет и была доведена до болезни соседом Ветровым, который, держа на руках собаку Дружок, с громким лаем «гав-гав» вылетел из стенного шкафа. Потом, лишив мою дочь Катерину Лузгину сознания от неожиданности и страха, он начал бегать по коридорам, а затем помочился в кухне около плиты. Свое безобразное поведение сосед О.Ветров объяснил желанием утопить черта, который находился в месте для приготовления пищи. Я, Серафима Лузгина, постоянно прописанная в общей квартире, требую принять серьезные меры к алкоголику Ветрову, посадить его за решетку и отправить за сотый километр. А также выражаю протест «Скорой помощи», которая посчитала алкоголика Ветрова психически больным и повезла его в клинику в одной машине с моей дочерью Катериной Лузгиной, чем довела ее до новой травмы от страха».

Глава 28

Я вытряхнула в рот последние орешки. Похоже, Ветров допился до белой горячки, что, в принципе, неудивительно. После происшествия с Лузгиной его поместили в психиатрическую больницу. И что дальше? Все. Очевидно, медики крепко поработали над Ветровым, Олег стал нормальным человеком. Во всяком случае, никаких жалоб на него более не поступало. Спустя короткое время после выхода из больницы он развелся с Галиной и женился на... Екатерине Лузгиной, которая, поменяв фамилию, стала Ветровой.

Я легла на матрас и постаралась осознать прочитанное. Так... Пьяница и дебошир на момент отправки к психиатрам нигде не работал и существовал за счет супруги. Единственное, что, на мой взгляд, было у Олега положительного, — это любовь к собаке по кличке Дружок. Во время приступа белой горячки Ветров доводит до реактивного психоза Екатерину Лузгину. Девушка, как, впрочем, и сам Ветров, оказывается в клинике. Пока ничего странного.

Но вот дальше начинается инфернальная чушь — Олег выздоравливает! Только не подумайте, что я не верю в возможность излечения от алкоголизма. Знаю нескольких человек, которые сумели победить «зеленого змия»: один сделал это ради двоих детей, другой серьезно заболел и испугался за свою жизнь. Но из прочитанных документов у меня сложилось вполне определенное впечатление об Олеге: ленивый, слабовольный парень, дебошир и одновременно трус, ис-

пользовавший деньги жены Галины для приобретения водки. Неужели врачи сумели облагородить
столь ущербную личность? Я хорошо знаю, что ни
микстур, ни уколов, ни таблеток от алкоголизма не
существует. Все методики лечения пьяниц базируют-
ся на двух китах: страхе и личном желании ханурика
стать нормальным человеком. Нужна незаурядная
сила воли, чтобы отвернуться от бутылки и более к
ней не прикасаться. Человек, сумевший вынырнуть
из пучины водочного океана, достоин уважения. Но
Олег, как мне показалось, слеплен из другого теста.
Была тут и мелкая неувязочка, но я пока решила не
обращать на нее внимания, потому что имелись более
крупные несостыковки.

Катерина Лузгина вышла замуж за своего обидчика? Жила с ним в одной квартире, знала всю правду
об алкоголике и отправилась с Олегом в загс? Не побоялась связать жизнь с пусть и бывшим, но пьянчу-
гой? Забыла про все его «художества»? И Серафима
разрешила дочери сделать подобный шаг? Мать стро-
чила заявления на Олега в милицию, а потом приняла его в качестве зятя? Хотя, вероятно, Катя и мать
разругались. Но вот еще одна странность. Покинув
клинику, Ветров очень скоро перебрался в отдельную
квартиру — коммуналку, в которой проживали две
семьи, расселили. Лузгины получили двушку в спаль-
ном районе, Ветровы уехали на другой конец Москвы.

Бывшую коммуналку приобрела молодая дама.
Кстати, апартаменты не столь уж и велики по совре-
менным понятиям — полезной площади всего шестьдесят квадратных метров. Для двух семей их было ма-
ловато, но одной незамужней вполне просторно. Понимаете, что меня поразило? Галина мучилась с пьяницей, терпела его выходки, толкалась с соседками
на тесной кухне, ждала своей очереди в ванную и не
подавала на развод. Но стоило Олегу вылечиться, как

жена моментально ринулась с заявлением в загс, ее не остановила даже только что обретенная отдельная жилплощадь. Галя захотела снова жить в коммуналке? Делить метры со второй супругой Олега? Конечно, она знала Катю, но я очень сомневаюсь, что Галя испытывала восторг при мысли о предстоящем совместном проживании с новой семьей бывшего мужа.

Я натянула на себя плед и закрыла глаза. Квартирный вопрос всегда остро стоял у москвичей. Лет сорок назад очень многие столичные жители обитали в коммуналках. Например, мои родители получили просторную трешку лишь после того, как папа, защитив докторскую диссертацию, начал работать на оборону. Я появилась на свет, когда отец и мать уже были немолоды. Однажды, помню, к нам в гости приехала дальняя родственница, выпила чаю с ликером, опьянела и завела с мамой загадочный разговор. Меня мгновенно отправили спать, но я, большая любительница подслушивать беседы взрослых, вылезла из кровати, приникла ухом к дверной щели и узнала шокирующую правду: мамочка, выйдя замуж за папу, сделала аборт — родить первого ребенка она не решилась из-за проблем с жилплощадью, а потом, когда появилась квартира, ей пришлось упорно лечиться.

Чтобы существовать без соседей, москвичи вынуждены были работать на вредных предприятиях, развозить радиоактивные отходы, стоять годами в нескончаемой очереди на жилье и бурно радоваться, если их разваливавшийся от ветхости дом попадал под расселение. Существовала и норма метров, я не помню точно, каковой она была, кажется, семь квадратов на человека. Если в квартире с полезной площадью тридцать пять метров проживало семь человек, вас ставили в очередь, коли пять — уже нет. Семья из пяти членов, занимавшая комнату в коммуналке размером сорок метров, не имела шансов из нее выехать.

Мать, отец, двое детей и теща мучились вместе. Но вот если родители разводились и «делили» детей, то тогда получалось уже две семьи, они могли стать очередниками, получив каждая по двухкомнатной малогабаритной квартире. Так многие и делали. Потом супруги снова вступали в брак и съезжались, в результате получалось просторное жилье. Кстати, при дележке отпрысков следовало учитывать их пол и отписывать девочку папе — если мужчина получит мальчика, то ему не выделят две комнаты. И это был еще не самый хитрый трюк.

К чему я сейчас вспомнила об уловках жителей коммуналок? Смотрите, квартиру Ветровых расселили. В то время уже началась перестройка, появились первые риелторские конторы, и возникли стихийно разбогатевшие люди, способные купить просторную жилплощадь. Если такой человек положил глаз на коммуналку, ему приходилось обеспечивать каждую семью квартирой. Но законов и правил никто не отменял! А вот если в одной из комнат облюбованных вами апартаментов проживала разведенная пара, то и мужчине, и женщине полагались отдельные норки.

Так какой смысл был Галине получать одну квартиру с Олегом, а потом разводиться с ним? Логичнее было бы расторгнуть брак до расселения.

Что-то тут не складывается!

Я схватила телефон и набрала номер Маркова.

— Ночь уже, — пробурчал приятель, забыв произнести «алло», — кто там не спит?

— Найди мне немедленно все данные о прописке модельера Галины Коротковой, работавшей под псевдонимом Гала Коротич. Она недавно скончалась.

— Прямо сейчас? — зевнул Николаша.

— Срочно! Ночной тариф за услуги!

— Хорошо, — сразу проснулся помощник, — айн момент.

Я села и снова уткнулась в бумажки. Надо же, как забавно! Олег проявил редкостное благородство: не стал делить однушку с Галиной, а получил штамп в паспорте о разводе и перебрался к Кате, стал жить вместе с новой женой и тещей в их квартире. Кстати, совсем не просторной. Интересно, какие скандалы закатывала зятю теща? Хотя в то время Ветров устроился на работу и начал заниматься бизнесом. Где он раздобыл деньги на свое первое предприятие, открытое через год после выхода из клиники? Нищий алкоголик, пропивавший зарплату жены, опустившийся маргинал нашел где-то деньги и запустил в небольшом подмосковном местечке линию по производству варенья? Может, Ветров у кого-то одолжил начальный капитал? Нет ответа на вопрос, и правды я никогда не узнаю. Но, согласитесь, все очень странно.

Интересно, та больница, где Олега вылечили, существует до сих пор? Что они там проделывают с людьми? Пересаживают им мозг?

Звонок телефона вырвал меня из размышлений, я бросила мимолетный взгляд на часы. Так, отлично, Николаша уже сработал!

Но из трубки раздался голос Насти Ваксиной.

— Лампуша, приветик.

Ну вот, опять я не посмотрела на дисплей!

— Что хочешь? — буркнула я, продолжая изучать бумаги, присланные Марковым.

— Спасибо огромное, — зашептала Настя, — снимки получились классные.

Я сначала не поняла, о чем речь, но потом вспомнила фотосессию с Романом и сказала:

— Пожалуйста. Надеюсь, мне более никогда не придется повторять идиотскую забаву.

— Славик поверил!

— Отлично, — буркнула я и попыталась сосредоточиться на документах.

Ваксина так сразу не отстанет, будет долго заверять меня в своей дружбе. Если прямо скажу: «Настя, время позднее, я хочу спать», подруга тут же попросит прощения — и... звякнет завтра в семь утра.

Коли она уж решила накормить благодарностью, то не успокоится, пока не доведет собеседника до тошноты. Есть лишь один способ пережить неприятность: разрешить ей высказаться, изредка подавая голос.

— Славик даже проявил интерес, сказал, что у тебя шикарная фигура... — вещала Настя.

— Угу, — ответила я, думая о своем: больницы работают круглосуточно, надо найти номер и позвонить в ту самую клинику.

— ...билборд? Эй, ты там заснула? — иглой воткнулся в мозг голос Насти.

— Нет, нет, — заверила я, — слушаю внимательно.

— Считаешь, я хорошо придумала? — спросила Ваксина.

Сообразив, что пропустила часть беседы, я попыталась выкрутиться:

— Ну... скорее да, чем нет. Или наоборот.

— Отлично! — явно обрадовалась Настя. — Но скажи конкретно: «да» или «нет»?

— А тебе самой как кажется?

— Ясное дело, надо соглашаться. Шанс уникальный! Отличная реклама!

— Да, да, реклама — наше все! — обрадованно подхватила я.

— Умница, душенька! — заверещала Ваксина. — Чмок, чмок, чмок!

Так и не узнав, что имела в виду Настя, я с ней попрощалась. Соединилась со справочной и узнала хорошую весть: клиника существует до сих пор.

Живо набрала номер, стала слушать мерное «ту-ту-ту»... Трубку снимать не спешили, но я была терпелива и в конце концов услышала недовольный женский голос:

— Больница.

— Скажите, вы оказываете помощь психиатрическим больным?

— Буйный? — вяло поинтересовалась тетка.

— Алкоголик.

— Хотите телефон похмельщика?

— Огромное спасибо. А где вы находитесь?

— Без толку везти, до утра у нас только дежурный врач, — начала сопротивляться тетка. — Лучше вызывай платного спеца, могу хорошего посоветовать.

— Нет, нет, просто назовите улицу!

— Во народ! — вышла из себя баба. — Хочешь им лучше сделать, так не слушают! Похмельщик отличный врач, из запоя выведет. Но если тебе охота, то вези ханурика сюда, проваляется в коридоре до девяти утра, но и утром им сразу-то не займутся. Ладно, записывай адрес...

Закончив разговор, я начала складывать бумаги стопочкой и только тут обратила внимание на имя и фамилию женщины, которая расселила коммуналку, в которой жили Ветровы. Это была...

— Эй, хозяйка! — заорал снизу Костя. — Посмотри, пожалуйста, куда лучше стеклянный шкафчик приладить?

Я вздрогнула. Нет, сегодня определенно день несостыковок. Мы не заказывали никаких витрин, мне неохота вытирать пыль каждый день.

— Красивый такой, синий, — подхватил Гоша.

Еще больше удивившись, я побежала на первый этаж, вошла в кухню и обомлела. Деревянные короба цвета «медовый дуб» уже висели на стенах, сборщикам оставалось лишь навесить дверцы, но вот с ними произошло недоразумение.

— Нам опять привезли не те створки! — возмутилась я.

— Почему? — хором удивились мужики.

— Вопрос не ко мне, а к тому, кто выдавал на складе товар.

— А по-моему, здорово, — замахал руками Костян. — Синее стекло... Оригинально!

— Супер! — подхватил Гоша.

— Красивее ни у кого не вешал!

— Верно, — вторил ему Гоша.

— Небось кучу денег отдали? — не успокаивался Костян.

— По спецзаказу стеклышки!

— Отлично ассортимент знаю, такое не для всех.

— Эксклюзив!

— Шикарно!

— Во-первых, стекло цвета морской волны, — остановила я поток восторгов. — И если учесть, что столешница розовая, то получается некрасиво.

— Синее, синее, — начал спорить Костян.

— Прямо-таки голубое, — вякнул Гоша.

— Ладно, — я вовремя вспомнила о том, что кто-то из сборщиков страдает дальтонизмом, — бог с ним, с цветом. Меня смущают надписи, сделанные золотом на всех створках. Видите? Вам прочитать? «Ресторан «Морское дно». Неужели вы не заметили?

— Видели, конечно, — закивал Костян.

— И не сообразили, что дверки сделаны для какого-то трактира? — вскипела я.

— Так мы решили, что это ваша фамилия, — заявил Гоша.

У меня пропал голос.

— Морскоедно, украинская или итальянская фамилия, — пояснил Костян. — Вот когда я в армии служил, у нас был сержант Ударьвухо.

— А помнишь, — оживился Гоша, — мы вешали

гостиную у Мамочки? Ну, фамилия была у тетки такая — Мамочка. Веселая дамочка, тоже, как и вы, кошек обожает.

Ко мне вернулся голос.

— Даже если вы приняли «Морское дно» — кстати, два слова написаны раздельно! — за фамилию, неужели не удивились, заметив слово «ресторан»?

— Мы уже не первый год по людям ходим... — потер руки Костян. — Правда, милый?

Гоша кивнул.

— Уж точно. Навидались, наслушались. Ну и имена попадаются...

— Меня никогда не звали Ресторан Морскоедно! — гаркнула я. — И в нашем доме нет никого с таким ненормальными прозвищем! Короче, запаковывайте дверцы и увозите.

— Надо диспетчеру сообщить, — вздохнул Гоша.

— Действуй, — приказала я.

— Вы только не нервничайте, — озаботился Костян, — мы никуда не уедем, пока не закончим работу.

— Мы никогда не обманываем клиентов.

— Очень стараемся.

— Доводим все до ума.

— Пока что вы меня довели почти до сумасшествия, — не выдержала я.

По щеке Костяна медленно потекла слеза. Я разинула рот. Гоша подскочил к приятелю, обнял его за плечи и нежно застрекотал:

— Ну-ну, она ж не нарочно! Просто разволновалась. Милый, ты же знаешь, людям свойственно из-за пустяков кипятиться.

— Нет, нет, — трагическим шепотом завел Костян, — жизнь рухнула. Я не справился! Не достиг!! Не помог!!! На каком мы этаже?

— Слава богу, на первом, — живо ответил Гоша.

— В окрестностях есть небоскребы? — простонал Костян. — Хочу сразу! Навсегда! И...

Договорить он не смог, слезы потоком хлынули по его лицу. Гоша нежно гладил Костяна по спине. Я хлопала глазами, не понимая, что за древнегреческая трагедия разыгрывается у нас на кухне.

— Что случилось? — спросил Кирюша, входя в комнату.

— Не знаю, — честно ответила я.

Гоша с укоризной глянул на меня:

— Словом можно человека убить. Костян отдает свою жизнь людям, служит клиентам не за страх, а за совесть. И если понимает, что его работа пришлась не по душе, готов убить себя.

— Ничего ужасного я не сказала! — испугалась я. — Не заказывала дверки из синего стекла, только и всего. Надо их просто поменять.

— Но ваша интонация... — простонал Гоша. — Она и убила Костяна.

— Он пока жив, — заметила я.

— Если ему так плохо, пусть остаются эти створки, — заявил Кирюша.

— Ну уж нет, — топнул ногой Гоша, — я сам их поменяю. Вот только Костяна похороню.

— Надеюсь, не у нас во дворе? — не выдержала я. — Не намерена превращать садик в кладбище. Да и санитарная инспекция будет против.

— Лампа! — возмутился Кирюша. — Смотри, ему конкретно плохо! Он плачет!

— Делайте что хотите, — сдалась я. — Назначаю тебя, Кирюша, главным по обустройству кухни. Но учти несколько моментов. Пыль и остатки жира со стекла придется вытирать каждый день тебе. А хозяева трактира «Морское дно» придут в негодование и заявятся в Мопсино, чтобы забрать свои дверцы. Покедова, я ушла к себе.

Костян издал протяжный стон, Кирюша кинулся наливать ему воды. А я отправилась на второй этаж. Можете считать меня бессердечной негодяйкой, но мне действительно не хотелось принимать участие в фарсе. Навряд ли Костян покончит с собой — насколько я поняла, он вознамерился спрыгнуть с небоскреба, но возле поселка Мопсино растут лишь елки, забраться на которые весьма трудно.

Я вновь села на матрас и принялась ворошить документы. Теперь у меня на очереди Полина Яценко. Так, откуда она? Из города Солнечногорск. Была там прописана, училась в институте, но работать по профессии не захотела, отправилась на телевидение, стала ассистентом режиссера. Поясню: эта должность, хоть и называется красиво, на самом деле означает, что человек является «шестеркой», девочкой на побегушках вроде: «принеси кофе — пошла вон». Видно, Яценко яростно хотела стать звездой — она скакала с канала на канал, но никак не поднималась выше пресловутой ассистентской должности. Замуж Поля не выходила, и до сих пор не вышла. Сколько таких дурочек поглотило телевидение? Какое количество юных красавиц, мечтавших стать ведущими, погибло в безвестности?

Но Полине в конце концов повезло. Ее заметили, предложили попробовать свои силы, она стала рассказывать москвичам о погоде. Яценко ухватилась за этот шанс и уверенно пошагала вверх. Ни в чем криминальном замечена не была. Разве что карьера у дамы складывалась не очень ровно — несколько раз она скатывалась с горки, но потом упрямо поднималась. Бумаги, полученные от Маркова, содержали только сухие факты, в них не было сплетен, лишь цифры. Первое шоу, где царила Полина, продержалось на экране три месяца, оно было закрыто в мае. Но уже в сентябре Яценко появилась на экране в другой роли.

Руководство канала доверило ей новую передачу, и это странно, ведь Полина не входила в десятку самых ярких звезд, чье присутствие стопроцентно обеспечит зрительский интерес. И ее первое шоу оказалось за эфирной сеткой из-за низкого рейтинга — люди не проявляли особого интереса к Яценко, и можно сказать, что ее дебют в роли телеведущей был сокрушительно неудачен. В таком случае с человеком расстаются навсегда. Но Полину не выгнали, более того — ее перевели на другую программу. Почему? Ответ прост: у девушки появился влиятельный покровитель, именно он вкладывал деньги в карьеру Яценко.

Чем дольше я изучала биографию Полины, тем яснее понимала: она нашла себе авторитетного любовника. Прозябала пару лет в безвестности и вдруг... фрр! Ведущая! Пусть не на центральном канале и всего лишь в качестве предсказательницы погоды, но в кадре. А затем и вовсе вертикальный взлет — свое шоу. Нет, тут без доброго «папочки» не обошлось!

Но самое интересное не это. Знаете, кто расселил коммуналку, в которой проживал алкоголик Ветров? Полина Яценко. Именно она была той молодой женщиной, которая решила резко улучшить свои жилищные условия.

Глава 29

Обстоятельный Николаша прислал мне не только листок по учету кадров Полины Яценко, но и сумел раздобыть характеристику, которую дал будущей звезде человек, чье имя осталось для меня загадкой. На бумаге стояла закорючка, разобрать которую не представлялось возможным.

Я не знаю, каким образом Коля ухитряется в рекордно короткий срок добыть необходимые сведения — использует ли он информационную сеть МВД или свои обширные знакомства. Если честно, мне это безразлично. Мы с Косарь платим Маркову деньги за оперативность, правдивость и максимальную полноту информации. Размер гонорара Коли напрямую зависит от этих трех составляющих. Вот он и старается.

Я знаю, что многие структуры, нанимая человека на работу, сначала изучают его анкету, а потом проводят собственное расследование, получают неофициальную характеристику на потенциального сотрудника, расспрашивают его соседей, коллег по бывшей службе.

Когда Яценко брали на место ассистента режиссера, особых проверок ей не устраивали. Но вот в момент, когда речь зашла о шоу, начальство забеспокоилось. И наш информатор «подколол» к характеристике справку от какого-то человека: «Полина Викторовна Яценко. Образование высшее — подтверждается. В браке не состояла. Родители скончались. Воспитывалась теткой. Имеет дом в селе под Солнечногорском. В Москве снимала жилплощадь. Квартиру приобрела в этом году, трехкомнатную. По официальной версии — продала избу в деревне. Это не соответствует действительности. Умна, очень амбициозна, любит повторять: «Ради карьеры я готова на все». Служебные дела ставит намного выше личной жизни. Готова жертвовать всем для достижения намеченной цели. Крайне работоспособна. Обучаема. Умеет поддерживать отношения с людьми, со стороны коллег характеризуется положительно. Не распространяет сплетен. Умеет держать язык за зубами. Обладает приятной внешностью, соглашается на любые эксперименты с лицом и волосами. Имеет ярко выраженные актерские задатки.

Отрицательные качества. Склонна к депрессии. Когда на очередном кастинге Яценко получила отказ, она предприняла попытку самоубийства, была помещена в клинику, прошла курс лечения, вернулась к работе. На службе она сообщила об автокатастрофе, представила справку о сломанных ребрах. Никаких разговоров о самоубийстве на работе не вела.

Резюме. Способна вести шоу. Но в момент резкого всплеска негативных эмоций может стать непредсказуемой. По пятибалльной шкале оценка «четыре».

Телефон запрыгал на матрасе, я схватила трубку.

— Значитца так, — загудел Николай. — Улица Ванюшкина, дом семь, квартира двенадцать. Гала Коротич, она же Галина Петровна Короткова, въехала туда после расселения коммуналки вместе с мужем, Олегом Ветровым. Спустя пару месяцев супруги развелись, он проявил неслыханное благородство и попросту выписался с совместной жилплощади. Короткова осталась единственной владелицей квартиры. Проживала в ней до недавней смерти в мае. Усе.

Значит, Гала Коротич действительно была первой женой Ветрова... Нет, я больше не в состоянии думать!

На меня напала зевота, я погасила свет и попыталась принять на надувном матрасе удобное положение. Все-таки на кровати спать комфортнее. Но ничего, скоро у нас появится мебель, а пока и так хорошо, на полу было бы хуже. В тот момент, когда тебе кажется, что испытываешь неудобства, достаточно понять — ситуация в любой момент может ухудшиться, и тебе сразу станет легче. Вот я, например, ворочаюсь сейчас с боку на бок. А если представить, что прорезиненная ткань лопнула и ночевать мне предстоит на голом полу? Ага, матрас сразу покажется замечательным.

Я знаю отличное средство от бессонницы. Укладываетесь под одеяло, сворачиваетесь клубочком, закрываете глаза и говорите себе:

— Сегодняшний день вместе со всеми делами и проблемами прошел, завтрашний еще не начался. Теперь надо только спать.

Гарантированно минут через десять улетите в страну Морфея. Главное, отпустить от себя дела и не приманивать новые.

Вот и мне надо бы успокоиться, но в голове ворочается тяжелая, как свинцовая плита, мысль. Олег Ветров, Катерина Лузгина и Полина Яценко оказались в одно и то же время в одной и той же клинике. А после того, как троица выписалась, с ней произошли удивительные перемены. Олег бросил пить, развелся с Галиной и женился на Катерине. Лузгина стала Ветровой, начала заниматься фотографией и весьма в этом преуспела. Ее муж тоже не пропал, из алкоголика превратился в богатого бизнесмена. Полина Яценко купила бывшую коммуналку и стала телезвездой. Интересно, что с ними проделали врачи? Может, в клинике разработано лекарство, которое приманивает успех, удачу и богатство? Или Олег, Галина и Катерина продали душу дьяволу?

Больница находилась на окраине Москвы. Наверное, в тот год, когда тут лечилась интересующая меня троица, клиника и вовсе считалась загородной. Конгломерат бело-желтых облупившихся зданий окружал тенистый парк, по узким вытоптанным дорожкам бродили люди. Мне они не показались ни сумасшедшими, ни больными. Никаких застиранных байковых халатов и тапок из коричневой клеенки, на всех спортивные костюмы, большинство пациентов имеет в руках мобильные.

На железной тумбе высился желтый стенд с планом территории. Я внимательно изучила его: восемь корпусов, включая санаторный, административный, морг... Все как положено. Но вот мне куда направиться?

— Анна Семеновна, хотите мороженое? Мы можем выехать за ворота, там есть ларек, — спросил нежный голосок.

Я невольно повернула голову. В двух шагах от меня стояла инвалидная коляска, в ней сидела женщина неопределенного возраста. Судя по волосам, в которых отсутствует седина, она еще молода, но лицо одутловатое, взгляд потухший, щеки покрыты многочисленными пигментными пятнами. Бедолага, несмотря на жару и толстый плед, прикрывающий ее ноги, тряслась словно от холода.

— Вафельный рожок? — спросила медсестра, наклонившись к больной. — Или лучше пломбир?

Я удивилась глупости девушки, одетой в нежно-голубое платье почти до земли. На груди хламиды был вышит красный крест, а голову медсестры прикрывала белая косынка с тем же символом милосердия.

— Очень вкусное, кофейное, с вафлями, — продолжала соблазнять подопечную девушка.

Я не выдержала и сказала:

— По-моему, больной и так холодно!

Медсестра улыбнулась:

— Нет, это тремор, неконтролируемая дрожь. Анна Семеновна обожает сладкое, а нам разрешают вывозить больных за территорию до ларька. Я бы и одна сбегала, но ведь инвалидную коляску без присмотра нельзя оставить.

— Вы здесь работаете? — задала я глупый вопрос. — Ваша форма выглядит не совсем обычно.

— Я из коммерческого отделения, — пояснила медсестра, — мы носим не халаты, а платья.

Я спросила:

— Подскажите, пожалуйста, куда мне обратиться. Моя сестра лежала здесь лет пятнадцать назад, а сейчас мне понадобилась справка и...

— Ступайте в архив, — перебила девушка. — Вон туда, за административный корпус. Увидите маленький домик, там вам выдадут необходимую справку.

Медсестра не обманула: за двухэтажным корпусом скрывалось небольшое строение с вывеской «Архив». Я вошла внутрь и наткнулась на тетку в белом халате, сидевшую за неким подобием рецепшен. От посетителей служащую отделяло стекло, в котором было прорезано полукруглое отверстие, и прилавок из темно-коричневого, покрытого лаком дерева.

Несмотря на то что я не сумела удержать довольно тяжелую дверь и она громко хлопнула о косяк, служащая даже не вздрогнула. Так и сидела, продолжая читать книгу. Я вежливо покашляла, и опять дама в белой одежде не выказала никаких эмоций.

— Здравствуйте, — сказала я.

Служащая не отреагировала.

— Мне нужна справка! — повысила я голос.

Толстая рука медленно поднялась, палец, украшенный перстнем со здоровенным красным камнем, ткнул в сторону объявления, прикрепленного слева от окошка.

— Читайте, — прогудела баба, — для вас повешено.

Я сосредоточилась на тексте. «Справки выдаются бесплатно только по указанию главврача Фоменко А.В. Коммерческая справка стоит 200 руб. Фоменко А.В.»

Я вынула кошелек, достала две розовые купюры и положила на прилавок. Толстуха громко вздохнула и выпрямилась. На ее могучей груди висел небольшой бейджик «Антонина». Похоже, клиника изо всех сил старалась походить на европейское медицинское учреждение, ее сотрудники уже обзавелись бейджиками с именами. Может быть, скоро научатся здороваться с посетителями, а там, глядишь, начнут проявлять к ним интерес.

— Паспорт! — рявкнула Антонина.

— У меня его нет, есть служебное удостоверение.

— Ваш документ не нужен. Или вы о себе справку берете?

— Нет, — сказала я. — Здесь лежала моя сестра.

— Документ! Ее!

— А он нужен?

— По-вашему, любой может сюда войти и рыться в архиве? — без всякой агрессии осведомилась Антонина. — Нет паспорта — нет справки. Все законно!

Я достала из портмоне новую купюру.

— Говоришь, сестра? — помягчела Антонина.

— Родная, — кивнула я, — Полина Яценко. А еще мне хочется взглянуть на историю болезни Екатерины Лузгиной.

— Тоже сестра? — прищурилась Антонина.

Я зашуршала купюрами.

— Точно. Двоюродная. Кроме того, меня интересует Олег Ветров. Он, как вы, наверное, уже догадались, мой брат.

Антонина сгребла рубли в письменный ящик стола.

— Назови год поступления сюда, а то я неделю провожусь. За поиск по одной фамилии отдельная такса!

— Год мне известен, — поспешила сказать я. — Даже могу месяц сообщить — июнь. Но число не назову.

— И не надо, — милостиво кивнула Антонина и сдернула белый чехол с какого-то агрегата на столе.

— Компьютер, — удивилась я.

— Эка новость... — насупилась Антонина. А потом неожиданно пустилась в объяснения: — Пару лет назад в нашей клинике одну фифу с того света вернули. Дура, прости Господи, на золотой тарелке ела, в шубе ходила и несчастной себя считала. Таблетками обожралась! Но Бог хранит богатых, ее откачали. А Леонид Аркадьевич ей мозги на место вправил. Замечательный врач! Жаль, недавно умер, сердце не выдержало. На этой работе здоровье потерять ничего не стоит. Отец той фифы, олигарх, в благодарность нашей больничке компьютеры и поставил. Леонид Аркадьевич, святая простота, попросил. О себе он не думал! И Эвелина Петровна его такая же. Два дурака! Их главный в коммерческое отделение не взял, оставил в бесплатном. Ох, хитер Андрей Васильевич, вот уж у кого надо поучиться! Рассудил просто: зачем Буравковым оклад повышать, если они и так пашут? Лучше в платный корпус зачислить своего племянничка, Виктора убогого. Все равно Леонид Аркадьевич ему поможет, по первому зову придет и бесплатно проконсультирует. А потом Эвелине Петровне похоронить супруга было не на что. И на какие шиши она, бедная, теперь живет? Нашлись твои родственники! Сейчас приволоку истории болезни. Там, у окна, есть стол, устраивайся и читай.

Через четверть часа я получила желто-серые пухлые тетрадки и попыталась разобрать каракули врачей. Около двух часов ушло на просмотр бумаг, в это время я не раз подумала: наверное, одно из условий приема в медвуз — отвратительный почерк. Людей с нормальным почерком туда просто не берут. А еще я ничегошеньки не соображаю в анализах, и у меня нет ни малейшего шанса разобраться во всех этих лейкоцитах — тромбоцитах — палочкоядерных и прочей премудрости.

Но мне хватило и того, что я сумела понять.

Полина Яценко была привезена в клинику молодым человеком, который пожелал остаться неизвестным. Парень внес девушку в приемный покой, позвал врача, сунул ему в руку пустой пузырек из-под снотворного и испарился. В процессе обследования выяснилось, что Яценко... беременна.

Полина, когда ее откачали, призналась лечащему врачу Леониду Аркадьевичу Буравкову:

— Мой парень пообещал на мне жениться, но обманул. Как жить дальше?

Буравков не зря считался лучшим психиатром клиники, он упорно работал с Полиной, и в конце концов она покинула больницу в нормальном состоянии. Никаких сообщений об аборте в ее карточке не было — похоже, молодая женщина ушла из клиники беременной.

Лузгина лечилась от реактивного психоза, ее в больницу доставили по «Скорой». Над Катериной подшутил Олег Ветров. Эта история уже была мне известна. Но вот интересная деталь: Лузгина и Яценко лежали в одной палате. Девушки провели в больнице много дней, вел обеих все тот же Леонид Аркадьевич. И Кате, и Полине становилось все лучше и лучше, им плавно снижали дозы лекарств, разрешили выходить из палаты, гулять в парке... Дело явно шло к выписке. Но двенадцатого числа обеим больным резко увеличили количество успокаивающих средств. Похоже, и у Лузгиной, и у Яценко одновременно случилось ухудшение здоровья. Но далее ничего тревожного. Екатерина выписалась первой, через неделю отправили домой Яценко.

Олег Ветров делил палату с неким Григорием Вариным, лечившимся от навязчивого состояния. История болезни Варина, которую я тоже попросила принести, была составлена совсем неразборчиво, и я почти ничего не поняла в замысловатых терминах. Единственно нормальным оказался лист бумаги, на котором женским округлым почерком было написано: «Уважаемый Леонид Аркадьевич. Убедительно прошу вас наказать дежурную медсестру, которая позволила соседу моего сына по палате провести в нее собаку. Мало того, что нахождение бродячего животного в медицинском учреждении является вопиющим нарушением гигиены, так еще мой сын, Григорий Варин, страдает аллергией на шерсть. Если подобное повторится, я буду вынуждена настаивать на переводе моего сына в другое отделение. С уважением, артистка Зоя Варина».

В моей голове что-то щелкнуло. Минуточку! С Олегом Ветровым вместе лежал сын той самой Вариной? Умственно отсталый парень, за которого из чисто корыстных побуждений согласилась выйти замуж Гала Коротич? Я отлично помню рассказ Фатимы Бекоевой, журналистка написала материал, который через пару месяцев должен украсить страницы гламурного издания. Коротич ради пиара своей коллекции согласилась дать откровенное интервью.

Похоже, судьбы бывших больных тесно переплелись между собой. Но Яценко, Ветров и Лузгина были вылечены Леонидом Аркадьевичем, не повезло одному Григорию. Тот умер в ночь с одиннадцатого на двенадцатое от приступа астмы.

Я еще раз перелистала бумаги. Иногда самая маленькая зацепочка способна стать путеводной звездой, которая направит вас к решению сложной задачи. И еще, как говорил известный герой: «Маленькая ложь рождает большое подозрение».

Ну каким образом Галина Короткова, она же Гала Коротич, могла выйти замуж за Григория и получить от его матери квартиру в благодарность за проявленное милосердие, если Варин умер в клинике? Кстати, самой Коротковой в тот момент в больнице не было. Зачем Галина придумала себе новую биографию? За каким чертом ей понадобился Урыльск? Гала была коренной москвичкой! Почему она не сказала журналистке: «Жила с мужем-пьяницей, он вылечился, нашел себе другую и ушел к ней, благородно оставив мне жилплощадь».

— Долго еще сидеть намерена? — спросила Антонина. — Мне обед положен. Уйду на час. Тебе тоже придется архив покинуть. Посторонних одних тут оставлять нельзя.

— Спасибо, я уже закончила, — ответила я. — Последний вопрос: Леонид Аркадьевич умер?

— Недавно преставился, — кивнула Антонина. — Сердце подвело, возраст уже не молодой.

— Жена с ним работала?

— Эвелина Петровна? Да, они всю жизнь рядом. Их у нас зайчиками звали, — неожиданно улыбнулась Антонина, — ходили за руку. Эвелина Петровна была больше на подхвате, а Леонид Аркадьевич гений. Уж поверь, второго такого врача нет и не будет. Молодежь сейчас другая: звонок проорал, сумку собрал, и вон. Наплевать на больных, рабочий день завершился — домой пора. А Леонид Аркадьевич на ночь оставался, к нему люди после выписки в гости ходили. Святой человек!

— Не подскажете адрес Эвелины Петровны? — попросила я, вынимая кошелек.

Антонина указала на окно:

— Видишь башню блочную? Там она и живет. Седьмой этаж, квартира слева самая крайняя. Там еще картинка из плитки на полу выложена, вроде ромашки. А ты чего к ней засобиралась?

— Ну... поговорить надо, — не намереваясь откровенничать, сказала я.

— Зарули в маркет, — посоветовала женщина, — купи торт или пирожные. Эвелина Петровна сладкоежка, да только где ей денег на десерт взять? Пенсия-то маленькая. И что-то мне подсказывает: на старость они с Леонидом Аркадьевичем не накопили, все нищих больных подкармливали, таскали им апельсины...

Глава 30

Выслушав добрый совет, я не замедлила им воспользоваться. Заглянула в крохотный магазинчик и смела с прилавков разные кондитерские изделия. Надеюсь, Антонина не ошиблась, и Эвелина Петровна на самом деле поклонница шоколадок, зефира и эклеров.

Адрес архивистка указала верно. На седьмом этаже башни возле крайней двери кто-то выложил на полу изображение цветка. Только это была не ромашка, а тюльпан.

— Вам кого, ангел мой? — поинтересовалась высокая старуха, распахнув дверь.

— Простите, вы Эвелина Петровна? — улыбнулась я. — Жена Леонида Аркадьевича?

— Вдова, — грустно поправила меня она.

— Простите, пожалуйста, — смутилась я.

— Ничего страшного, — сказала Эвелина Петровна. — Я всего лишь уточнила свой статус. Никак к нему не привыкну. У вас проблема? Заходите, не стесняйтесь.

Я вошла в заставленную мебелью прихожую и испытала прилив ностальгии. Точь-в-точь такая вешалка была в квартире моих родителей. Более того, я очень хорошо помню, как моя мама принесла такую же красную табуретку, поставила ее у двери и сказала отцу:

— Неудобно зашнуровывать ботинки стоя. Смотри, Андрюша, какая мне оригинальная табуретка попалась — не серая, не коричневая, а цвета клубники.

Приобрести нечто нестандартное в советские годы было очень трудно, на мамин «улов» потом долго приходили любоваться ее подруги. И сейчас передо мной была знакомая табуретка: три ножки и слегка облупившееся круглое сиденье.

Эвелина Петровна тихонько кашлянула и сказала:

— Ангел мой, снимайте туфли, наденьте тапки и пойдем в кабинет.

Рабочей комнатой служило, очевидно, самое большое в квартире, почти двадцатиметровое помещение, забитое книжными полками.

— Садитесь, — предложила хозяйка, указывая на кресло, — и рассказывайте. Но хочу сразу вас предупредить: я более не практикую. Мы с Леонидом Аркадьевичем работали вместе, хотя это у психотерапевтов и не принято. После его кончины я осталась, образно говоря, без головы и сердца. Но если узнаю о вашей проблеме, то сумею подсказать нужного специалиста. Я знакома со многими известными психиатрами.

— Леонид Аркадьевич был психотерапевтом? — Я решила начать беседу издалека. — А в клинике мне сообщили, что доктор занимался психиатрией.

Эвелина Петровна взяла со столика портсигар.

— Увы, никак не могу бросить курить, — призналась она, доставая сигарету. — Почти отказалась от вредной привычки, но после кончины Леонида Аркадьевича дымлю паровозом. Вы улавливаете разницу между психиатром и психотерапевтом? Право, это удивительно. Мой муж еще сорок лет назад понял: многие состояния лечатся не таблетками и уколами, следует искать иной путь. Но медицина была деспотичной: если привозят человека, совершившего попытку суицида, то он точно, как говорят обыватели, псих. Считалось, что у советских людей нет и не может быть поводов для самоубийства. И лечение было только медикаментозное. А в результате получали совсем больного человека. Вот вам пример. Восемнадцатилетняя дурочка, которую бросил жених, в порыве отчаяния глотает мамино снотворное. Действует по глупости, ею движет детский мотив: вот умру, а он потом поплачет! О какой психиатрии тут может идти речь? Но ребенка привозили к нам, и начиналось... Мда, не будем вспоминать о темных временах. Леонид Аркадьевич был психотерапевтом и психоаналитиком, он помог сотням людей, на него молились. Все результаты лечения подтверждаются документами — у пациентов после проведенного курса изменялся состав крови! Оцените уровень мастерства человека, способного на подобное! Ох, мне следует остановиться. Извините, вы пришли поговорить о своей проблеме, а не выслушивать воспоминания экзальтированной вдовы.

— Наоборот, мне очень интересно, — подбодрила я старушку. — Вы так говорите о прошлом, словно помните всех пациентов.

— Очень многих, — кивнула Эвелина Петровна. — Более того, с некоторыми я до сих пор поддерживаю дружеские отношения.

Стоявший на небольшом столике телефон начал издавать резкие гудки.

— Извините... — Эвелина Петровна протянула руку к трубке. — Добрый день, Иван Сергеевич, да-да, сейчас. Леня! Леня!

Дверь в комнату беззвучно открылась, и на пороге появился мальчик-подросток — невысокого роста, щуплый, с мелкими чертами лица и глубоко посаженными глазами.

— Да, бабушка, — сказал он.

— Ты готов? — поинтересовалась старуха. — Машина перед подъездом.

— Да, бабушка, — бесстрастно повторил мальчик.

— Леня, ты не поздоровался с нашей гостьей!

Подросток повернулся ко мне:

— Добрый день.

— Здравствуй, — ответила я.

— Ты сам спустишься на первый этаж или тебя проводить? — поинтересовалась Эвелина Петровна.

— Я могу доехать один, — вежливо ответил подросток.

Я удивилась. Пареньку на вид лет тринадцать, ну, может, четырнадцать. В таком возрасте дети, как правило, невыносимы, они активно борются за свою самостоятельность и моментально устраивают скандал, если кто-то ущемляет их права. «Я уже большой, не лезь с дурацкими советами» — вот фраза, которую родители чаще всего слышат от подростков. Желание настоять на своем доходит до абсурда. Кирюшка, например, один раз заработал сильный отит. На улице ударил мороз, и я утром сказала мальчику:

— Непременно надень шапку и опусти уши, завяжи их под подбородком.

— Мне жарко, — заявил Кирик и, демонстративно оставив головной убор дома, ушел.

Самое интересное, что мальчик хорошо понимал: на дворе и впрямь колотун, надо непременно утеплиться. Но тут я некстати влезла с добрыми советами, и в Кирюше взыграло чувство протеста. Типа: назло кондуктору пойду пешком. Самое унизительное для подростка — намек на его незрелость в присутствии постороннего человека, вот уж это мало кто из тринадцатилетних стерпит. Но Леня совершенно спокойно заверил Эвелину Петровну, что способен сам воспользоваться лифтом.

— Отлично, — кивнула старуха. — Как думаешь, до шести управишься?

— Не знаю, в зависимости от состояния инструмента, — глухо ответил мальчик и боком, слегка косолапя, вышел в коридор.

— Леня, а пропрощаться? — напомнила внуку о хорошем воспитании Эвелина Петровна.

Мальчик обернулся:

— До свидания.

— Всего хорошего, — отозвалась я, ощущая некое беспокойство.

— У Лени уникальный дар, — сказала Эвелина Петровна, когда из прихожей послышался звук захлопнувшейся двери, — он обладает редким музыкальным слухом.

— Учится играть на скрипке? — предположила я.

— Нет, — грустно вздохнула Эвелина Петровна. — Хотя не скрою, мы с Леонидом Аркадьевичем считаем... считали, что Леня очень талантлив и ему путь в консерваторию, именно по классу скрипки. Но Ленечка не хочет заниматься тем, что его не интересует. Решил стать врачом, кардиологом.

— Благородная профессия, — согласилась я.

— Леня очень заботлив, — похвалила внука старуха. — У меня сейчас материальные сложности, и мальчик взялся подрабатывать настройщиком. Леня учился музыке, у него потрясающий слух. Представляете, он сказал Асеньке Воробьевой, что у нее будет двойня!

— При чем тут слух? — удивилась я. — Скорей уж тогда глаз-рентген.

Эвелина Петровна тихонько засмеялась.

— Асенька заглянула к нам на огонек. Она в соседней квартире живет, мама далеко, в Новосибирске, муж целыми днями на работе, свекровь невестку недолюбливает, а девочке было страшно — роды на носу. Ну я с ней и беседовала. В общем, сидим, пьем чай, Леня что-то на полках ищет, и тут Ася говорит: «Очень мне тяжело, наверное, ребенок большой. Я «узи» не делала, боюсь, что оно вредно для младенца. Интересно, кто там? Мальчик? Девочка?» И тут Леня говорит: «У вас двойня. Я слышу два тона. Разные сердца». Ясное дело, мы с Асенькой ему не поверили. Гинеколог молчал про двойню, об одном ребенке речь шла. А Леня на своем стоит: «Я умею сердце слышать. Даже страшно порой делается, когда с больными сталкиваюсь. У вас близнецы будут!» И ведь по его вышло! Родила Асенька мальчика и девочку. Леня мне потом объяснил: «Бабушка, поэтому я и хочу кардиологом стать, думаю, смогу людям помогать. Музыка прекрасна, но она меня не трогает, а вот сердечный ритм — настоящая симфония, в нем тысячи оттенков, и можно вылечить человека, надо лишь чуть подправить «мелодию»». Но давайте о вашем деле!

— Помните ли вы Олега Ветрова? — в лоб спросила я.

Лицо Эвелины Петровны внезапно вытянулось.

— Он лежал в одной палате с Григорием, сыном известной советской актрисы Зои Вариной, — напомнила я.

Старушка попыталась справиться с волнением.

— Ну... в принципе... да, — осторожно ответила она. — Сложный был случай! Патологическая агрессия. Но Леонид Аркадьевич, как всегда, оказался на высоте. Только это было очень давно.

— А Полина Яценко? Она тоже лечилась в клинике, равно, как и Катя Лузгина.

Эвелина Петровна прижала руки к щекам.

— Вы на что намекаете? — почти с ужасом спросила она.

— Знаете Полину Яценко? Телеведущую? Она под псевдонимом Ульяна шоу ведет, — не успокаивалась я.

— Вы кто? — только сейчас сообразила поинтересоваться старушка. — Почему задаете такие вопросы?

— Олег Ветров умер во время эфира, скончался на глазах у тысяч зрителей в программе Полины Яценко.

— Милиция! — ахнула Эвелина Петровна. — О нет! Я ничего не знаю!

— Я частный детектив, меня наняла Екатерина

Ветрова, в девичестве Лузгина. К вам у меня всего пара вопросов. Каким образом алкоголик Олег Ветров сумел бросить пить?

— Ну, существуют разные методики, — приободрилась хозяйка, — нельзя рекомендовать всем одно. Леонид Аркадьевич был гений!

— Но тем не менее он не сумел помочь Григорию Варину.

— Поверьте, — приложила руки к груди Эвелина Петровна, — смерть каждого пациента — незаживающая рана на сердце врача. Но к чему ворошить прошлое?

Я посмотрела старухе прямо в глаза и сказала:

— Никогда не носила милицейскую форму, и в чем-то я похожа на вашего покойного мужа — пытаюсь помочь людям, когда официальные органы либо бессильны, либо не желают действовать. В процессе расследования я столкнулась с непонятными обстоятельствами. Вроде бы умершего Олега Ветрова, тяжело заболевшую Екатерину и телезвезду Полину Яценко ничто не связывает. Вернее, Олег и Катя семейная пара, но их ничто не объединяло с Яценко. Кроме одного — много лет назад все трое в одно и то же время лежали в больнице, лечились у вашего мужа. А ведь Олег умер на телепрограмме Яценко! Странно, да?

Эвелина Петровна машинально кивнула.

— Но это еще не все, — продолжила я. — Тогда случились настоящие чудеса. Григорий Варин умер, Олег Ветров бросил пить, откуда-то добыл деньги, развелся с Коротковой и женился на Лузгиной. По идее Катя, а в особенности ее мать, должны были ненавидеть Олега — сосед-пьяница испугал молодую женщину, из-за него Катюша заработала реактивный психоз. Какая уж тут любовь-морковь? Ан нет! Лузгина отправилась в загс с Олегом, и они жили потом вместе с мамой Кати. Галине Коротковой осталась однокомнатная квартира, и через некоторое время она открыла в Москве салон по пошиву одежды. Теперь ее называют Гала Коротич, и она по неизвестной причине выдавала себя за уроженку Урыльска, хотя является коренной москвичкой, а в том городе родился Олег Ветров. Более того, не так давно Гала рассказала одной журналистке, что квартиру в Москве она получила от... Зои Вариной — за то, что согласилась стать женой ее сына Гриши, умственно отсталого парня, с которым познакомилась в клинике, где вы с мужем работали. Но ведь парень там умер! Несостыковочка получается. И еще одно. Так, мелочовка, но цепляет...

— Что? — одними губами спросила Эвелина.

— Пьяница Олег Ветров обожал животных. Пожалуй, это было единственной привлекательной чертой опустившегося парня, — излагала я свои соображения. — Он имел собаку, наверняка грязную шавку. Это его соседям Лузгиным совсем не нравилось, в квартире из-за пса разгорались склоки. Кстати, Ветров даже в больничную палату ухитрился привести животное!

— Щенка, — тихо уточнила Эвелина Петровна. — Олег отправился в столовую, которая соединена с корпусом стеклянной галереей, а там есть выход во двор, ну парень и вышел на воздух. Вернулся с крохотным щенком — положил его в карман халата, вот медсестра и не заметила.

— А у Григория Варина была аллергия на собак, и он терпеть не мог четвероногих, — сказала я. — Ну и что мы имеем в сухом остатке? Необразованный, читающий по складам Ветров, алкоголик со стажем, попав в клинику, неожиданно реабилитируется. Бросает пить, женится на Лузгиной и за короткое время превращается в успешного бизнесмена. К тому же Олег внезапно стал аллергиком и... начал недолюбливать животных. Но ведь собачник — это состояние души! Пусть из-за проблем со здоровьем человек вынужден отказаться от мысли держать в квартире пуделя или мопса, однако пнуть ногой крохотного йорка он не может. Олег это сделал на глазах у сотрудницы телецентра! Право, странность, для меня совершенно необъяснимая. Вам, как психотерапевту, она не кажется интересной? Есть лишь одно объяснение, которое ставит все на место. Пазлы сойдутся, если мы поймем: Олег Ветров стал другим человеком в прямом смысле слова. Что-то случилось в клинике в ночь на двенадцатое число, когда, судя по документам, от приступа удушья умер Григорий Варин. А Полине Яценко и Кате Лузгиной наутро назначили ударные дозы успокаивающих — женщин что-то потрясло до глубины души! До такой степени, что Леониду Аркадьевичу, который, кстати, тогда дежурил, пришлось прибегнуть к столь нелюбимой им фармакологии. Понимаете?

— Нет, — прошептала Эвелина Петровна, комкая пальцами плед, которым было прикрыто кресло, — нет.

Я набрала полную грудь воздуха и продолжила:

— Думаю, в ту ночь умер Олег Ветров. Григорий Варин остался жив, но ему поменяли документы. Если это действительно так, то все чудеса объяснимы. Грише, образованному юноше из богатой семьи, деньги на бизнес дала мать. Лузгина вышла замуж не за своего постоянного обидчика, а за сына Зои, вот почему теща была толерантна к зятю. Похоже, в палате случилось что-то и в самом деле ужасное, раз Зоя Варина пошла на подлог. Актриса постаралась предусмотреть все! Каждый получил награду: Короткова приобрела квартиру плюс, наверное, деньги, и ей подарили сумку «Марго». Лузгина получила мужа и тоже отдельную жилплощадь. Полина Яценко купила бывшую коммуналку. Я не рылась в бумагах по купле-продаже жилплощади, но думаю, там можно найти нечто интересное. Предполагаю, что Яценко заплатила за квартиру смешные копейки. Кстати, она была беременна. А куда подевался ребенок? Но это не главный вопрос на повестке дня. Что произошло в палате? Леонид Аркадьевич знал правду и наверняка сообщил ее вам. По какой причине он помог Григорию Варину превратиться в Олега Ветрова? Хотя обычно причина-то банальна — деньги.

Эвелина Петровна выпрямилась.

— Не смейте оскорблять светлую память Леонида Аркадьевича! Он никогда и копейки с больного не взял! Все случившееся — трагедия. В нее из-за ужасного стечения обстоятельств оказались втянуты посторонние люди. Ветров... Да, конечно, получалось, что виноват Леонид Аркадьевич. Он-то хотел как лучше... Хорошо, муж умер, ему не придется... И Полина... Катя... Они-то вообще здесь ни при чем, просто случайно оказались рядом. Наверное, надо все рассказать... В конечном итоге виноват Горбачев!

— Кто это такой? — изумилась я. — До сих пор в деле не было такой фамилии.

— Правда? — распахнула глаза Эвелина Петровна. — Михаил Горбачев, который великую страну разрушил до основания.

— Вот только не надо о политике! — быстро сказала я. — В любом государстве бывали войны и революции. А если говорить об истории, то думаю, корень всех зол в императоре, который не захотел простить покушавшегося на него Александра Ульянова, из-за чего его брат Владимир поклялся идти иным путем и устроил в тысяча девятьсот семнадцатом году государственный переворот, вследствие чего возник СССР, похороненный Михаилом Горбачевым. Нельзя переложить ответственность за все, что происходило с

Россией в XX веке, на одного-единственного челове-ка. А в преступлении можно! Я думаю, Олега Ветрова убили. Вопрос: кто и за что?

Эвелина Петровна сложила руки на груди:

— Я попытаюсь объяснить. Но, прошу понять — это трагедия! Основного действующего лица, Зои Ва-риной, давно нет в живых. Леонид Аркадьевич обо-жал ее. Я тоже. Вы видели фильмы Вариной?

— Наверное, да, но забыла их, — призналась я.

— Бог мой, как такое возможно — выбросить из головы подлинное искусство? — поразилась Эвелина Петровна. — Зоя была... э... не подберу сравнения... Ангел небесный! Жизнь ее — каторга, на экране же перед зрителем представала беззаботная, счастливая, искрометная женщина. Актриса полностью перево-площалась. Гриша, он... Леонид Аркадьевич еле с ним справился. Я тогда впервые услышала от мужа фразу: «Монстр по отцовской линии». Ну такое горе и...

— Пожалуйста, если можно, по порядку! — взмо-лилась я.

Глава 31

Как правильно отметила Эвелина Петровна, в со-ветские годы в России ничего о психотерапии знать не хотели. Но все же в специализированных клини-ках работали врачи, которые понимали, что психиат-рия с психологией разные науки, и пытались лечить больных словом. Себя такие доктора не рекламирова-ли, но пациенты все равно находили их, «сарафанное радио» работало лучше любой рекламы.

В начале девяностых годов прошлого века в мос-ковских больницах сложилось ужасное положение. Не хватало лекарств, постельного белья, инструмен-тария. Если человеку предстояло, не дай бог, идти на операцию, он должен был сам позаботиться об ампу-лах, шприцах, наркозе, бинтах, вате, прихватить с собой простыни — наволочки — полотенца. Положение усугублялось и стихийно возникшей коммерческой медициной. Часть высококлассных специалистов сбежала из государственных клиник и решила заняться индивидуальной деятельностью. Словно грибы после летнего дождя, в столице начали вырастать кооперативные клиники, где за услуги платили немотивированно большие деньги. Спустя несколько лет все устаканится, возникнет баланс между платной и бесплатной помощью, начнется эра страховой медицины, но сейчас речь идет о начале девяностых.

Леонид Аркадьевич и Эвелина Петровна были врачами старой формации, они как работали в клинике, так в ней и остались. У них не было детей, копить деньги было не для кого, супруги считали себя вполне обеспеченными людьми: имели квартиру, много книг. А что еще надо человеку? Машину? Так на ней ездить некуда, на работу Буравковы ходили пешком. Дачу? Никакой тяги к земле муж с женой не испытывали, к тому же больница стоит в парке, который вполне заменяет лес. Леонид Аркадьевич не мог и не хотел покидать пациентов, поэтому он никогда не брал отпуск. Единственное, что удручало специалистов, это полнейший развал здравоохранения и возросшее число психически нестабильных людей. Многие не выдерживали реалий дикого российского капитализма и получали нервный срыв.

За несколько недель до дня, который дал старт всем событиям, в мужском отделении обвалился потолок. Главврач вызвал к себе Леонида Аркадьевича и сказал:

— Бардак крепчает! Давай ставь в женские палаты столько кроватей, сколько влезет. Мужиков некуда девать!

Леонид Аркадьевич почесал в затылке и предложил:

— Можно еще кабинет иглотерапевта под палату переоборудовать. Все равно Марина Ильинична ушла, никто иголками не лечит. А там две комнатки: процедурная и приемная.

— Они крохотные, — вздохнул главный. — Ну ладно, давай на всякий случай там вип-палату оборудуем. На двоих.

— Если к кроватям тумбочки не ставить, то в помещении четверо улягутся, — пообещал Леонид Аркадьевич.

— Поступай как знаешь, — отмахнулось начальство. — Мы скоропомощные, никому отказать не имеем права. Бери и рефлексовую комнату, и коридор в ординаторской, и предбанник в моей приемной тоже.

Не успел Леонид Аркадьевич оборудовать новую палату, как в нее положили больных. Сначала привезли молодую женщину, Полину Яценко, которая пыталась покончить с собой. Затем приняли Катерину Лузгину с реактивным психозом. А через пять минут в том же помещении устроили алкоголика Олега Ветрова. Кабинет рефлексотерапевта делила на две части стена из стеклоблоков, она не доходила до потолка. Женщины не видели Ветрова, зато великолепно слышали его. Конечно, следовало отдать бывший кабинет четырем представительницам слабого пола, но когда Лузгину и Яценко там уже устроили, доставили Ветрова, и место ему нашлось лишь в новой палате.

— Нехорошо получается, — расстроился Леонид Аркадьевич, — но в ближайшее время что-нибудь придумаем.

Утром в кабинет Буравкова вошла ухоженная и хорошо одетая дама.

— Меня зовут Зоя Варина, — представилась она. —

Конечно, я не надеюсь, что вы вспомните меня, давно не снимаюсь, но некогда...

Леонид Аркадьевич вскочил из кресла.

— Зоя Варина! Актриса! Боже! Я ваш преданный поклонник! Чем могу помочь?

Актриса опустилась на стул.

— У меня несчастье, — прошептала она. — Вас характеризуют как лучшего специалиста... умоляю... дайте честное слово, что никому не расскажете... мой Гриша...

Слезы потоком хлынули из глаз Вариной. Леонид Аркадьевич встал, запер дверь и сказал:

— Я врач, давал клятву Гиппократа и никогда не нарушал тайну пациента. Мы с женой посмотрели все картины с вашим участием, восхищаемся вашей удивительной красотой...

— Ах, дружочек! — прервала его Зоя, перестав рыдать. — Вы только меня выслушайте!

Леониду Аркадьевичу было не привыкать узнавать чужие секреты. В некотором роде он служил для своих больных этакой урной, куда сваливали душевный мусор и сливали негатив. Но история Вариной поразила врача. Нет, не фактами, а тем, насколько экранный образ Зои — а она всегда играла веселых блондинок — не соответствовал настоящей судьбе женщины.

У Зои были муж Феликс, невероятно талантливый математик, мировая величина, сын Гриша, шикарная квартира, машина, дача, шубы, золото, брильянты, шумная слава и имидж абсолютно счастливой женщины. Вариной завидовали тысячи советских баб, многие хотели бы оказаться хоть на пару дней на месте Зои, вот только никто и понятия не имел, как обстояло дело в действительности.

Феликс был циклотимиком, его настроение менялось мгновенно. Только что Варин купил жене цветы и тут же мог этим же букетом отхлестать ее по лицу. В злую минуту Феликс охотно распускал руки, мог ударить Зою, швырнуть ее на пол и пнуть ногой. Актриса, боявшаяся, что слух о неподобающем поведении супруга дойдет до начальства и ему запретят выезжать за границу, молча терпела побои. В доме никогда не было прислуги, хозяйство актриса вела сама, справедливо полагая: домработница не станет молчать. Зоя научилась лечить синяки бодягой и всегда держала лед в холодильнике. Когда муж выбил ей два зуба, она храбро соврала стоматологу:

— Я поскользнулась и упала лицом на ступеньки.

Самое интересное, что Вариной удалось сохранить тайну — их семью считали образцовой. После очередного припадка ярости Варин испытывал угрызения совести и кидался за подарками. Первую сумку «Марго» он преподнес супруге в Париже — после того, как вывихнул ей руку; вторую купил в Лондоне, чуть не утопив Зою в ванне; третья досталась ей в Италии, когда супруг поколотил жену настольной лампой, и она, боясь обратиться к местному врачу, целую ночь вытаскивала из ран мелкие осколки стекла пинцетом для бровей.

— Моя жизнь — каторга в цветах, — вздыхала Зоя, — а муж — зверь с тортом. Но я любила Феликса за минуты раскаяния. Впрочем, нет, я обожала мужа даже в моменты его припадков. Только умоляла его: на людях сдерживайся и при сыне не дерись.

И что интересно: Феликс беспрекословно выполнял просьбу жены. Мило танцевал с ней на вечеринке у какого-нибудь Варвиано, который был фанатом Зои, а потом, вернувшись в отель, запирал номер и устраивал побоище.

Три года назад Феликс скончался, Зоя похоронила мужа и стала жить спокойно. У вдовы было много ценных вещей, она не переживала ни за свою судьбу, ни за будущее сына. Да, денежные сбережения растаяли, но остались драгоценности, предметы искусства, в конце концов — сумки «Марго». Зоя отлично знала их стоимость.

Гриша тихо существовал возле матери, никаких попыток уйти от нее он не делал. Окончил школу, поступил в институт, получил диплом. Девушки молодого Варина не интересовали, и Зоя даже стала беспокоиться по этому поводу. Еще ее пугало отношение сына к животным — парень мог ударить собаку, пнуть кошку... Впрочем, свое поведение он объяснял так:

— Я аллергик. Не дай бог случится шок — и я умру.

Иногда Зое становилось страшно: а ну как сын со временем превратится, как и его отец, в циклотимика? Но она успокаивала себя — все нормально, Гриша просто боится заболеть.

А потом Григорий подцепил грипп, вирус уложил его на несколько недель в постель. Болезнь протекала тяжело, Зоя усиленно лечила сына и очень обрадовалась, когда температура упала.

— Отлично! — сказала мать, глядя на градусник. — Давай, попробуй встать и...

Договорить она не успела — мощный удар кулака опрокинул ее на пол. Зое почудилось, что перед ней Феликс, настолько обезумевший сын походил на покойного отца.

То ли грипп так повлиял на здоровье Гриши, то ли в нем проснулась дурная генетика, несчастная Варина не знала. Но ее жизнь словно сделала поворот назад. Поправившись, Григорий стал бить мать, но в отличие от Феликса у парня не бывало минут раскаяния. Молодой человек никогда не просил прощения, и с каждой неделей побои становились все сильнее. В конце концов Зоя поняла: если не принять мер, сын ее попросту убьет!

— Сделайте что-нибудь! — умоляла врача Зоя.

Леонид Аркадьевич встал.

— Да, я согласен вам помочь. Где ваш сын?

— Дома, — прошептала несчастная. — Я бы не пришла, сумела бы приспособиться к сыну... вытерпела... но, понимаете...

Актриса прижала руки к груди и стала рассказывать дальше.

Гриша налетел на соседку по дому, некую Ольгу Тимофеевну. Дама, противная во всех отношениях, сделала младшему Варину замечание, а тот кинулся на нее с кулаками.

— То, что он бросается на меня, — шептала Зоя, — это ерунда. Но Гришу могут арестовать. Я дала Ольге Тимофеевне денег, но... Она пришла опять! Требует еще. Если сын узнает, что я стала объектом шантажа...

— Поехали, — велел психотерапевт. — Жаль, что вы не обратились ко мне раньше, но я приложу все усилия.

Через пару часов Леонид Аркадьевич уговорил Гришу лечь в больницу и привез его к себе. Варина устроили на единственное свободное место — положили в бывший кабинет рефлексотерапии. В соседях у парня оказался Олег Ветров, а через стеклянную стенку, загораживавшую обзор, но не задерживающую звуков, находились Полина Яценко и Катерина Лузгина.

Леонид Аркадьевич и впрямь был кудесником — Гриша быстро восстановился, он ужаснулся, когда осознал, что проделывал с матерью, и стал раскаиваться.

— Думаю, мы имеем дело с непростым случаем, — объяснял врач Зое. — Плохая наследственность осложнена вирусным заболеванием. Но то, что после приема лекарств Гриша стал адекватен, наводит на радужные мысли. Мы справимся!

Может, Варину помогли таблетки, может, сеансы психотерапии, а может, в дело вмешалась любовь? Гриша заинтересовался Катей Лузгиной, и девушка ответила ему взаимностью. Кстати, симпатичный сын актрисы пришелся по душе и Полине Яценко, но он остался к ней равнодушен.

Вечером одиннадцатого числа ничто не предвещало несчастья. Леонид Аркадьевич обошел больных и, уединившись в своем кабинете, стал читать книгу. В отделении объявили отбой. Минут через десять после этого к врачу пришла медсестра Танечка и попросила:

— Леонид Аркадьевич, отпустите меня на часок домой, дочка затемпературила.

— Ступай, конечно, — разрешил мягкосердный начальник, — сам в случае чего справлюсь...

Эвелина Петровна прервала рассказ и посмотрела на меня.

— Вот и не верь после этого в судьбу... — вздохнула она. — Все сложилось для Гриши крайне благоприятно и ужасно для Олега...

В районе полуночи дверь в кабинет доктора распахнулась, на пороге возникла Катя Лузгина.

— Там... у нас... — прошептала она. — Пойдемте скорей! Только тихо... чтобы никто не услышал...

Леонид Аркадьевич последовал за девушкой. Лузгина привела доктора в свою палату, и доктор увидел на кровати Полину Яценко. Молодая женщина явно чувствовала себя плохо, похоже было, что она вот-вот потеряет сознание.

Психотерапевт шагнул к кровати, но Катя схватила врача за руку.

— Вам туда! — сказала она и втолкнула доктора в ту часть помещения, которую занимали мужчины.

Леонид Аркадьевич обомлел. На одной кровати лежал мертвый Олег Ветров, на другой сжался в комок Гриша Варин. Увидав врача, сын актрисы протянул:

— Он сам! Я ни при чем! Не знаю, как это получилось!

Через пять минут психотерапевт был в курсе произошедшего.

Гриша Варин и Катя Лузгина решили прогуляться после отбоя. Пара давно пользовалась кладовкой, в которой сестра-хозяйка держала всяческие мелочи. Дождавшись момента, когда дежурный врач и медсестра уходили в ординаторскую, влюбленные прокрадывались в конец коридора. Катя легко отпирала примитивный замок, и влюбленные оказывались наедине друг с другом.

Тот же фокус они проделали и сегодня. Но когда вернулись в палату, увидели, что Ветров пьян. И он был не один — в палате на кровати мужа сидела его жена, Галя Короткова. Кате всегда было жаль несчастную женщину. Галина целыми днями работала в ателье портнихой, вечерами бегала по частным заказчицам. Коротковой тяжело доставались небольшие деньги. Лузгина понимала, что молоденькая швея давно не любит пьяницу-мужа, но, очевидно, Галя была из породы порядочных женщин, она не бросила допившегося до психушки алкоголика, навещала его поздним вечером, приносила еду. И, наверное, надеялась, что в больнице пьяницу приструнят. Но свинья везде грязь найдет! Где Олег раздобыл водку, так и осталось тайной.

Увидев парочку, алкоголик начал отпускать сальные шуточки. Причем очень громко, так что разбудил спавшую Полину. Никакие уговоры на него не действовали, чем больше Катя и Гриша просили пьяницу замолчать, тем сильнее Ветров расходился. Очевидно, его раззадорил конфуз молодых людей, ему нравилось смущать влюбленных. Выражения в их адрес становились все отвратительнее. Ветров, кроме психотерапевтических бесед с врачом, получал и ряд препаратов. Скорей всего горячительное, соединившись с лекарствами, сделало Олега неуправляемым, да и немалую роль сыграло длительное воздержание от сорокаградусной.

Окончательно распоясавшись, Ветров схватил Лузгину за руку, дернул к себе, обнял и загундел:

— Тебе же все равно, с кем? Давай, обслужи меня, и я никому не скажу, что ты... Сколько берешь? Галку не стесняйся, она только рада будет.

Катя онемела от отвращения, дальнейшее заняло секунды. Гриша молча схватил хама и повалил его на кровать. Полина, Катерина и Галя попытались остановить драку, но рассвирепевший Варин походил на взбесившегося носорога.

Когда Лузгина поняла, что Гриша, защищая ее, задушил пьяницу, побежала к Леониду Аркадьевичу.

Тот мгновенно оценил ситуацию. У Григория на фоне стресса случилось обострение заболевания. Ветров был сам виноват в произошедшем: нарушил режим, напился, оскорбил девушку. Его бы выписали через пару дней, выведя из белой горячки, но судьба Ветрова была предрешена. Не требовалось походов к гадалкам, чтобы понять: жить алкоголику осталось недолго, либо отравится некачественной водкой, либо погибнет в драке. К тому же у него обнаружили цирроз печени. А вот Гриша Варин был не потерян для общества. Да, он впал в агрессию, но кто бы из нормальных мужчин смог спокойно наблюдать, как пьяная скотина обижает его любимую? И что получится, если Леонид Аркадьевич сейчас вызовет милицию? Григория арестуют и посадят. Зоя Варина не переживет несчастья и, вероятнее всего, умрет. А еще в деле замешаны Катя Лузгина, Полина Яценко и Галина. Последняя, похоже, пережила сильный шок. Несчастная жена алкоголика тряслась как осиновый лист и тихонечко твердила:

— Раз, два, три, четыре, пять, вышел зайчик погулять...

А Яценко была беременна и после сеансов у Леонида Аркадьевича решила рожать. Девушек затаскают по кабинетам следователей. Катя Лузгина только-только начала поправляться, Полина Яценко тоже недавно вышла из депрессии... На кону судьба четырех человек, способных стать полноценными членами общества, а Ветров все равно уже мертв, да и жить ему оставалось недолго при циррозе печени. И Леонид Аркадьевич принял решение: надо спасать тех, кого можно спасти.

Радуясь тому, что медсестра Танечка убежала домой, Леонид Аркадьевич сам отвез тело Ветрова в морг, снабдив труп справкой о том, что больной Григорий Варин умер от приступа астмы.

Напомню вам, что Зоя спрятала сына в клинике, пытаясь избежать скандала с соседкой. Наивная актриса полагала, что разъяренная Ольга Тимофеевна забудет о происшествии и простит обидчика. Но избитая тетка проявила отменные качества шантажистки, она зафиксировала травмы, получила соответствующую бумагу от врача и стала наведываться к бывшей актрисе с угрозами:

— Твой урод где? Ну-ну! Я в милицию побегу, пусть его посадят!

Испуганная мать предлагала бабе денег, Ольга Тимофеевна забирала купюры и на время добрела. А через пару дней опять возникала на пороге Вариной, нагло требуя мзды. То, что Гриша оказался в клинике, не помогло. Баба продолжала ходить за «материальной помощью», угрожая посадить сына Зои в тюрьму.

Леонид Аркадьевич был в курсе ситуации, — врач и его жена подружились с любимой актрисой, у той теперь не было тайн от супружеской пары.

Эвелина Петровна, выслушав в очередной раз жалобы актрисы, сказала:

— Сходи сама к участковому, шантаж не меньшее преступление, чем драка. Ольгу накажут.

— Что ты! — замахала руками Зоя. — Гришу посадят! И я стыда не оберусь! Люди судачить начнут, еще, не дай бог, правда про Феликса вылезет наружу. Нет-нет, я буду платить!

— Это неправильно, — попыталась переубедить ее Эвелина. — Шантажисту никогда нельзя поддаваться. Раз начнешь — до конца жизни продолжишь!

— Да, это ужасно, — заплакала Зоя, — но альтернативы нет. Мне важнее судьба Гриши и доброе имя Феликса. Нет, я боюсь идти в милицию. Конечно, понимаю, что Ольга Тимофеевна не отстанет, но... Ловушка захлопнулась, и я в нее угодила.

Теперь ясно, почему Леонид Аркадьевич отвез в морг «Григория Варина»? Психотерапевт решил избавить любимую актрису от шантажистки. Да вот только действовал Леонид Аркадьевич спонтанно, как следует не продумав сценарий. Впрочем, времени у врача было мало, зато очень хотелось избавить Варину от тяжелых испытаний.

В клинику «Скорая помощь» круглосуточно привозит больных со всего города, морг там огромный, покойников много, патологоанатомов не хватает, а Леонид Аркадьевич пользовался заслуженным уважением коллег. Психотерапевт спустился в трупохранилище, поговорил с прозектором, и тело «Варина» не тронули.

Казалось, все обошлось. Олег и Григорий были

примерно одного возраста, похожего телосложения, оба славянской внешности, без особых примет. Зоя Варина забрала тело «сына» и похоронила со всеми необходимыми формальностями. «Олег Ветров» готовился к выписке. И только тут до Леонида Аркадьевича дошло: у алкоголика есть жена, Галина Короткова. И куда отправится «Ветров» после выписки? По месту своей прописки? Там соседи по дому, отлично знающие Олега. Тайна моментально раскроется. И не жить же Грише с Галиной. Вернуться к матери? Но там «покойника» тоже узнают соседи, в первую очередь мерзкая Ольга Тимофеевна, и вся операция потеряет смысл.

Леонид Аркадьевич растерялся. Оказывается, он не продумал детали, заверил актрису, что теперь ее беды позади, и Зоя, наивная и, чего греха таить, не очень умная дама, поверила другу. И что получилось?

Глава 32

И тут все взяла в свои руки Эвелина Петровна.

— Говорила же, — укорила она Зою, — лучше всего правда! Ну ладно, попробую купировать беду.

Жена Леонида Аркадьевича поехала к Коротковой и побеседовала с той. Эвелина Петровна, не менее наивная, чем сам профессор, надеялась, что Галина воскликнет: «Конечно, я буду молчать!»

И супруга алкоголика произнесла ожидаемые слова. Но... при этом выставила свои условия:

— Конечно, буду молчать. Однако мне нужна отдельная квартира и деньги на подъем собственного дела. Не волнуйтесь, я честный человек, заплатите мне только один раз, и я исчезну из вашей жизни. Но если не выполните моего требования — отправлюсь в милицию.

Несчастная Эвелина Петровна ощутила себя мухой, над которой нависла свернутая в трубочку газета. Ей и в голову не приходило, что Короткова решит сорвать сладкое яблочко с выросшего дерева беды. Отчего преданная жена Леонида Аркадьевича рассчитывала на порядочность Галины? Почему не подумала, что супруга алкоголика может потребовать плату за молчание? По какой причине Эвелина, весьма разумно предостерегавшая Зою от потакания Ольге Тимофеевне, сама попалась в лапы к шантажистке? Нет ответа на эти вопросы. Есть лишь догадка: порядочная дама считала окружающих людей такими же честными и благородными, как она сама. Да, Эвелина Петровна сталкивалась с негодяями, но полагала, что они редкое явление, а бóльшая часть людей непременно кинется помочь ближнему.

Галина же мигом поняла: вот для нее шанс выбраться из нищеты. И потребовала квартиру вкупе с деньгами.

Не растерялась и свидетельница убийства Полина Яценко. Та выдвинула примерно те же требования, захотела получить жилплощадь и помощь в карьере.

— У Вариной полно бабок и куча знакомых, — заявила будущая звезда. — И мне без разницы, каким образом она все устроит. Хочу быть ведущей!

Ну и что оставалось делать бедной Зое? Вместо одной Ольги Тимофеевны она получила двух алчных баб. Но ради спасения сына актриса была готова на все.

Зоя растрясла всю свою заначку, купила небольшую квартирку Галине с «Олегом Ветровым» (для простоты будем теперь величать Григория этим именем) и маленькую двушку для Лузгиных. Затем «Олег» развелся, женился на Кате, и Варина дала сыну денег на бизнес. К слову сказать, единственной приличной женщиной во всей компании оказалась Лузгина — Катюша искренне любила мужа и ничего для себя не требовала. Полина обрела московскую прописку, еще Зоя подняла свои старые знакомства и сделала практически невозможное — Яценко взяли на программу, и она получила свой шанс.

После операций с жильем бывшая актриса стала нищей. Но ни Короткову, ни Полину это не остановило. Галина, которой осталась их с мужем квартира, требовала денег на ателье, а Яценко хотела сделать ремонт в бывшей коммуналке, приобрести новую мебель и роскошную одежду, без которой не чувствовала себя звездой.

И тогда Зоя решила расстаться с коллекцией «Марго». Коротковой она отдала «змею», Яценко «жабу». Варина рассказала шантажисткам о стоимости сумок, предупредила алчных девиц:

— Вещи антикварные. В России о них пока мало кому известно, но на Западе аксессуары стоят огромных денег. И чем дальше, тем они будут дороже. «Марго» — это вложение денег, имейте в виду.

Катю Лузгину со свекровью связывали самые нежные отношения. Невестка понимала, что ей в целях безопасности не следует часто встречаться с Зоей и уж тем более не надо приезжать на квартиру к Вариной — мало ли что втемяшится в голову той же Ольге Тимофеевне. Но по телефону женщины разговаривали каждый день. Лузгина рассказывала о Грише и советовалась с Зоей по любому поводу.

Вскоре Варина заболела и поняла, что жизнь заканчивается. Свою просторную квартиру она завещала... Серафиме Лузгиной, матери Кати. А невестке Зоя передала свою самую любимую сумку, раритетную «змею», из второй десятки серии «Марго», которую актрисе преподнес лично Джон Варвиано. Серафима продала апартаменты, выручка была вложена в дело зятя. Так началась эра детского питания в жизни «Олега Ветрова»...

Эвелина Петровна снова замолчала.

— Собственно говоря, это все, — сказала она через минуту, — Зоя давно умерла, Леонид Аркадьевич тоже ушел на тот свет. Вот какая печальная история. Мы ведь хотели как лучше, взялись помочь дорогой Зоечке, а заварилась такая каша! Но Зоенька никогда не держала зла на Леонида Аркадьевича, она святая, часто повторяла: «Человек полагает, а Господь располагает. На все Божья воля! Это мой крест, не убивайся, Леня. Гришенька жив-здоров, счастлив, что еще надо? Ну чужое имя носит, эка ерунда. Жаль только, я не могу открыто к сыну и Катюше ходить... Да может, оно и к лучшему, чем дальше — тем роднее». Зоенька в любой ситуации искала положительный момент, она была очень светлым, позитивным человеком и умела жертвенно любить.

— Неужели Короткова и Яценко успокоились? — с недоверием поинтересовалась я.

Эвелина Петровна развела руками.

— Они получили огромный профит! Очевидно, на некоторое время им хватило. Может, потом бы и начали шантажировать Зоеньку, да она умерла.

— Интересно, пытались ли бойкие дамочки наехать на Ветровых? — пробормотала я.

Эвелина Петровна пожала плечами.

— Не знаю, душенька. Мы с ними не общались. Леонид Аркадьевич не хотел напоминать о себе семейной паре, понимал, какой резонанс может вызвать его интерес. В конце концов, если бы Олегу стало хуже... проявились признаки прошлых проблем... Катюша знала, к кому бежать. Но она не объявлялась, значит, жизнь Ветровых текла упорядоченно.

— А куда делся ребенок Полины? И кто у нее родился? — не успокаивалась я.

Глаза старушки расширились, между бровями заблестели капельки пота.

— Простите, о ком идет речь?

— Полина Яценко во время нахождения в клинике была беременна, — напомнила я. — Как ей удалось, имея малыша, успешно сделать карьеру?

— Вот вы о чем, — сказала хозяйка. — Да, действительно, Леонид Аркадьевич был противником абортов, считал операцию убийством и полагал, что проводить ее можно лишь по жизненным показаниям. У Яценко же имелись только материальные проблемы. И муж потратил немало сил, объясняя молодой женщине, что ей нельзя избавляться от ребенка. Полина долго сопротивлялась. Последним ее аргументом было то, что она наглоталась таблеток и может родиться урод. Но Леонид Аркадьевич заверил подопечную, что ребенок будет здоровым. Мол, совершишь сейчас глупость, потом всю жизнь раскаиваться станешь. Да и поздно уже было производить вмешательство, срок большой.

— И Яценко послушалась?

Эвелина Петровна закивала.

— Леонид Аркадьевич умел убеждать, находил ниточку, ведущую к душе. Супруг считал больных своими детьми, проявлял к ним отеческую заботу. Очень жаль, что Господь нам своих детей не дал. Может, поэтому Леонид Аркадьевич так близко к сердцу принял случай Полины. Она ушла беременной, вполне здоровой и физически, и душевно, материально обеспеченной. Я слышала, что у нее родилась девочка. Но мы не встречаемся.

— У вас не было детей, так откуда внук? — запоздало изумилась я.

Эвелина Петровна улыбнулась.

— Ленечка уникальный мальчик, талант, моя единственная радость и опора. Мы с Леонидом Аркадьевичем воспитываем его с пеленок. У мужа была сестра Евгения, непутевая особа, жила она в Питере.

Женя имела дочь Веру, которая пошла в мать — очень любила погулять. Один раз мы с Леонидом Аркадьевичем ложимся спать, вдруг звонок — на пороге Вера. Ясное дело, впустили ее. Вера забеременела неизвестно от кого, от матери сей факт скрыла, а когда правда выплыла наружу, Евгения дочь выгнала. И куда деваться глупышке? Приехала к нам. Леонид Аркадьевич все устроил, положил Веру в лучший роддом, а когда та родила мальчика, сообщил сестре радостную весть. Знаете, как отреагировала Женя?

— Полагаю, она не испытала радости.

— Абсолютно верно! Более того, заявила: «Пусть она в Питер не возвращается, я не намерена байстрюков кормить». А Вера из роддома сбежала, бросила мальчика. Мы с Леонидом Аркадьевичем его усыновили, но честно объяснили пареньку: «Где твои мама-папа, никто не знает».

Леонид Аркадьевич считал, что от человека нельзя скрывать правду его происхождения, рано или поздно истина выплывет наружу, и тогда неизвестно, какова будет реакция усыновленного. Кстати, Женя умерла, а Вера словно в воду канула, но мы лишь радовались такому повороту событий.

Старушка принялась на все лады расхваливать подростка, я согласно кивала головой. Потом заметила, что Эвелина Петровна устала, начала зевать. Мне пришлось откланяться и уйти.

Оставленная в тени большого дерева машина сейчас оказалась на солнце. Я распахнула дверцу и поняла, что не смогу сразу сесть в салон. Кожаное сиденье раскалилось, а руль на ощупь напоминал только что сваренную сосиску. Пришлось завести мотор и ждать снаружи, пока кондиционер слегка понизит температуру.

В голове тем временем вяло ворочались обрывки

мыслей. Картинка никак не желала складываться, из
нее выпадали какие-то фрагменты. Три женщины
получили от Зои Вариной раритетные сумки «Марго». Катя Лузгина обожала подарок свекрови и носила его с радостью. Наверное, Катя не понимала,
сколько стоит изделие. Или, что вероятнее, считала
сумку своим талисманом. Хм, почему Фатима Бекоева, разыскивая винтажную «Марго», не вышла на Катерину? Наверное, Ветрова бывала на вечеринках с
ридикюлем. Странно, что он не привлек внимания
светских дам, отлично умеющих вычислять стоимость вещей. Ладно, это неинтересно. Вероятно зная
о нравах тусовки, Катерина как раз и не брала туда
«Марго», чтобы избежать ненужных расспросов.
А вот собираясь в детективное агентство, прихватила
с собой сумку — полагала, что частные сыщицы не
разбираются в эксклюзивных аксессуарах. Или Ветрова придавала визиту к нам особое значение, а
«Марго», повторюсь, считала талисманом.

Короткова свою добычу продала, деньги вложив в
дело. Где сумка Яценко, я не знаю.

Черноволосая женщина, похожая на цыганку,
тетка с родинкой между бровями — это Галина Короткова. Внешность у модельера яркая, запоминаю-
щаяся. Именно поэтому горничная Фира и узнала ее
на снимке в гламурном журнале.

Но есть один момент, который я до конца дня себе еще не прояснила. Записка со словами детской
считалочки была написана кем-то из участников тех
давних событий. Очевидно, кто-то из дамочек — то
ли Галина, то ли Полина — решила попугать Ветровых. Зачем? Что шантажистка ожидала от этого? Денег? Ясно одно, конверт принесла Короткова. Но это
не значит, что она автор послания.

Есть еще одна странность. Галина продала свою
«змею». Откуда же у нее взялась «жаба»? А именно о

такой сумке говорили и Фира, и Зоя. Значит, Короткова купила себе новую «Марго». Но это предположение кажется маловероятным — у не очень успешного модельера вряд ли хватило бы свободных
средств на такое баловство, Галочка не качала нефть
из земли, не имела заводов по производству алюми-
ния... Но тем не менее явилась к Фире с «Марго» в
руке и нарочно обратила внимание горничной на
винтажный аксессуар. Правда, Фира, регулярно изу-
чающая гламурные издания, и без того была великолепно осведомлена о раритетной сумке. Так откуда
взялся ридикюль? И почему Галина, желая сохранить
инкогнито, не спрятала пышные волосы под платок и
плохо замазала родинку? И не оделась попроще... Короткова вела себя, как человек, который хочет, чтобы
его узнали!

В обувной ларек тоже явилась черноволосая дама
с родинкой. И она каким-то образом убила Фиру. Но
это бред! Если горничную устранили из-за того, что
она узнала на фото Короткову и решила ее шантажировать, то зачем Галя откровенно демонстрировала
свою внешность горничной? Ох, что-то не клеится.

На телевидение с девочкой Ксюшей, молчаливой
свидетельницей всех странных инфарктов, тоже приходила Галина. Зина Кондратьева достаточно точно
описала внешность «мамочки» — черные вьющиеся
волосы, родинка и снова «Марго». На локте у мадам
висела сумка из серии «жаба».

В здание, где располагается наш офис, с малышом на руках ворвалась кудрявая брюнетка. К сожалению, качество записи видеонаблюдения оставляет
желать лучшего, лица мамаши не разглядеть, но мел-
ко вьющиеся темные волосы чуть ниже плеч великолепно различимы. А охранник говорил про карие глаза и родинку между бровями. Вот на ее сумку никто
не обратил внимания...

Но Галина Короткова умерла в мае. Кстати, опять же от инфаркта. Она никак не могла прийти в наш офис в июне. Трупы не бродят по улицам!

Я вытащила из сумки мобильный и позвонила Маркову.

— Что нового случилось? — вяло поинтересовался он.

— Нужна помощь, — коротко ответила я. — У меня куча деталей, размышлений и совершенно невероятные выводы.

— Приезжай, я на работе, — велел Николаша. — А что к Костину не обратишься?

— Так он в командировке, — пояснила я. — Нина носится по Питеру или в поезде едет, ее мобильный недоступен. А я, с одной стороны, в растерянности, с другой — понимаю, что необходимо торопиться.

— Жду! — коротко ответил следователь. А потом добавил: — Оплата по таксе. ОК?

— Естественно, — вздохнула я. — Дружба дружбой, а денежки врозь!

Что может быть наименее уютным и комфортным в жару? Где в наш век научно-технического прогресса не поставили кондиционеры и не завели холодильники с минералкой? Районное отделение милиции — вот правильный ответ. А еще здесь не открывают зарешеченные окна. Наверное, делать это не разрешает инструкция по безопасности. Очевидно, местное начальство боится массового побега уголовников, думает, что они сумеют просочиться между металллическими прутьями. И в каком еще месте можно встретить допотопные стеклянные графины, наполненные желтоватой затхлой водой? А насладиться ею вам предложат из мутного граненого стакана. Довершают дизайн стены, выкрашенные темно-синей краской, железный сейф-монстр цвета поноса больной собаки и разнокалиберная мебель, взятая на баланс году этак в семьдесят втором.

Марков чах над бумагами.

— Душно у тебя, — пробормотала я, садясь на стул. — Может, окошко откроешь?

— Оно заклеено, — ответил наш внештатный сотрудник. — Да и какой смысл? На улице жарища!

— Действительно, — подхватила я. — Опять же, через несколько месяцев нагрянет осень, снова придется щели законопачивать. И мытье окон тупая забава, они все равно запачкаются.

Николаша покосился на меня.

— Ты пришла побеседовать о наведении чистоты? Тогда не по адресу обращаешься, ступай к Семенычу, он у нас АХО[1].

— Есть другие вопросы, — поумерила я свой пыл.

— Вот с них и начинай, — велел Коля. — Время — деньги, в прямом смысле слова. Я за дачу еще не расплатился, только задаток внес. Ну, чего там?

Глава 33

Несмотря на явную склонность к стяжательству, Марков настоящий сыскарь, ему присущ профессиональный азарт. Кстати говоря, я полагаю, что неудержимое желание заработать объясняется его бедностью, он хочет обеспечить любимого сынишку свежим воздухом, фруктами, игрушками. Но сейчас, услышав мой рассказ, Коля сразу забыл про гонорар, и мы с ним в течение нескольких часов так и этак обыгрывали ситуацию, пока не поняли, что придумали замечательный план.

К дому Сули, ближайшей подруги Фиры, мы подкатили на служебной милицейской тарантайке. С транс-

---

[1] АХО — административно-хозяйственный отдел.

портом в районном отделении беда, но на город почти спустилась ночь, а шофер тоже хочет подзаработать. Я рассталась с очередной суммой, а мой помощник и напарник заверил водителя:

— Нам надо свидетеля пугануть. Врет, блин, как сивая кобыла. При виде тебя на тачке с «люстрой» она испугается. Дело пустяшное.

— Если кто узнает, мне влетит, — заныл сержант.

— Не бойся, отмажу, — пообещал Николаша и подмигнул мне.

Я добавила еще пару купюр, и водитель бело-синих «Жигулей» сдался, но зудеть не перестал.

— Напридумывают хрени... — бубнил он, энергично поворачивая руль. — Машина им понадобилась... А бензин, ё-моё!

Под неумолчное кудахтанье шофера мы подъехали к нужному дому, и я набрала телефон Сули.

— Алле, — бойко отозвалась лгунья, — слушаю?

— Лампа Романова беспокоит, — вкрадчиво заговорила я. — Не ждала?

— Нет, — недовольно буркнула девчонка. — Чего надо?

— Выйди на балкон!

— За фигом?

— Посмотришь во двор, это поможет тебе принять правильное решение, — сладко протянула я. — Не бойся, больно не будет.

— Вот еще, стану я трястись, — фыркнула Суля.

Тут же на лоджии третьего этажа появилась фигура в красном. Несмотря на поздний час, на улице было светло — в июне ночи короткие, и они практически не бывают темными.

Я приветственно подняла руку и сказала в трубку:

— Суля, видишь ментовскую тачку? И двух мужиков?

— Ну? И чего?

— У тебя есть выбор. Либо спускаешься во двор и честно отвечаешь на наши вопросы... подчеркиваю: честно отвечаешь... либо менты поднимаются в квартиру, арестовывают тебя, обыскивают комнаты, конфискуют имущество... — Тут я получила весомый пинок от Николаши, но меня уже несло по кочкам, остановиться я не могла: — ...Отвезут тебя в тюрьму и посадят на десять лет. Ордер у нас с собой.

— Уже бегу, — обморочным голосом зашептала Суля.

Фигура в красном метнулась с балкона в дом.

— Все как обычно, — зевнул Николаша. — Обожаю любителей! В особенности блондинок! Ой, прости, Лампа! Но ты же вроде крашеная?

— Натуральная, — отрезала я, — стопроцентный блонд от рождения. Внешность красавицы, ум гения. Я уникум.

Сержант за рулем противно захихикал. Из подъезда пулей вылетела Суля.

— Вы, это... отъедьте за угол, — запыхавшись, сказала она. — Папанька спать лег, вдруг проснется.

— Не командуй! — оборвал девицу Марков. — Разоралась тут... Никто отсюда не сдвинется.

— Хочешь, чтобы машина с надписью «милиция» уехала? — спросила я.

— Да, да, да, — закивала Суля.

— Все в твоих руках. Ответишь быстро на вопросы — отвалим, — пообещал Коля.

Суля заморгала, а я незамедлительно начала допрос:

— Как Фира узнала имя женщины, которая просила подсунуть под дверь письмо?

— Я уже говорила! Увидела ее фотку в журнале, позвонила нашей...

— Врешь! — оборвал ее Николай.

— Почему? — растерялась Суля.

— Потому что ты поняла: тетка каким-то образом связана с убийством Фиры, — ответила я. — Думаю, в мобильном есть парочка снимков дамы. Фокус состоит в том, что женщина, которая писала письмо замаскировалась под Галу Коротич, то есть Галину Короткову, и совершенно не хотела убирать Фиру. Наоборот, твоя подруга в случае дознания могла описать внешность мадам и тем самым направить следствие по ложному пути. Но Фира погибла, значит, она каким-то образом вычислила настоящее имя тетки и решила ее шантажировать. Фира могла увидеть модельера на фото, да вот только Гала, дозвонись до нее девушка, никогда бы не поехала ни в какой обувной магазин. Она не приносила письма, и ей нечего было бояться. Ясно?

— Тебе понятно объяснили? — навис над посеревшей Сулей Марков.

— Ща наручники защелкнуть или погодить? — решил внести свою лепту в дознание сержант-шофер.

— Ой, мамонька... — Суля прикрыла рот ладошкой. — Вы чего-то путаете. Та тетка милая, она никого не убивала, пошутить хотела. У ней голос приятный!

— Значит, ты ей звонила, раз про голос знаешь, — констатировала я. — И когда вы беседовали?

— Ну... недавно... сегодня.

— О чем договорились? — хором спросили мы с Николашей.

— Завтра встречаемся в кафе-мороженом, на бульваре, недалеко отсюда, — затараторила Суля. — Она деньги принесет, я пропуск отдам.

— Какой? Договаривай! — приказал мой помощник.

Суля захныкала:

— Мне случайно повезло. В общем, тетка конверт Фирке дала. Она его из сумки вытащила, еще похвасталась, зараза: «Знаешь, сколько такой прибамбас стоит? За всю жизнь тебе на такой не заработать!» Ну не сука ли?

— Дальше, — потребовала я.

— Фирка взяла конверт, а женщина сразу ушла. Кинг тоже хотела отвалить, глядит — а на тротуаре бумажка заламинированная, рабочий пропуск с печатью. Но фотка другая, на ней блондинка. Фирка ушлая, она так рассудила: зачем тетке с собой чужой документ таскать? Ну и нашла телефон той, что на удостоверении. Не сразу, конечно, но у Кинг полно знакомых. Короче, они созвонились.

— Ясно, — кивнула я. — И на встречу в обувную лавку явилась «цыганка» с детьми. А почему пропуск у тебя остался?

— Фирка велела фотки сделать и документ сберечь, — призналась Суля, — она не хотела его при себе иметь. Придумала так: баба ей деньги дает, они вместе выходят, а тут я с пропуском. Опасно ж дорогую вещь при себе держать.

— Вот дуры! — с чувством высказался Николаша. — И таких армия по Москве ходит. Денег им подавай! Ну че, хорошо вышло? Убили твою Фиру из-за пропуска!

— Значит, дети, бегавшие по магазину, отвлекли продавщицу и довели ее до головной боли. Торговка пошла в служебное помещение, за это время Фиру убили, обыскали и не нашли удостоверения, — вздохнула я. — Ну почему ты мне сразу не рассказала правду?

Суля зашмыгала носом.

— Я хотела платье купить... и туфли-балетки... папашка... деньги...

— Ох, проклятые монеты! — заскрипел Николай. — Какое дело ни копни, сразу до них дороешься. Где пропуск?

— У меня-я-я!

— Неси! — топнула я ногой.

— Он зде-е-есь... — протянула Суля.

— Где?

— В лифчике, — рыдала студентка.

— Самое безопасное место, — скривился Марков. — Вынимай!

Суля запустила руку в вырез декольте, засопела, потом внезапно возмутилась:

— Пусть мужики отвернутся! Че они уставились?

— Было б на что глядеть, — выпятил губу сержант.

— Хорош дурковать! — обозлился на девчонку Коля. — А то очутишься в таком месте, где тебя обыщут!

Суля вновь заревела белугой и в конце концов отдала пропуск, завернутый в носовой платок.

Я развернула его. С цветной фотографии серьезно смотрело знакомое лицо.

— Полина Яценко, ведущая, — прочитал вслух Николаша. — Опаньки, мы правильно вычислили! Ну-ка, красавица, лезь в машину!

— Меня арестовали? — затряслась Суля. — Вы ж обещали! Обманули! Козлы!

— Полегче на поворотах! — пригрозил сержант.

— Да садись же... — Николай затолкал отчаянно сопротивлявшуюся девчонку в автомобиль, не забыв по профессиональной привычке прикрыть ее макушку своей широкой ладонью.

Я влезла за ними и сказала:

— Прекрати истерику, нам нужна твоя помощь.

— Давай договоримся! — гаркнул Коля. — Бартер: мы тебя отмажем, но и тебе придется постараться.

Суля вытерла лицо ладонью и деловито спросила:

— Че делать надо?

На следующий день, около полудня, ярко накрашенная Суля заняла в кафе столик у окна. Прямо перед собой студентка положила книгу Смоляковой.

О таком опознавательном знаке они договорились с убийцей.

Хотя на подготовку операции были считаные часы, Николай, приученный работать в форс-мажорных условиях, проявил себя с лучшей стороны. Небольшой зальчик был пуст, стихийно появлявшихся посетителей не пускали внутрь.

— Должна зайти только черноволосая баба с детьми, — проинструктировал владельца кафе мой приятель.

— А вдруг она заявится в, так сказать, естественном виде? — попыталась поспорить я.

— Нет, — уверенно отверг мои предположения Николаша, — идиоты тупо на одном зацикливаются. Если раз сошло, полагают, что и во второй прокатит. Не зря же говорят о почерке преступника, его характерной манере поведения. Полина всегда разыгрывает один и тот же спектакль.

— Мы не можем ее упустить! — кипятилась я.

— Мамо, не орите, — выпучил глаза напарник, — лучше валите вон, не то малину помнете.

Мне пришлось встать у газетного ларька и, надвинув на лоб бейсболку, изображать из себя любительницу гламурных изданий.

Ровно в полдень к кафе подошла темноволосая стройная женщина. На руках она несла хныкающую крошку лет пяти, по бокам семенили еще двое маленьких детей, чуть поодаль шла угловатая девочка с большими ступнями. Дешевое ситцевое платье, волосы, стянутые в хвост обычной махрушкой, и разношенные сандалии не украшали школьницу. На вид ей было лет тринадцать-четырнадцать. Очевидно, мать понимала, что ее дочери будет трудно завоевать титул «Мисс Вселенная», поэтому разрешила ей сделать макияж. Девочка щедро намазюкала ресницы черной тушью, веки синими тенями, нанесла на щеки румяна, а на губы слишком яркую помаду. Она шла подпрыгивающей походкой, выставив вперед правое плечо, в левой руке «модница» сжимала прозрачный пакет с вязаньем.

Живописная группа скрылась в кафе. Я уставилась на дверь. Минуты казались часами. Внезапно из-за угла дома, в котором находилось кафе, выскочила та самая девочка, очевидно выбравшаяся через кухню. Не оглядываясь, она кинулась к метро. Я, живо сообразив, что случилось нечто непредвиденное, бросилась за ней и крикнула:

— Немедленно остановись!

Девчонка ввинтилась в толпу, меня завертело людским потоком. Кое-как растолкав сограждан, я добежала до входа в подземку и в растерянности остановилась. На дворе стоит лето, большинство учащихся сдают экзамены, зачеты и ощущают себя почти свободными, поэтому сейчас вся площадь была заполнена молодыми людьми. Возле ларьков толпились покупатели, армия маршруток безостановочно подкатывала к тротуару, из них вытекали пассажиры. На остановке стоял троллейбус, орда полуразбитых «Жигулей» караулила тех, кому не хотелось ехать в переполненном общественном транспорте... Может быть, девочка, зашедшая с темноволосой мамой в кафе, и была нехороша собой, но умом и сообразительностью Господь ее явно не обидел — она знала, куда бежать, чтобы скрыться от преследователей...

Давать показания убийца начала еще в машине, а в комнате для допросов, куда привел ее Николай, телезвезда принялась плакать, безостановочно повторяя:

— Это он! Все он! Он... Меня заставили! Вынудили! Я ни при чем!

Николаша кивал, успокаивая и даже угощая задержанную. Он велел мне сбегать в ближайший супермаркет и притащить для преступницы пару пирожных вкупе с банкой растворимого кофе. Но Яценко не оценила угощения. Наверное, она не знала, что обычно людям, очутившимся на допросе в милиции, никто не предлагает эклеров. Мадам заявила:

— Я такое не ем!

— Да? — поразился милиционер. — А что вы хотите?

— Ничего, — прошептала Полина.

— Разговор предстоит долгий, — заметил Николай, — надо подкрепиться.

— Салат «Цезарь» без майонеза, — сделала заказ Полина. — И крупные сухари я не люблю. Еще чаю. Зеленого, без жасмина!

— Сейчас пошлем курьера в ресторан, — лихо пообещал хозяин кабинета.

— Меня сюда надолго привели? — спросила Полина, явно успокоенная его поведением.

— В принципе, мне все известно, — сказал Николай, — осталось уточнить детали. Маленькие и несущественные.

— А что вы знаете? — испугалась ведущая.

Я перенесла вес тела с одной ноги на другую. Однако неудобно стоять, прижавшись лицом к стене!

Во всех заграничных детективных фильмах непременно присутствует сцена допроса преступника. Следователь и подозреваемый сидят в комнате, одна из стен которой представляет собой зеркало. Всем известно, что с одной стороны оно прозрачное и из другого помещения за беседой наблюдают несколько человек. Кстати, в том здании, где работает Вовка Костин, есть такой кабинет. Но Марков-то сотрудник районного отделения, там лишь слышали о таких примочках, но, как говорится, голь на выдумку хитра. Местные умельцы проковыряли в перегородке между кабинетами небольшую дырку и повесили на нее картину. Оцените находчивость парней с «земли»: они водрузили на гвоздь «Черный квадрат» Казимира Малевича, и никто из задержанных не замечает, что часть полотна отсутствует. Простой российский способ, замена высоких технологий. Оборудование подсматривающего устройства обошлось дешево, и работает оно не хуже вышеупомянутого зеркала. Вот только, повторюсь, стоять неудобно.

— Да, я все знаю, — журчал Коля. — Про то, что случилось в больнице лет пятнадцать назад, про письмо, которое вы попросили подложить Ветровым, ну и прочее... Но лучше, если вы расскажете сами. Это будет расценено как помощь следствию и значительно облегчит вашу участь!

Полина схватила его за руку:

— Вы знаете, кто я?

— Конечно, — кивнул Коля, — я смотрю телевизор. Правда, редко удается отдохнуть перед экраном.

— Вы мне поможете?

— Постараюсь изо всех сил.

— Если я объясню, как было дело, отпустите меня домой?

Николай закивал:

— Я непременно сообщу начальству о вашем чистосердечном признании. Поверьте, это единственный способ избежать больших неприятностей. Знаете, чего я не понимаю? Почему Олега убили в прямом эфире во время вашего шоу?

Полина откинулась на спинку стула.

— Он был очень плохой человек. Двуличный! Но ему повезло родиться в хорошей семье. Олег на самом деле Григорий Варин, сын известной актрисы и академика. Конечно, убийство сошло ему с рук...

Николаша кивал в такт словам Яценко, а я превратилась в слух.

Став обладательницей московской квартиры и получив шанс попробовать себя в роли телеведущей, Полина решила, что судьба наконец-то смилостивилась над ней. Но довольно скоро Яценко поняла: за кулисами голубого экрана нужны деньги, знакомства и талант. Причем именно в такой последовательности. Когда первый опыт Полины окончился неудачей, она решила вновь обратиться к Зое Вариной.

Не следует думать, что честолюбивая женщина хотела грубо шантажировать актрису. Нет, она приехала к матери Гриши просто посоветоваться. Поплакалась на жизнь, сказала, что мучается совестью, до сих пор не понимает, правильно ли поступила, покрыв убийцу...

— Будь у меня интересная работа, — скулила Полина, — наверное, день мой проходил бы в заботах. Но поскольку я по непонятной причине не понравилась руководству канала, я имею кучу свободного времени, и в голову лезут всякие мысли. Иногда думаю: пойду в милицию и разом избавлюсь от терзаний. Я-то ничего плохого не совершила, просто оказалась свидетельницей. Находилась в больнице после попытки самоубийства. Мозги у меня съехали! А сейчас я выздоровела, и у меня проснулась совесть. Понимаете?

Зоя Варина отлично поняла Полину и схватилась за телефонную книжку. Деньгами актриса уже не могла помочь — все истратила, зато она имела огромное количество знакомых и сумела дать Яценко новый шанс.

Полина учла прошлые ошибки и раскрутилась. Она легко находила покровителей, улыбалась всем коллегам по работе, и вскоре за ней закрепилась репутация неизбалованной особы, весьма приятной во всех отношениях.

Но время бежало, а с годами никто не становится

моложе. К сожалению, российское телевидение не жалует тех, кому перевалило за сорок. Много ведущих в возрасте вы сумеете назвать? Всего несколько культовых персонажей. В основном на экране царят молодые, даже юные лица, Полина же находилась в опасной близости от рокового рубежа. С огромным трудом ей удалось стать ведущей шоу «Интервью» — Яценко нашла могущественного любовника, Сергея Петровича, который не только дал денег на шоу, но и выстроил его концепцию.

Полина понимала, что покровитель решает собственные задачи, использует телевидение для борьбы со своими противниками, но если бизнесмен приказывал обмазать грязью гостя шоу, ведущая старалась изо всех сил. Полине было плевать на моральные принципы, главное — подольше удержаться на плаву, не оказаться на звездной помойке, на какой-нибудь малорейтинговой городской радиостанции, где за копеечные деньги ее посадят у микрофона вещать глупости.

Но время летело, страх старости стал фобией. Каждое утро Полина с ужасом смотрела в зеркало. Еще год назад она спокойно входила в ванную, придирчиво оглядывала себя и успокаивалась: вроде все нормально. Ну появилось небольшое пигментное пятнышко, так оно легко замазывается тональным кремом или убирается при помощи кислотного пилинга. Но потом лицо стало «рушиться», причем стремительно. Полина боролась с морщинами, как лев с носорогом. Дермобразия, ботокс, фотоомоложение, мезотерапия, силиконовые гели. Было использовано все! На массаж и кремы с сыворотками уходило целое состояние.

Яценко едва не падала в обморок от голода, изо всех сил сдерживая аппетит, — телеведущие вынуждены сидеть на диете, ведь экран «прибавляет» как минимум пять килограммов. Полина отказалась практически от всего, питалась, как больной заяц, одним листом капусты, она ломалась в фитнес-зале под наблюдением личного тренера, тщательно закрашивала раннюю седину, регулярно отбеливала зубы... Но, увы, все больше и больше походила на ухоженную, элегантную даму средних лет, а не на юную девушку. Можно убрать «гусиные лапки», вкачать в губы и в складки кожи гель, но куда деть глаза, из которых навсегда ушла наивность? Увы, взгляд не натянешь.

Ежедневная борьба с неизбежным настолько утомила Полину, что она совершила огромную стратегическую ошибку. Яценко отлично знала, что к богатым и влиятельным любовникам не следует предъявлять никаких претензий. Поля умела не только завязывать отношения, но и красиво их завершать. Ни с одним бывшим покровителем у нее не возникло трений или недопониманий. Более того, даже оборвав связь, мужчины оставались с телеведущей в прекрасных отношениях. Полина свято соблюдала три правила любовницы: не требуй развода с законной женой, не рожай внебрачного ребенка, не проявляй запредельной жадности. Вот тогда мужчина сам все даст.

Но, видно, Яценко просто устала. В какой-то момент ей вдруг подумалось: а хорошо бы стать законной супругой Сергея Петровича. Тогда можно будет не думать о нищей старости. И Полина совершила ошибку — предложила бизнесмену развестись и оформить брак с ней.

Сергей Петрович отреагировал незамедлительно. Он отключил мобильный, по которому общался с Яценко, и прислал к телезвезде своего охранника, который спокойно сказал:

— У хозяина дел полно, пока встречаться с тобой он не может, просил его не беспокоить. А если начнешь приставать или, не дай бог, его супругу потревожишь, хорошего не жди.

Глава 34

Это был первый удар. За ним вскоре последовал второй. Полину вызвали к руководству канала и объявили о закрытии шоу.

— Последние съемки в августе, — сказал босс, — с сентября запустится новый проект.

— Мой? — с надеждой поинтересовалась Яценко.

— Вопрос решается, программа лицензионная, — заюлил начальник, — многое зависит от голландцев, у которых куплено шоу, это они утверждают кандидатуру ведущей.

И Яценко поняла: приближается ее телесмерть, нож гильотины уже занесен, ему остается лишь упасть на шею жертвы.

— Но почему закрывают программу? — в отчаянии воскликнула Полина, великолепно зная ответ на этот вопрос: Сергей Петрович перестал спонсировать ее шоу.

Босс спел песню про падение рейтинга.

— Значит, если я сумею оживить эфир, шоу останется? — с надеждой поинтересовалась Полина.

Начальник усмехнулся.

— Ну, если народ прилипнет к экрану, тогда да. Все в твоих руках.

Полина вышла в коридор и, мило улыбаясь окружающим, направилась к выходу. Необходимо придумать нечто феерическое, небывалое, невероятное!

Иногда людям, попавшим в беду, помогают светлые силы. Но порой руку помощи тебе протягивает посланец дьявола.

Для поддержания звездного статуса Полина постоянно посещала всевозможные тусовки. Вот и в тот вечер она отправилась на какое-то мероприятие, где разболталась с одной светской сплетницей Кариной.

Дамы самозабвенно обсуждали наряды присутствующих. В какой-то момент Кара ехидно сказала:

— Гляди, Гала Коротич! Приперлась в надежде найти клиента!

Полина великолепно знала, кто такая Гала Коротич — Галя Короткова, жена Олега Ветрова, она пару раз приходила в больницу к мужу-алкоголику. А Яценко понимала, откуда у нищей тетки появились деньги на подъем бизнеса, но никогда никому ничего о ней не рассказывала. Понятно, по какой причине молчала и Короткова. Полина и Галина не поддерживали дружеских отношений и очень редко пересекались на светских мероприятиях. Но если это происходило, дамы лишь вежливо улыбались и расходились в разные стороны. Они не болтали, не пили вместе коктейлей, обе не желали иметь друг с другом ничего общего.

— Представляешь, — азартно сплетничала Карина, — у Галы дело труба, ее модный дом накрылся медным тазом. Да и понятно почему! Ну кто станет покупать такую жуть? Смотри, на ней ненастоящие брюлики. Да, дело плохо. Вон, как тарталетки жрет! Похоже, пришла не только мордой светить, но и поужинать. Скоро станет с пакетиком ходить, на завтрак канапе собирать.

И тут Полину осенило: это же шанс! В прямом эфире должно произойти нечто невероятное, небывалое, невиданное? И что же это такое? Дрались перед камерами не раз, скандалили еще чаще, плакали, жаловались на жизнь, открывали свои и чужие тайны, рожали, кормили детей, делали пластические операции... Кажется, исчерпано все. Оставалось лишь одно: смерть под прицелом телекамер! На такое никто еще не сподобился.

И Яценко начала действовать...

Николай, до сих пор спокойно слушавший телезвезду, потряс головой.

— Вы решили, что кончина Ветрова поднимет рейтинг шоу?

— Ну конечно, — заулыбалась Полина и взяла его за руку. — Понимаете, такого еще не случалось! Это эксклюзив!

— Ага, — наверное, впервые в жизни растерялся Николаша.

— Зритель памятлив, — хитро прищурилась телезвезда, — один раз увидит, потом год проверять будет, вдруг чего-то похожее случится. И знаете, мой расчет оправдался. Сейчас никто и не заговаривает о моем уходе из эфира. Наоборот! Я победила!

Николаша крякнул:

— Приятно ощутить себя снова на коне.

Полина расцвела в улыбке.

— Конечно!

— Но вы убили человека, — припечатал хозяин кабинета.

Лицо ведущей осветила широкая улыбка.

— О нет! — воскликнула она. — Это абсурдное предположение! Я не убивала, я наказала убийцу. Вы же знаете, что случилось в больнице, так?

Николай кивнул и высвободил руку.

— Григорий избежал справедливого возмездия, — Полина будто объясняла урок неучу, — а Катерина ему помогла. И Галина Короткова в том поучаствовала. И все остались на свободе. Разве так можно? Ветровы роскошно жили, в полном достатке. Катерина не работала, как я, на износ, не голодала, не боялась увольнения, жила за спиной мужа. Это неправильно! А Короткова? Получила собственный бизнес, не имела никаких начальников, способных отстранить ее от дела. Да, у Галы в последнее время плохо шли дела, но в этом она сама виновата. Только сама. Вы меня слушаете?

— Конечно, — закивал Колян.

Полина вновь взяла его за руку.

— Вы такой милый, понимающий, редкий по нашим временам мужчина. Знаете, чуть-чуть пиара, и ваша карьера стартанет вверх. Я готова вам помочь! Пару раз появитесь в моем шоу, и жизнь засверкает яркими красками. Давайте устроим вам рекламную кампанию?

Николаша повесил на лицо подобие улыбки.

— Спасибо, чуть позднее поговорим о вашем предложении. Значит, вы мститель?

— Да, — абсолютно серьезно заявила Полина. — Ну сколько убийца и его пособники могут разгуливать на свободе? Вот и пришлось самой засучить рукава. Я все отлично придумала. Надела парик, нарисовала родинку, чтобы походить на Галину, и попросила глупую, омерзительно жадную девчонку-горничную бросить под дверь Ветровых записку с простеньким текстом: «Раз, два, три, четыре, пять, вышел зайчик погулять...» О, они должны были непременно понять намек! И точно испугаться. А на кого они могли подумать, а?

— Не знаю, — искренне ответил Николаша.

— Конечно, на Галу Коротич, — снисходительно улыбнулась Полина. — Ведь именно она тогда в палате, сразу после убийства, стала петь считалочку. Ха! Значит, это она хотела навредить Ветровым! Понятно?

— Здорово! — похвалил ее Николай.

— Вот-вот, вы опять меня правильно поняли, — закивала телезвезда. — Итак, главный герой умирает прямо во время телешоу. В результате зритель потрясен, а убийца наказан. Погибает и Гала Коротич. Она же помогала преступнику! Я очень предусмотрительна. Мне в жизни еще предстоят великие дела, а Галина не имела права разгуливать на свободе. Пятнадцать лет назад она стала пособницей преступника из исключительно корыстных целей, а я орудие справедливости. Я понимала, что найти меня, если вдруг очень умный человек — такой, как вы, — захочет разобраться во всем, будет не просто. Почему? Да потому, что Екатерина Ветрова сразу скажет: мужу угрожала Галина Короткова. Бросятся к дешевой модельерше, а где та? Умерла. Некого сажать!

— Вы были так уверены, что следствие пойдет по ложному пути? — нахмурился Николаша.

— Ну естественно, — сложила руки на груди Полина. — Я же была в гриме и даже имела при себе уникальную сумку, которая должна была указать на Галину.

Яценко вдруг начала кашлять, и Николай заботливо налил ей воды. А пока телезвезда пила минералку, сказал:

— План разработан замечательный, но на деле получилось по-другому. Вы выронили пропуск, и Фира решила подзаработать.

— Отвратительная жадность! — с осуждением воскликнула Полина. — Горничной следовало рассказать хозяйке о черноволосой женщине с родинкой между бровями и сумкой «Марго» в руке, но она ничего не сообщила Екатерине, поступив не так, как я задумала. Подняла документ и... Нет, только представьте, эта маленькая хамка умудрилась в короткий срок раздобыть номер моего мобильного, позвонила и заявила: «Я поняла, вы приходили тщательно загримированной. Узнала вас по шее — слева есть сосудистая «звездочка». Платите деньги, иначе все хозяевам расскажу». Ей же нужно было рассказать убийцам о Коротковой, а не обо мне!

— Ладно, — кивнул Николай, — с огромным трудом, но начинаю понимать, зачем была придумана история с запиской. Та должна была в случае возникновения интереса со стороны следствия привести к Коротковой, а она уже мертва. Так?

— И снова вы поняли все правильно, — потерла ладошки Полина.

— На мой взгляд, вы тут перемудрили, нагородили огород, — мирно заметил Николаша. — Записка явно лишний элемент, из-за нее вас в конечном итоге и нашли. Не напиши вы ее, Катя не пошла бы в агентство нанимать сыщиков, сочла бы смерть Олега естественной.

— Глупости! — разозлилась Полина. — Я придумала безупречный план наказания убийцы и восстановила справедливость.

— И с сумочками вы промахнулись, — поднял вверх палец Марков. — Зоя Варина подарила Галине «змею», а вам досталась «жаба». Если Ветровых и Фиру убрала Коротич, то как у нее оказалась ваша сумка?

На секунду Полина оторопела и внезапно честно призналась:

— Не знаю.

— Мелочи решают все, — развел руками Коля. И продолжил: — Еще один просчет, клапан конверта перед заклейкой вы дали полизать собаке.

Полина засмеялась.

— Я брезглива, не могу, как некоторые, возить языком по бумаге, которая, прежде чем попасть в мои руки, побывала неизвестно где!

— Вы образованны и, наверное, слышали про ДНК-тест и отпечатки пальцев? — похвалил преступницу мент.

— У меня на программе был профессор, который рассказывал, что личность человека легко установить по капельке слюны, — сказала Полина.

— Кстати, слюна животных тоже индивидуальна, — улыбнулся Николай. — Лаборатория легко установит, что клей облизал ваш йорк. Я говорил, все дело в мелочах! Кстати, идея с сумкой «Марго» сработала не во всех случаях. Продавщица из обувного павильона, где умерла Фира, ее даже не заметила, зато она обратила внимание на ваши дорогие туфли, неподходящие многодетной мамаше. Кстати, зачем вы таскали с собой детей?

Полина скорчила гримасу, но промолчала.

— А как вы узнали, что Екатерина Ветрова пойдет к частному детективу?

— Очень просто — она сама мне сказала.

— Вы беседовали со вдовой? — удивленно уточнил Николаша.

Полина захихикала.

— Да. Я позвонила ей, выразила соболезнование. Мы немного поболтали, и пособница убийцы сообщила, что собирается в агентство, даже назвала его адрес. Кто-то из приятелей ей рекомендовал тех сыщиков. Катька была уверена, что муженек неспроста на тот свет уехал. Чуяла собака, чье мясо съела!

— Нелогично получается. Вы проделали большую работу, подставляя Короткову, правда, слегка напутали. Галина уже была мертва, а вы все ходили загримированной под нее. Но мне интересно другое, — с изумлением спросил Николаша. — Зачем вам было убирать Ветрову? Она, кстати, ни словом не обмолвилась о Коротковой, назвала бизнесмена Тыкова в качестве основного подозреваемого. Кстати, вы знаете, что она выжила?

— Слышала, — процедила сквозь зубы Яценко. — Но еще не вечер! Пособнице убийцы нет прощения! Вообще-то я не собиралась специально за ней охотиться. Да только Екатерина вдруг во время нашего разговора сказала: «Мы никогда раньше не встречались? Ваш голос по телефону другой, чем с экрана, и у меня ощущение, что когда-то я уже беседовала с вами».

— Погодите! — остановил Яценко Марков. — Для меня остается загадкой, почему Олег Ветров, он же Гриша, согласился участвовать в вашей программе. Он что, не понял, кто такая ведущая?

Телезвезда прищурилась, как довольная кошка.

— Нет! Моя внешность претерпела большие изменения. Стилисты изменили мне цвет волос, причем полярно — я была шатенкой, а стала яркой блондинкой. На съемочной площадке я ношу линзы небесно-голубого цвета, а в обычной жизни у меня карие глаза. Я сильно похудела, потеряла десять килограммов.

— Минуточку! Согласен, что внешне с вами произошла метаморфоза, но имя и фамилия остались прежними. Неужели Ветров забыл Полину Яценко?

Задержанная с изумлением посмотрела на собеседника.

— Создается впечатление, что вы никогда не видели мое шоу.

— Не довелось, — признался тот. — Оно идет в то время, когда я занят на работе.

— На программе меня называют Ульяной, — передернула плечами дама. — Это мой творческий псевдоним. Убийца и подумать не мог о Яценко.

Я потерла глаза кулаками. Самые сложные вопросы имеют простые ответы. Ветров не знал, кто ведет телепрограмму, он шел не к Яценко, а к Ульяне. Суля сетовала, что в роскошной квартире хозяев Фиры не было телевизора, у Олега что-то со зрением. Ни он, ни Катя никогда не видели «Интервью», Ветров согласился участвовать в шоу для рекламы своего бизнеса. Полине в самом деле сильно изменили внешность, да и с момента трагедии в клинике прошло почти пятнадцать лет. Олег умер, так и не поняв, кто в действительности ведущая программы Ульяна.

— Ответьте на главный вопрос... — начал Николай, но тут дверь в кабинет распахнулась и появился высокий мужчина с портфелем в руке.

— Петенька! — подскочила Полина. — Ну слава богу! Я знала, что он не подведет, уйдет осторожненько и вызовет тебя. Мы же с ним договаривались...

— Более ни слова! — оборвал ее вошедший. Затем он повернулся к Маркову: — Я адвокат Петр Степанович Васин. В чем обвиняется моя клиентка?

— Она призналась в нескольких убийствах, — спокойно ответил Николаша.

Петр Степанович вынул из портфеля бумагу.

— Ознакомьтесь. Надеюсь, нет необходимости предупреждать вас о сохранении тайны? Моя клиентка — публичное лицо, состояние ее здоровья не подлежит разглашению. Читайте: Полина больна психически. Синдром Мюнхгаузена[1]. Редкое, но хорошо известное медицине заболевание. Показания Яценко — бред нездорового человека. Она способна взять на себя убийство Джона Кеннеди, теракт в Нью-Йорке и создание лагеря смерти Освенцим.

Николай откинулся на спинку стула, Полина очаровательно улыбалась, а я отошла от стены. Великолепно. Телезвезда умна. Вот почему она столь откровенно разговаривала с Николашей — в запасе была бумага, делающая ее показания пустым звуком. Правда, можно спросить, откуда Яценко узнала про письмо с детской считалочкой и каким образом ее йорк ухитрился облизать конверт, но, думаю, Петр Степа-

---

[1] Сидром Мюнхгаузена. Люди, страдающие данным недугом, неуправляемые лгуны. Они врут по любому поводу, придумывают невероятные, фантастические истории и сами начинают в них верить. Поскольку такие больные не опасны ни для себя, ни для общества, их не госпитализируют. Синдром Мюнхгаузена встречается редко, и он практически неизлечим (*прим. автора*).

нович найдет объяснение всем загадкам. Если бы Полина молчала в милиции, она могла сойти за нормальную, а безудержная болтовня, многословное признание в убийствах свидетельствуют в данном случае о болезни. Человек с синдромом Мюнхгаузена никогда не упустит момента соврать.

Через два часа плотного общения со следователем Петр Степанович резко встал.

— Похоже, предъявить вам моей клиентке нечего, — подвел он итог тягостной беседы. — Ветров, Кинг и Короткова погибли от инфаркта. Имеются результаты вскрытия, ни о каком убийстве речи нет. Вы задержали Яценко в кафе, куда она пришла пообедать. Неужели у нас запрещено посещать предприятия общественного питания?

— Полина была в гриме! — отбил подачу Николаша.

— Покажите в уголовном кодексе статью, карающую женщину, изменившую внешность, — засмеялся адвокат.

— Она хотела убить Сулю!

— Как? Чем? Ни яда, ни пистолета, ни ножа, ни веревки у Яценко с собой не было. Уж не предполагаете ли вы, что Полина решила загрызть девушку? И каким образом она могла убить во время телепрограммы Олега Ветрова? Бизнесмен сидел на большом расстоянии от ведущей, она не приближалась к нему, смерть его наступила на глазах у тысяч свидетелей. В организме покойного не обнаружено следов отравляющих веществ, на теле нет признаков насилия. Все, мы уходим. Я проинформирую ваше начальство о травле, которую вы открыли в отношении Полины Яценко.

Дверь хлопнула. Николаша поманил меня пальцем. Я перешла в соседнюю комнату и уставилась на приятеля, выдавив из себя единственное:

— Ну?

— Ага, — не в лад ответил Марков. — Как ты думаешь, по какой причине Галина Короткова рассказала Фатиме о Зое Вариной? В интересах Галы было скрыть это знакомство.

— Полагаю, сначала она элементарно растерялась, — принялась я фантазировать. — Хотела объяснить наличие у нее дорогущей «Марго», а как сумка могла появиться у девушки из Урыльска?

— Кстати! — оживился Николаша. — Зачем все-таки Галина врала про Урыльск? Отчего сделала местом своего рождения родину настоящего Олега Ветрова?

— Ей это посоветовала стоматолог. Чтобы сделать карьеру в свете, сначала надо вызвать к себе интерес. Любым путем! Хорошая девочка из Москвы — это скучно, а в начале девяностых быть ночной бабочкой считалось круто.

— Фу, — скривился приятель.

Я рассердилась:

— Не перебивай меня! Так вот. Сначала Галина растерялась, а потом сообразила: Фатима хочет написать большую статью. В гламурном журнале! «Марго» уже у Коротич не было, сумка давно ушла, но нельзя упускать шанс для саморекламы. И Галина выдумывает любовную историю, используя имя Зои Вариной, у которой имелись раритетные «Марго». Актриса умерла, уличить Коротич во лжи она не может. Правда, жив Гриша, но он давно стал Олегом Ветровым и не станет себя раскрывать. Зато можно получить бесплатную рекламу своей коллекции. У Коротич плохо шли дела, вот она и захотела использовать этот шанс. Здорово, да?

— Здоровее некуда, — мрачно отметил Николаша.

Глава 35

— Влип я, девки, из-за вас! — жаловался нам с Ниной Николаша через пару дней.

— Не рыдай, — остановила его Косарь. — Вытурят вон — заберем тебя к себе!

— У меня семья, ребенок, — вздыхал приятель.

— А мы с Лампой чего, одинокие? — разозлилась Нина.

— Слышали новость? — хмыкнул Николаша. — У Яценко горе — любимая собачка погибла. Убежала от хозяйки и попала под машину.

— Сука! — с чувством произнесла Косарь. — Как она их убила? Я имею в виду людей, а не йорка!

— У меня есть предположение, весьма странное, — тихо сказала я. — Оно возникло в тот момент, когда в кабинете Маркова появился адвокат. Увидав законника, Яценко воскликнула: «Я знала, что он не подведет, уйдет осторожненько и вызовет тебя. Мы с ним договорились». Кого имела в виду Полина? Кто такой этот «он»? В деле замешан человек, вызвавший адвоката. Яценко звонила кому-либо после задержания?

— Нет, — ответил Марков.

— В кафе были только милиционеры, Суля и Полина, посторонние отсутствовали, — гнула я свою линию. — И кто же постарался?

— Дети! — осенило Нину. — Они вообще откуда взялись?

— У телепрограммы был договор с детдомом, — пояснил Николай, — директриса давала воспитанников для съемок за наличный расчет. Маленький бизнес!

— А еще была девочка Ксюша, — напомнила я, — непременный свидетель всех смертей.

— И она не из интерната, — уточнил Николаша. — Следовало бы покопать в этом направлении, но мое начальство...

— Спокойно! — прервала его я. — Если Ксюша не сирота на государственном иждивении, значит, она живет дома. И я видела, как она выскочила из кафе. Мне не удалось перехватить девочку. И, похоже, именно Ксюша вызвала адвоката, больше просто некому.

— Но Полина сказала «он»! В мужском роде! — воскликнула Нина.

— Верно, — согласилась я, — именно это и толкнуло меня на размышления. Вспомните: на момент убийства настоящего Олега Ветрова Полина была беременна. Где ребенок? Его сейчас при ней нет. Надо проследить судьбу малыша и заодно выяснить, откуда у Леонида Аркадьевича и Эвелины Петровны взялся мальчик Леня. Старушка рассказала историю о непутевой сестре мужа, но интуиция мне подсказывает: дама соврала.

— Ты полагаешь, что Ксюша — переодетый воспитанник психотерапевта? — изумилась Нина.

— Да, — кивнула я. — Субтильного мальчика легко превратить в девочку. У Ксюши странная походка, и точь-в-точь так же передвигался и Леня. И он что-то делает с людьми на расстоянии. Все, кто присутствовал при кончине Фиры и при сердечном приступе Катерины Ветровой — продавщица из обувного магазина, охранник в нашем офисе, — жаловались на слабость и сильную головную боль, которая прошла, как только Ксюша удалилась.

— Хочешь сказать, он их испепеляет взглядом? — заржал Николаша.

Я решила не обращать внимания на его сарказм.

— Еще интересный момент. Лариса, администратор шоу Полины, после форс-мажора в студии попыталась увести Ксюшу. Но та выглядела странно, говорила нечто невразумительное. А потом вдруг пришла в себя и послушалась толстуху. Думается, дело в подростке.

— Ерунда! — подытожил Николай.

— У нас нет других версий, — напомнила Нина, — так что давай отработаем ту, что предлагает Лампа.

Через три дня после этого разговора около десяти вечера я позвонила в квартиру Эвелины Петровны.

— Вы? — поразилась вдова, открыв дверь. — Что случилось?

— Простите за поздний визит, — сухо сказала я, — но дело безотлагательное. Где Леня?

— Почему вы интересуетесь моим внуком? — изумилась Эвелина Петровна.

— Леонид приемный ребенок, — безжалостно напомнила я и вошла в прихожую, — давайте поговорим начистоту. Если приложить определенные усилия, то непременно отыщешь любые документы, в данном случае найти их было совсем просто. Эвелина Петровна, у вашего мужа не было сестры, следовательно, Леонид никак не может быть его родственником.

Старуха прижала руки к груди.

— Вы воспитывали мальчика, которого родила Полина Яценко, — договорила я. — Только не надо отрицать очевидное! Где он? Я имею к подростку ряд вопросов. В ваших интересах привести Леню, иначе сюда явится милиция, и беседа пойдет под протокол.

Вдова схватила меня горячими пальцами за плечо.

— Идемте, — зашептала она, подталкивая меня в кабинет. — Случилось ужасное! Поверьте, я ничего не знала, все открылось во вторник!

— Где Леонид?

— Сейчас я расскажу все подробно.

— Мне нужен мальчик, — настаивала я.

— Он уехал, — заплакала Эвелина Петровна.

— Так... — протянула я, — ясно...

В комнате царила духота, но пожилую даму колотило в ознобе. Она начала говорить. Через некоторое время я разобралась в истории, и мне стало жаль Эвелину Петровну.

Как уже упоминалось ранее, Леонид Аркадьевич являлся противником абортов. Он уговорил Полину оставить ребенка и весьма опрометчиво пообещал ей:

— Нет никаких сомнений в том, что младенец родится здоровым.

Утверждение было чересчур смелым, но Леонида Аркадьевича можно понять — он хотел спасти от смерти невинную душу. Умный, тонкий врач не сообразил, что Яценко, не имея мужа и близких родственников, оказавшись с малышом на руках, будет испытывать моральные и материальные трудности. Конечно, Полина не единственная, кто произвел на свет безотцовщину, но большинство женщин мечтают о ребенке и готовы ради него на все, а Полина не хотела рожать. Желая добра, Леонид Аркадьевич буквально сломал свою пациентку, и на свет появился мальчик.

Как-то вечером в квартире Буравковых раздался звонок — на пороге стояла Полина с «конвертом» в руках.

— Ваша была затея! — зашипела она, сунув сверток Леониду Аркадьевичу. — Хотели ляльку? Получите!

Психотерапевт растерялся.

— Вы пообещали, что он здоровый будет, и соврали! — разъярилась нежданная гостья. — Заставили родить урода. Пять месяцев ему вчера исполнилось, а он голову не держит. Идиот и дебил! Вот теперь и мучайтесь с ним сами, а я не собираюсь!

И, не дожидаясь ответа от врача, Яценко убежала.

Всю ночь Буравковы не сомкнули глаз. Наутро Леонид Аркадьевич вызвал лучшего педиатра, и тот, после детального осмотра мальчика, наговорил кучу слов о его болячках. Бедный малыш был буквально справочником по детским болезням. И, как выяснилось, мать за ним отвратительно ухаживала — редко меняла подгузники, купала только по выходным, недокармливала.

Леонид Аркадьевич и Эвелина Петровна оставили малыша у себя, а всем окружающим озвучили историю о непутевой родственнице. Психотерапевт испытывал чувство вины перед Полиной, понимая, что поступил непрофессионально, и решил исправить свою ошибку. Леонид Аркадьевич и Эвелина Петровна любили детей, очень хотели иметь собственного ребенка, и вот теперь Провидение послало им как бы внука.

Через полтора года Ленечка выправился, окреп физически и стал радовать Буравковых здоровым аппетитом. Хуже обстояло дело с умственным развитием. Нет, мальчик не был идиотом в медицинском понимании этого слова, просто рос немного странным, очень тихим, незаметным. И он категорически не желал общаться ни с кем из сверстников. «Несадовский ребенок», «мальчик, требующий индивидуального обучения» — вот характеристики, которые получал от воспитателей и учителей Ленечка. Его пришлось забрать из школы, педагоги ходили к нему приватно, и Леня быстро обогнал по количеству усвоенного материала своих ровесников. У Леонида Аркадьевича была огромная библиотека не только специальной, но и популярной литературы — годам к десяти ребенок прочитал все. И еще один нюанс: едва мальчику исполнилось восемь, он заявил, что хочет стать кардиологом, потому что слышит, как у людей работает сердце.

Слух у Лени и впрямь был невероятный. Эвелина Петровна наняла «внуку» учителя музыки, но никакого усердия к игре на скрипке, пианино или гитаре тот не проявил. Правда, он освоил программу начальной музыкальной школы, но стать великим исполнителем Ленечке не было суждено. Мальчик мечтал о кардиологии и упорно твердил Эвелине Петровне:

— У каждого человека в груди стучит по-разному! Ну неужели ты не слышишь?

Она гладила малыша по голове и отвечала:

— Конечно, милый! Вот закончишь школу и поступишь в медицинский.

Эвелине Петровне, отлично знавшей проблемы Лени, плохо верилось в столь радужную перспективу. Какой там диплом о высшем образовании, если и с получением школьного аттестата наверняка возникнут сложности? Но не могла же она сказать мальчику: «Ты психически не совсем обычен, не сумеешь беседовать с больными и никогда не сдашь вступительных экзаменов».

Полина навещала сына очень редко. Лене никто не рассказал правду, и он считал Леонида Аркадьевича с Эвелиной Петровной своими родными дедушкой и бабушкой.

— Мама много работает, ей некогда к нам приходить, — убеждала Леню Эвелина Петровна.

Пожилой даме не хотелось, чтобы у него возник еще и комплекс брошенного ребенка, хватало других проблем. Но вот уж удивление: Ленечка обожал свою равнодушную мать и готов был броситься за нее в огонь или отрубить себе руку, если это понадобится для ее счастья.

— Другие родители во всем себе отказывают, — плакала старушка, — вкладывают в деток и душу, и деньги, а в ответ получают плевки в лицо. А здесь! Если мы покупали пирожные, Ленечка всегда спрашивал: «А мамочке оставили?» Полина для сына была божеством. Даже когда она не приходила на Новый год или на его день рождения, мальчик восклицал: «Бедная мамочка! Она так устает на работе, не сумела выбраться на праздник!»

Яценко же появлялась у Буравковых отнюдь не с целью пообщаться с сыном. Нет, она прибегала, чтобы взять денег, которых телеведущей, несмотря на растущую популярность, вечно не хватало.

— Она просила в долг, — звенящим голосом рассказывала Эвелина Петровна, — а если Леонид Аркадьевич говорил, что мы сейчас не в состоянии ей помочь, моментально заявляла: «Хочу забрать Леонида, думаю отправить его учиться в интернат».

Ясное дело, психотерапевт пугался и находил деньги. Год назад Полина заявилась к Буравковым за очередной мздой. Ей не пришло в голову принести сыну хоть карамельку, но Ленечка весь светился от счастья. Леонида Аркадьевича не было дома. Эвелина Петровна, изображая радость, поила нежеланную гостью чаем. И тут в квартиру вползла соседка Буравковых, Антонина Сергеевна.

— Лина, — прошептала она, держась за грудь, — дай валокордину. Мне плохо, «Скорую» вызвала, а та никак не едет!

— Что случилось? — кинулась к ней хозяйка.

— Сердце... — прошептала соседка и рухнула на диван. — То бьется, то останавливается.

Эвелина Петровна понеслась к аптечке, которая хранилась в ванной, и стала судорожно рыться в шкафчике. Как назло, капли не попадались на глаза. Когда старушка вернулась в гостиную, Антонина Сергеевна, слегка порозовевшая, сидела в кресле.

— Тебе лучше? Слава богу! — перекрестилась пожилая дама. — Ох и страху ты нагнала!

— Сама испугалась, — выдавила из себя Антонина Сергеевна. — Спасибо Лене, он меня спас.

— Как это? — поразилась Эвелина Петровна.

— Не знаю, — призналась соседка. — Сел рядом, палочками постучал... и мотор ровно заработал.

— Я же говорил! У здорового сердце звучит красиво — тук-тук-тук, а у больного не так, — начал путано объяснять Леня. — Но если постучать, как африканцы делают, — бум-бум-бум... сердце слушается. Оно очень чуткое! Бабуля, я буду врачом! Всех вылечу!

— Уж и не знаю, что сказать, — растерялась Эвелина Петровна.

— Ты умеешь при помощи звука управлять ритмом сердца? — вдруг заинтересовалась Полина.

— Да, мамочка! — ответил Леня.

— И где ты этому научился? — продолжала расспросы Яценко.

Леня кинулся к книжным полкам и вытащил томик.

— Мама, смотри: «Народная медицина африканских племен». У дедушки много интересного!

Эвелина Петровна во все глаза смотрела на внука. Куда подевались его диковатость и неумение четко излагать мысли? Леня рассуждал, как взрослый человек. Потом пришла ревность. Вон как подросток обожает мать, это для Полины он старается, бабушке книгу не демонстрировал и о своем увлечении не говорил...

А Леня тем временем чирикал веселым воробушком. Он прочитал книгу и очень заинтересовался ею. Оказывается, у ряда коренных племен Африки в деревнях есть особый лекарь. Знахарь обладает чутким слухом, он улавливает звуковые колебания в человеческом организме. А потом берет деревянные или костяные палочки, начинает постукивать ими в определенном ритме, и болезнь отступает. Необъяснимым образом сердце, печень, почки, легкие начинают работать как часы.

— Я слышу только сердце, — признался Леня. — И правильно стучать уже умею. Но позанимаюсь еще немного и всему обучусь. Бабушка, можно мне поехать в Африку? Самому мне больше ничему не научиться. Но я не стану палачом, ты не бойся!

— Кем? — еще сильней изумилась Эвелина Петровна.

— Тот африканский врач, когда надо, казнит преступников, — забегал по комнате всегда тихий Леня. — Постучит в другом ритме — и здоровый умирает. Но я таким не буду заниматься.

— Спаси Господь! — перекрестилась Эвелина Петровна. — Но почему умирает только один человек, а не все рядом? Как такое получается? И... Чем же ты стучишь?

— А твоими спицами, они хорошо подходят, — сообщил Леня. — Я давно тренируюсь! Хожу гулять и людям помогаю, у метро много больных торгует. Я делаю это незаметно, они не понимают. У каждого сердце звучит по-своему, надо только уметь его слышать. Это трудно. Очень! А когда стучишь, сильно устаешь. Я даже видеть перестаю и спать хочется. Но у меня получается! Нет, бабушка, если правильно палочками работать, то только одно сердце услышит. Оно имеет уши, так в книге описано. Ее написал профессор, который в племени десять лет прожил, но он так и не стал врачом, потому что у него слух не открылся. А я понял! Мне иногда снится, что я в Африке живу. Там так красиво! Небо черное-черное, и ветер словно иголками колет.

— Матерь божья! — снова осенила себя крестом Эвелина Петровна. — Нет, солнышко, ты не имеешь никакого отношения к африканцам.

— Вот вырасту и поеду туда! — с невероятным возбуждением заявил внук. — В Африке хорошо!

— Его отец, — неожиданно заговорила Полина, — был очень смуглым. Я думала, что у Валерия цыган был в роду. Один раз мы с ним наткнулись у метро на гадалок, и я пошутила: «Иди, тебе, как своему, бесплатно судьбу предскажут». А Валера надулся и заявил: «Мой отец — великий врач, он из Танзании. Его в Россию пригласили лечить... не могу сказать кого... это государственная тайна. Отец женился на москвичке. Но семья не долго просуществовала. Очень уж люди у нас злые, дразнили мамулю, вот родители и развелись. Где сейчас папа, не знаю, он исчез, словно испарился. Мне от него, слава богу, черная кожа не досталась». Я решила, что Валера врет, придумал себе отца-знахаря, чтобы правды про алкоголика из деревни не рассказывать. Но сейчас думаю, может, он тогда не соврал, а?

— А убить других окружающих нельзя, — продолжал свое Леня, — неправильный ритм только одно сердце услышит, для которого стучишь. Кстати, у тех, кто рядом стоит, может голова сильно заболеть, но это не страшно, быстро пройдет...

— Пойду-ка я домой, — спохватилась Антонина Сергеевна. — Не ровен час «Скорая» приедет, а я здесь.

Эвелина Петровна проводила соседку до прихожей и сказала:

— Ты же понимаешь, что мальчик нес чушь! Тебе стало легче не от стука спицами, просто отпустило. Ребенок у нас... ну... особенный. Большой выдумщик!

— Да, да, — закивала та и скрылась.

С того дня Полина вдруг начала проявлять к сыну интерес, она частенько стала брать его на прогулки, водила в театр, кафе...

Эвелина Петровна запнулась, помолчала. Наконец снова заговорила:

— Во вторник они тоже ушли вместе, а вернулся Леня один. Он был в ужасном состоянии! Сначала позвонил какому-то Петру... э... не помню отчества... лег в кровать...

Когда бабушка предприняла попытку выяснить, что случилось, у внука разыгрался истерический припадок. А немного успокоившись, он огорошил несчастную Эвелину Петровну рассказом о том, как, переодевшись девочкой, помогал маме избавиться от злых людей, которые хотели убить ее.

— Они ей угрожали! — рыдал Леня. — Вот все умрут, и мы с мамочкой уедем... Далеко-далеко, в Африку... Будем жить счастливо! И ты, бабушка, с нами. И я стану врачом. В Африке. Мама всегда хотела быть рядом со мной, но те злые люди мешали. Это секрет, бабуля! Если расскажу, мама не сможет с нами жить, и в Африку мы не поедем...

Эвелина Петровна замолчала.

— Понятно, — с трудом выдавила я из себя. — А где сейчас Леня?

Старуха выпрямилась.

— Он в больнице. Под хорошим присмотром. Но хоть режьте, не скажу, куда положила внука! А сами вы его не найдете!

Эпилог

В существование мальчика, который умеет управлять сердечным ритмом человека, никто не поверил. Начальство велело Николаю не заниматься фантастическими проектами, а сосредоточиться на поиске реальных преступников, в районе как раз объявился серийный убийца.

Николаша, чувствуя себя полнейшим идиотом, попытался растолковать полковнику суть дела, долго рассказывал про сумку «Марго» и в конце концов достал своего руководителя по полной программе. Иван Сергеевич встал из-за стола и гаркнул:

— Николай! Ты у своей жены Смолякову взял и ерунды начитался! Сумка, которая стоит тридцать тысяч евро? Покажи дурака, который в такое поверит!

— Поговорите со специалистом, — упирался приятель, — я могу привести редактора модного журнала...

— Убийство в прямом эфире повышает рейтинг, и поэтому ведущая задумала преступление? — взвыл Иван Сергеевич. — Чушь! Хорош мотив... Белиберда!

— У них на телевидении полный экстрим и свои законы, — бубнил Николаша. — Да, для деятелей эфира это мотив! Полина патологически боится остаться без работы, она отравлена славой, думает только о ней. Ради успеха Яценко готова на все, и...

— Иди, Николай, — устало прервал его Иван Сергеевич. — Сколько у тебя сейчас дел в производстве?

— Девять, — отрапортовал подчиненный.

— Вот ими и занимайся. А насчет Яценко... У нее болезнь, синдром Мюнхгаузена. Мне детально объяснили: Полина врет, придумывает про себя истории. Это раз. Теперь второе! Ветров, Кинг и Короткова скончались от инфаркта, на то имеются отчеты патологоанатомов. Никаких странностей специалисты не заметили, синяков, ушибов, следов насилия нет. И третье. Спицами, если, конечно, не втыкать их в тело, убить нельзя! Понял? Хоть обстучись ими со всех сторон! Леонид болен. У него медицинская карта в полметра толщиной, мальчик с детства лечился у психиатра. Хватит идиотничать, займись работой. И не читай бабские детективы! Тебе на службе убийств мало? Могу подкинуть, вчера обнаружен труп в районе магазина электротоваров. Вот у него с причиной смерти полная ясность: перелом шейных позвонков. Может, конечно, по-твоему мнению, тут тоже спицами постучали, но я думаю, мужика убили руками. Берешь?

— Лучше я пойду, — грустно сказал Николаша.

— Ступай, — кивнул полковник. — И помни! У этой теледивы адвокат — сукин кот. Мог устроить нам небо в алмазах. Хорошо хоть агрессии не проявил, сказал: «Я, в принципе, вашего сотрудника понимаю. Люди с синдромом Мюнхгаузена очень убедительно лгут, а встречаются редко».

— Они сговорились! — воскликнул Николаша. — Адвокат был в курсе всего! Мы в его сторону не копали, но думаю, что трюк с Мюнхгаузеном придуман давно. Вот гады! Ведь Яценко специально призналась, нагло выложила мне правду. Их консультировал психиатр! Понимаете? Давайте...

— Ступай вон! — гаркнул начальник. — Сказочкам конец!

Полина Яценко до сих пор работает на телевидении. Программу «Интервью» закрыли, но дама теперь вещает на другом канале. Очевидно, ее план удался — смерть Олега Ветрова привлекла к ней пристальное внимание. И она вышла замуж за адвоката Петра Степановича.

Эвелина Петровна быстро продала квартиру и уехала вместе с Леней в другой район. Впрочем, ни старуху, ни подростка никто не собирался преследовать.

Катерина Ветрова поправилась, у нее оказалось очень крепкое сердце, которое восстановилось после тяжелой болезни.

Сегодня Ветрова пришла к нам в офис и спросила:

— Ну как? Что с моим расследованием?

— Тыков тяжело болен, — доложила Нина, — у него инсульт. Мы тщательно проверили факты и поняли: ваш муж умер в результате сердечного приступа. Готовы вернуть вам аванс.

— Зачем? — откликнулась Катя. — Вы же вели расследование и узнали правду.

— Можно спросить? — полюбопытствовала я. — Отчего записка про зайчика ассоциировалась у вас с Тыковым?

— Только Дмитрий желал зла Олегу, — пояснила Катя, — других людей я не вспомню.

— Может, это был намек на какие-то прошлые дела? — в лоб поинтересовалась Нина.

Катя заморгала.

— Олег жил честно.

— А какие отношения связывали вас с ведущей шоу, во время которого умер Олег? — не успокаивалась я.

— С Ульяной? — удивилась вдова. — Никакие. Я ее не знаю. Кстати, я была очень удивлена, когда та вдруг позвонила мне и стала выражать соболезнования по поводу смерти Олега.

— Можете назвать ее фамилию? — насела на Ветрову Косарь.

— Ульяны? Нет. А зачем? — заметно растерялась Катерина.

— «Раз, два, три, четыре, пять, вышел зайчик погулять...» — нараспев произнесла Нина. — Что это вам напоминает?

— Ну... игру в прятки, — без всякой тревоги ответила Катя, — детскую забаву. Интересно, кто решил так подшутить? Загадка...

— Ты обратила внимание на ее сумку? — спросила я у Косарь, когда клиентка ушла.

— «Марго», замок «змея», — почему-то шепотом ответила Нина. — У Яценко была похожая?

Я кивнула:

— Да. Она ее не носила, понимала, что привлечет к себе внимание, начнутся расспросы. Еще, не дай бог, кто-нибудь вспомнит про Варину... Полина использовала ридикюль только для того, чтобы прикинуться Коротич. Но все сумки Вариной разные. У телеведущей была «жаба», а у Катерины «змея».

Мы с напарницей помолчали.

— Может, все же следовало сказать Кате правду про Полину? — пробормотала я.

— А смысл? — нехотя отозвалась Косарь. — Она, похоже, не помнит, что пела Короткова в палате. Зря Яценко надеялась, что Катерина мигом свяжет считалку с модельером. И у нас нет прямых доказательств вины Полины, только косвенные улики да размышления. А так — Олег был стопроцентно здоров и... умер. Инфаркт. Такое случается. Врачи ошиблись, упустили больного. Человеческая память избирательна, Катерина давно заставила себя забыть про обстоятельства знакомства с мужем. И прошло столько лет! Помнишь, как у классика: «А был ли мальчик?» Герой произведения великого пролетарского писателя убил ребенка, а потом убедил себя, что подростка не было. Вот так же и Катя со своими воспоминаниями поступила. Не было ничего в больнице, и все! Что ж, иногда у детективов случаются неудачи и разочарования, нам следует признать свое поражение.

— Но мы разобрались в деле! — возразила я.

— Угу, — кивнула Нина, — это точно! Вот только где положительный результат? Хотя, если бы мы рассказали Ветровой правду про Яценко, Катерина могла помчаться к ней, и неизвестно, что бы произошло. Нет, я права: Катя забыла прошлое, вытеснила его, иначе бы не пришла к нам с требованием найти убийцу. Сама не сообразила, что к чему. Ладно, сегодня пятница, не знаю, как ты, а я намерена устроить себе два выходных. А ты чем займешься?

— Нам должны вешать кухню, — вздохнула я.

— Как? — поразилась Нина. — Еще не сделали?

— Проблема с дверками, — пояснила я. — Сначала приволокли не того цвета, потом стеклянные с надписью «Ресторан «Морское дно». А теперь доставили пластиковые решетки с медальонами в виде пауков.

— Прикольно, — захихикала Косарь.

— Детям тоже понравилось, — улыбнулась я. — Но мне нужны деревянные, цвета «медовый дуб». Может, сегодня вечером их дождусь? И очень надеюсь, что сумасшедшие Гоша с Костяном не привезут собакам стог сена в подарок.

Нина громко засмеялась, я помахала ей рукой, вышла из офиса, села в машину и поехала в сторону кольцевой дороги.

На дворе пятница, самый страшный для автомобилиста день недели. Даже зимой караваны легковушек устремляются за город, что уж тут говорить об июньском теплом, погожем вечере... Интересно, за сколько часов я доберусь до поселка Мопсино? Сейчас продвигаюсь черепашьим шагом и про себя молюсь, чтобы на дороге не случилось аварии, иначе...

Поток машин замер. Спустя минут пять водители начали выходить на шоссе, пытаясь выяснить причину паралича движения. Я не стала суетиться. Ну скажите, какой смысл нервничать или орать, как вон тот толстый потный шофер? Даже если потеряешь голос от злости, дальше не поедешь. Лучше спокойно отдохну, предвкушая свободный уик-энд.

Чтобы отвлечься, я принялась глазеть по сторонам и тут же наткнулась взглядом на здоровенный рекламный щит, вознесенный над дорогой. Да уж! Прогресс зашел далеко! По моему мнению, столь откровенное фото не совсем уместно для украшения магистрали. На билборде изображена кровать, на ней лежит пара, лица обнаженных мужчины и женщины, слегка прикрытых одеялом, повернуты в сторону зрителя. Дама не похожа на фотомодель. И что они рекламируют? Я уставилась на текст. «Проблемы в семье? Обратись к нам! Сохраним ваш брак».

Я откинулась на спинку сиденья. Смелое заявление! В особенности изумляет уверенность рекламодателей в том, что основные семейные проблемы связаны с сексом. Лично я могу назвать массу других причин для развода: тесная квартира, отсутствие высокооплачиваемой работы и, как следствие, нищета, капризные дети, настырные, якобы желающие вам добра родственники, невозможность уединиться...

Я снова уставилась на щит. Лицо дамочки показалось мне смутно знакомым. Откуда я ее знаю? Минуточку... парень в кровати... Это же Роман! Любовник Насти Ваксиной! Сама постель и красное шелковое одеяло мне тоже знакомы! А тетка... Мама родная, это же я!

Я обомлела. Поток машин ожил, сзади нервно загудели. Я вздрогнула, включила поворотник, припарковалась у обочины и вытащила мобильный.

— Аллоу... — откликнулась Ваксина.

— Почему мое фото висит над дорогой? — прошипела я.

— Это кто? — нервно воскликнула Настя.

— Лампа! — заорала я. — Евлампия Романова! Мечтаю узнать, по какой причине я красуюсь голая на подъезде к МКАД!

— Голая? — растерялась Ваксина. — Совсем?

— Да!

— В смысле без одежды?

— Ты чертовски догадлива! Именно так! — вне себя рявкнула я.

— А ты не пробовала одеться? — посоветовала подруга. — Натяни платье. Кстати, зачем ты его сняла?

— Извеваешься, да? Каким образом можно нацепить платье на билборд?!

— Ах, вот о чем речь... — засмеялась Настя. — Клево, да?

— Невероятно! — взвизгнула я.

— Мне тоже понравилось, — заявила Ваксина. — Понимаешь, пришли заказчики, а у меня на компе как раз те фотки, что мы вместе делали. Они как увидели, так и закричали: «Вот то, что нам надо!» Я и подумала: почему бы и нет? Роману пиар не помешает, тебе тоже, и Славик успокоится, окончательно поверит, что на снимках в его компе не я. Круто?

Я не нашлась, что ответить, а Ваксина курлыкала дальше:

— Знаешь, Славик очень изменился в последнее время. Был нервным, злым, а когда увидел щит, сразу прежним стал. Может, рекламу разместили в нужном месте? По правилам фэн-шуй?!

— При чем здесь древнее китайское искусство, наука, которая служит для привлечения удачи в разных сферах жизни? — возмутилась я. — Что за чушь ты несешь? У тебя получился фэн-шуй без тормозов! Бред!

Но Ваксина не собиралась меня слушать. Она самозабвенно нахваливала Славика.

— Представляешь, он купил мне котенка! Просто так! Сюрпризом! Без повода!

— Ничто так не разжигает ревность жены, как неожиданный подарок от мужа, — мстительно напомнила я. — Рада, что отношения в вашей семье, несмотря на твою патологическую неверность, близки к идеалу. Но, позволь заметить, на фото голой лежишь не ты, а я! Неплохо было бы спросить моего разрешения на использование снимка!

— Так ты же была не против, — искренне удивилась Настя.

— Я?!

— Ты, — подтвердила Ваксина. — Напомню наш разговор. Когда зародилась идея создания билборда, я сразу позвонила тебе и сказала: «Есть крутая фенька». Ты выслушала и ответила: «Отлично, я «за»! Неужели забыла?

В мозгу возникли смутные ассоциации. А ведь верно! Ваксина звонила и что-то говорила о рекламе. Но я думала о деле клиентки Ветровой, поэтому машинально поддакивала подруге, надеясь побыстрей завершить разговор.

— Вспомнила? — настаивала Настя.

— Угу, — тихо ответила я.

— Отлично получилось! Ты теперь звезда, все тебя узнают!

Мне стало жарко. Боже, только не это! Может, щит один и его скоро уберут?

— Настюша, — спросила я, — а сколько всего билбордов? И какое время они будут висеть?

— Сейчас посмотрю... — ответила Настя. — Ага, вот. Сто семьдесят штук на полгода.

Меня почти парализовало. Шесть месяцев я в койке буду красоваться по всей Москве? Ужас! Хотя, если честно, я не совсем обнажена, кое-что прикрыто, но от этого мне не легче...

— Слышь, Лампа, ты не знаешь, как приучить котика ходить в лоток? — сменила тему Настя.

Я вздрогнула и, не отрывая взора от щита, переспросила, чтобы сейчас, задумавшись во время разговора с подругой, ничего не пропустить:

— Как сделать, чтобы котенок начал ходить в лоток на гранулы?

— Да, да, — подтвердила Настя.

Я нажала на красную кнопку и отключила мобильный. Все! С меня хватит! С этой проблемой Ваксиной предстоит разобраться самой. Конечно, я точно знаю, как нужно поступить с котенком. Если хотите, чтобы ваш пушистик привык к кошачьему туалету, разрешите ему там читать газету и курить.

Советы

от безумной оптимистки
Дарьи Донцовой

Письма читателей

Дорогие мои, писательнице Дарье Донцовой приходит много писем, в них читатели сообщают о своих проблемах, просят совета. Я по мере сил и возможностей стараюсь ответить всем. Но есть в почте особые послания, прочитав которые понимаю, что живу не зря, надо работать еще больше, такие письма вдохновляют, окрыляют и очень, очень, очень радуют. Пишите мне, пожалуйста, чаще.

Совет № раз

Рецепт
«Пальчики оближешь»

Мозаика из овощей

Что нужно:

1 савойская капуста,
600 г картофеля,
3 морковки,
3 стебля лука-порея,
4 ст. ложки растительного масла,
2 луковицы,
соль,
перец,
свиной шпик.

Что делать:

Морковь, картофель и порей нарезать, савойскую капусту разделить на мелкие части. Растительное масло разогреть в огнеупорной посуде, положить в него овощи, посолить, поперчить, добавить крупно нарезанный лук, сверху уложить шпик. Залить 750 мл воды и тушить в духовке в течение 40 – 50 минут.

Приятного аппетита!

Совет № два

Красивые волосы – это просто

Маски для придания блеска волосам и хорошей укладки

- Яичный желток смешать с 50 мл пива, нанести на влажные волосы, покрыть пленкой и завязать голову платком. Через полчаса маску следует смыть.

- Взбить два яичных желтка с 1 ст. ложкой меда. Нанести смесь на влажные волосы и тщательно смыть через несколько минут.

- Внимание, использовать можно только желтки, белок склеивает волосы.

Маска против сечения волос

Спелый плод манго разрезать. Удалить мякоть, порубить на маленькие кусочки и завернуть в кухонное полотенце. Выжатый сок нанести на волосы. Оставить на некоторое время, а затем тщательно промыть волосы теплой водой.

Маска для жирных у корней волос

0,5 л воды смешать с пятью каплями эфирного масла лимона. Хорошо перемешать и намочить этой водой вымытые волосы.

Обращение к читателям

Дорогие мои, я очень люблю вас, но, увы, не имею возможности сказать о своих чувствах лично каждому читателю. В издательство «Эксмо» на имя Дарьи Донцовой ежедневно приходят письма. Я не способна ответить на все послания, их слишком много, но обязательно внимательно изучаю почту и заметила, что мои читатели, как правило, либо просят у Дарьи Донцовой новый кулинарный рецепт, либо хотят получить совет. Но как поговорить с каждым из вас?

Поломав голову, сотрудники «Эксмо» нашли выход из трудной ситуации. Теперь в каждой моей книге будет мини-журнал, где я буду отвечать на вопросы и подтверждать получение ваших писем. Не скрою, мне очень приятно читать такие теплые строки.

Здравствуйте, Дарья!

Решила написать Вам это письмо. После того, как со мной произошло чудо. Расскажу все по порядку.

На этот Новый год мама подарила мне Вашу книгу «Записки безумной оптимистки. Два года спустя». Я до этого читала только детективы. Я и плакала, и смеялась над Вашей жизнью, но больше всего мне в душу запала история о том, как бабка нагадала Вашу болезнь. А потом я решила, раз люди верят в Вашу чудодейственную роспись, я тоже себе ее вырежу.

Но ведь я не просто ее положила к себе в дамскую сумочку, а загадала желание.

Мы с мужем прожили уже 10 лет, у нас дочь 9 лет, но вот все эти годы мы скитались по съемным квартирам. Потому глупо желать чего-то другого. И я решила, если в ближайшее время мы купим свое жилье, значит, это благодаря Вам. Вы не поверите, Даша, но это случилось. В январе месяце мы случайно узнали про дом. Нехотя пошли его смотреть, ведь денег у нас не было. Дом нам очень понравился, уговорили родителей нам помочь, а они взяли на себя ссуду. Правда, оформление было очень долгим. Это у нас в России так для людей работают все инстанции. Но это уже все позади. Так что теперь мы с жильем и даже подумываем о втором ребенке.

Я очень благодарна судьбе за то, что Ваша книга попала мне в руки. Искреннее Вам спасибо. Долгих лет жизни.

Юлия, 27 лет

Здравствуйте, Дарья!

Пишу Вам по трем причинам: во-первых, поддержать, во-вторых, похвалить, в-третьих, подкинуть идейку для нового опуса.

Не обращайте внимания на ехидные выпады в адрес детективного жанра и в свой адрес, в частности. Детективы осуждались и в советские времена, но в библиотеках они были самыми востребованными и затрепанными из всех книг. Я не знаю ни одного человека, желающего по доброй воле на досуге полистать Канта. Зато куча моих знакомых без особого сожаления расстаются с немалыми суммами, покупая Ваши томики. И еще неизвестно, что лучше: быть серьезным, но не особенно читаемым Шопенгауэром или не столь серьезной, но востребованной Донцовой.

Вы молодец: трудитесь как пчелка. В Ваших романах меня привлекает не только их «детективность», но и многочисленные жанровые сценки, которые Вы искусно и с юмором описываете. Ваши зарисовки настолько жизненны, что я постоянно сталкиваюсь с аналогичными ситуациями на работе, в поликлинике, в супермаркете. И если раньше я не замечала их комичности, то теперь на всю нашу жизнь не могу смотреть без смеха. И это благодаря Вам. Замечательно, что Вы не повторяетесь, ищете новые сюжеты, новые действия для своих героев. А что, если Вам развернуть сцену детективчика на рынке? Горы тряпья, примерка белья на улице на грязном картоне, хитрые рыночные связи и законы ... Мне кажется, может получиться очень даже колоритно. И за впечатлениями и материалом далеко ходить не надо.

С большим уважением,
Лариса Васильевна

СОДЕРЖАНИЕ

Донцова Д. А.

Д 67   Фэн-шуй без тормозов: Роман. Советы от безумной оптимистки Дарьи Донцовой: Советы / Дарья Донцова. — М.: Эксмо, 2008. — 384 с. — (Иронический детектив).

Смерть известного бизнесмена в прямом эфире! Рейтинг телешоу «Интервью» взлетел после столь печального события до небес! Но жена Олега Ветрова уверена: ее мужа убили. Для расследования этого загадочного дела она обращается в наше детективное агентство. Теперь мне, Евлампии Романовой, будет чем заняться в ближайшее время. Самое интересное, что никто к Ветрову во время телеэфира не приближался, он только съел пару ложек детского питания собственной фирмы... и получил инфаркт. Ладно, я распутывала и не такие хитросплетения, разберусь и в этом. Вы сильно удивитесь, но главной уликой в деле оказалась «Марго» — самая дорогая дамская сумочка в мире!..

УДК 82-3
ББК 84(2Рос-Рус)6-4

ISBN 978-5-699-28590-7   © ООО «Издательство «Эксмо», 2008

Оформление серии *В. Щербакова*

Литературно-художественное издание

Дарья Донцова

ФЭН-ШУЙ БЕЗ ТОРМОЗОВ

Ответственный редактор *О. Рубис*
Редакторы *Т. Семенова, И. Шведова*
Художественный редактор *В. Щербаков*
Технический редактор *О. Куликова*
Компьютерная верстка *Л. Панина*
Корректор *Г. Москаленко*

В оформлении переплета использована иллюстрация *В. Остапенко*

ООО «Издательство «Эксмо»
127299, Москва, ул. Клары Цеткин, д. 18/5. Тел. 411-68-86, 956-39-21.
Home page: **www.eksmo.ru** E-mail: **info@eksmo.ru**

Подписано в печать 28.05.2008.
Формат 84×108 $^1/_{32}$. Гарнитура «Таймс».
Печать офсетная. Бумага тип. Усл. печ. л. 20,16.
Тираж 250 000 экз. (1-й завод — 160 100 экз.). Заказ № 3983.

Отпечатано в полном соответствии
с качеством предоставленных диапозитивов
в ОАО «Можайский полиграфический комбинат».
143200, г. Можайск, ул. Мира, 93.

Дарья
ДОНЦОВА

С момента выхода моей автобио-
графии прошло три года.
И я решила поделиться с читате-
лем тем, что случилось со мной
за это время...

В год, когда мне исполнится сто лет, я выпущу еще одну книгу,
где расскажу абсолютно все, а пока... Жизнь продолжается, в ней
случается всякое, хорошее и плохое, неизменным остается лишь
мой девиз: "Что бы ни произошло, никогда не сдавайся!"